KB036700

정체공능과 해체의 詩論

정체공능과 해체의 詩論

이재복 지음

도서출판 b

⋮ 차례 ⋮

III 해체와 놀이

IV 생성과 공능

머리말

그동안 시 공부를 하면서 내가 늘 염두에 두어 온 것은 시에 대한 내 생각의 깊이를 가늠해 보는 것이었다. 시 작품이나 시인에 대한 해석만으로 그것을 가늠하기에는 한계가 있었다. 시 작품론이나 시인론은 그것이 비록 나와 대상(시, 시인) 사이의 대화적 관계를 통해 이루어지는 것이긴 해도 어디까지나 해석의 초점은 대상의 은폐된 의미를 드러내는 데에 있는 것이다. 이것은 시나 시인 각각의 존재성에 초점이 놓인다는 것을 말해준다.

하지만 시론은 이와 다르다. 그것은 시나 시인 각각의 존재성을 넘어서거나 또 그것을 아우르는 메타적 인식을 기반으로 한다. 이런 점에서 시론은 시 공부와 시 비평의 총체적 산물이라고 해도 과언이 아니다. 시론의 기본이 여기에 있다면 그것은 시 전반에 대한 보편적인 원리와 조건을 포괄한다는 것을 의미한다. 그동안의 시론이 대개 이러한 원리와 조건에 기반해 있고, 그 대표적인 것이 언어, 사물, 이미지, 리듬, 은유, 상징 같은 개념들이라고 할 수 있다. 이 개념들을 중심으로 하여 시 혹은 시론에 대한 논의가 전개되어왔다는 사실을 부정할 사람은 없을 것이다. 가령 언어의 경우, 시에서 얼마나 많은 논의와 논쟁의 과정을 거쳐 오늘에 이르렀는가? 지금도 그 문제는 온전히 해명이 안 된 상태로 남아 우리를 늘 딜레마에 빠뜨리고 있지 않은가?

시의 언어가 무엇인지에 관한 문제는 곧 그것을 어떻게 인식하고 있느냐의 문제에 다름 아니다. 시의 언어에 대한 인식은 각자가 처한 사회·문화적인 환경에 따라서도 차이가 있을 뿐만 아니라 개인의 취향이나 성향에 따라서도 차이가 있다. 언어에 대한 이 다양한 차이를 온전히 아우르기는 불가능하다. 하지만 이 차이 중 대표적인 것은 언어를 '실체substance'와 '생성' 혹은 '존재'와 '생성'으로 인식하는 데서 오는 차이이다. 실체와 존재의 차원으로 언어를 인식한다는 것은 그것을 생성의 과정에서 분리하여 형식화하고 추상화한다는 것을 말한다. 이렇게 되면 대상은 하나의 기호나 개념으로 드러나게 된다. 서구의 존재론은 기본적으로 실체를 강조한다. 이와는 달리 동아시아의 존재론은 생성을 강조한다. 서구의 존재론과는 달리 동아시아의 존재론은 우주, 자연, 인간 등을 하나의 유기적인 흐름, 다시 말하면 전체적인 생명의 유출 과정으로 보는 '정체공능整體功能'의 존재론이다.

이 세계에서 모든 것들이 분리되어 있거나 분할되어 있지 않고 하나의 전체적인 유출 과정 내에서 끊임없이 변화하고 생성·소멸하는 공능功能의 상태를 드러낸다는 것은 하나의 세계를 관념이 아니라 실질의 차원에서 이해하고 해석한다는 것을 말해준다. 정체공능으로서의 세계란 우리가 숨 쉬고 지각하는 모든 세계를 의미할 뿐만 아니라 미지의 잠재적인 세계까지를 포괄하는 의미를 지닌다. 이렇게 세계를 정체공능의 차원으로 인식하게 된 것은 우주, 인간, 자연 등을 '기氣'로 이루어진 세계라고 간주한 데서 비롯된 것이라고 할 수 있다. 한국, 중국, 일본 등 동아시아에서 이 우주 만물의 토대는 바로 기氣이며, 그것을 가장 생생하게 보여주고 있는 것은 인간의 '몸'이라고 할 수 있다. 흔히 인간의 몸을 '소우주'라고 부른다. 하지만 그것은 어디까지나 서구의 실체론에 입각해 규정할 때 그렇다. 인간의 몸은 소우주가 아니다. 인간의 몸과 우주는 분리하거나 분할할 수 없다. 인간의 몸과 우주는 하나의 전체적인 기의 흐름 속에 놓여 있고, 이런 점에서 인간의 몸은 우주의 기가 모였다가 흩어지는 그런 존재에 다름 아니다. 인간의 몸에는 기와 혈血이 흐르고, 그 기와 혈의 통로가 바로 '경락經絡'이다.

인간의 몸이 경락의 형태로 존재한다는 것은 인간의 몸 안은 물론 몸 밖의 것과 몸이 분리되어 있지 않고 서로 연결되어 있다는 것을 의미한다. 몸 안의 심장, 비장, 폐, 신장, 간 등은 서로 연결되어 있고 이 각각의 장기는 몸 밖의 기후, 지역, 계절, 방위 등과 연결되어 있는 것이다. 이렇게 인간의 몸 안과 밖이 연결되어 있다는 것은 곧 인간의 몸과 우주가 연결되어 있다는 것을 말해준다. 우주는 더 이상 대상으로 존재하지 않는 하나의 전체적인 유출 과정 내에 있는 공능적인 존재이다. 우주가 그 자체로 하나의 몸이라면 그것을 실체로 대상화하여 하나하나 분석하고 해부하는 것은 우주의 기의 흐름 혹은 경락의 존재를 부정하고 훼손하는 것에 다름 아니다.

이런 점에서 볼 때 인간의 몸이나 우주를 대상화하여 분석하고 그 기능과 구조를 탐색하는 것이 그것에 대한 이해의 정도를 높이거나 확장시켜 준다고 믿는 것은 우리의 착각일지도 모른다. 기능과 구조의 방식으로 어떤 대상에 다가가는 행위는 그 명증함과 명료함으로 인해 우리가 그것을 온전히 인지한 것으로 또 이해하거나 판단한 것으로 여긴다면 그것은 인간의 몸의 장기를 분리하여 하나하나 실험하고 분석하여 전체적인 생명의 유출 과정으로서의 몸을 온전히 이해했다고 하는 것과 다를 바가 없다. 몸속 장기의 분리를 통한 이해는 전체적인 생명의 유출 형태로 존재하는 몸을 통한 이해와는 차원이 다른 것이다. 인간 몸의 유전자 지도를 완성한 것을 두고 인간의 몸을 온전히 이해한 것으로 간주하는 데에는 실체를 통한 세계 이해의 논리가 작동한 결과라고 할 수 있다. 어쩌면 실체에 기반한 서구의 기능적이고 구조적인 논리는 몸뿐만 아니라 길거리에 아무렇게나 피어 있는 이름 모를 들꽃의 존재마저도 온전히 해명하지 못하고 있는 것은 아닐까? 실체에 기반을 둔 서구의 기능적이고 형식논리적인 전통이 집적된 최근의 인공지능 같은 과학도 하나의 전체 생명 혹은 생명 전체로서의 공능을 해명하지 못하고 있다. 그것은 정체공능과는 층위 혹은 차원이 전혀 다른 세계 이해의 방식이라는 점에서 그 안에 불안을 강하게 내재하고 있다고 볼 수 있다.

시의 언어 역시 서구의 실체 중심의 기능적이고 구조적인 차원에서 논의되어 온 것이 사실이다. 하지만 시의 언어 그리고 사물, 이미지, 은유, 상징, 리듬 등은 단순한 기능과 구조의 형태로 존재하는 것은 아니다. 시의 언어는 그 자체로 하나의 몸이다. 시의 언어를 기능과 구조 차원에서 분석하고 해석한 것을 가지고 그것을 전체적인 유출 과정으로서의 언어를 온전히 이해했다고 하는 것은 어불성설이다. 언어를 실체 차원에서 기능과 구조로 분석하고 해석한 것은 전체적인 생명의 유출 형태로 존재하는 몸 혹은 언어를 통한 이해와는 차원이 다른 것이다. 시의 언어, 다시 말하면 시와 시론을 정체공능의 차원으로 인식하고 또 해석하는 일은 서구적인 존재론에 익숙해 있는 우리에게 낯설게 느껴질 수 있다. 하지만 그것은 어디까지나 세계를 몸이 아닌 실체화된 관념이나 개념의 차원으로 인식하는 데에 익숙해진 우리의 견고한 의식 때문이다.

이런 점에서 서구의 존재론에 대한 반성에서 촉발된 '해체'의 방식을 들여다볼 필요가 있다. 해체론은 서구의 이항대립적 형이상학에 틈이나 구멍으로 존재하는 하나의 존재론적인 사건(사태)이다. 어느 한쪽에 속하지 않는다는 점에서 이항대립적 형이상학에 대한 비판적이고 반성적인 태도를 드러낸다. 해체론은 서구의 실체론적 사유를 구성하는 동시에 벗어나는 존재론적인 사건이며, 이런 점에서 분명 한계가 있다. 그러나 그 반성의 지점 어딘가에 동아시아의 정체공능적 존재론과 서로 소통할 수 있는 여지가 희미하게 암시되어 있는 것이 사실이다. 서구의 실체론적 형이상학에서 온전히 벗어나는 것이 서구 내부에서 불가능하기 때문에 그 대안으로 동양 혹은 동아시아 쪽으로 눈을 돌리는 행위 자체는 그다지 바람직하지 않다. 내가 시론의 토대로 제기한 정체공능적 사유는 하나의 대안이 아닌 동아시아의 흐름 내에서 오랜 발생론적 기원과 변주의 과정을 거쳐 오늘에 이른 동아시아의 몸이자 생명 그 자체인 것이다.

『정체공능과 해체의 시론』은 '나'의 시론이다. 내 비평의 오랜 화두인 몸이 언어와 만나 얻게 된 이름이다. 우리의 몸이 정체공능이듯이 시의 언어 역시 정체공능이어야 한다. 존재가 아닌 생성의 차원에서 시를 이해할 때 그 기반을 제공하고 있는 기와 기의 흐름이라는 낯선 문맥을 어떻게 적용할 것인가 하는 문제는 결코 간단한 것이 아니다. 기의 물질성과 비물질성, 그것이 작용하는 방식과 그로 인해 드러나는 다양한 형상과 형태, 내용 등은 기존의 시 개념이나 의미와는 일정한 차이가 있다. 기철학에서 인간을 우주적인 기가 모였다가 흩어지는 하나의 과정으로 정의하는 것처럼 시 역시 그런 차원으로 정의할 수 있다. 기의 그 모임과 흩어짐이 말해주듯 변화와 생성·소멸하는 과정에서 만들어지는 형상과 형태의 맥락하에 있는 시는 단순한 것이 아니라 우리의 몸처럼 복잡하고 신비로운 그 무엇인 것이다. 존재가 아닌 생성의 차원 내에 있는 시는 인간의 몸 혹은 몸을 통한 기의 지극한 작용(분비)에 의해 성립되는 정체공능의 산물이다. 시가 다른 생산물과 달리 오랜 시간을 거치면서도 늘 새롭게 느껴지는 생명 같은 것은 그것이 몸의 지극한 공능을 통해 만들어진 세계이기 때문이다.

정체공능이 고정됨을 넘어 끊임없이 변화하고 변주하는 생성의 과정 속에 있듯이 나의 이 시론도 그런 공능의 기운 속에 놓이기를 바란다.

몸의 공능과 언어의 공능, 다시 말하면 몸의 공능과 같은 언어의 공능으로 이루어진 시를 발견하고 그것의 원리를 풀어내는(해석하는) 일은 나의 정체공능의 시론이 겨냥하는 바이다. 이 과정에서 서구의 실체론적 시론은 해체의 대상이 될 수밖에 없다. 이렇게 해체된 시론은 나의 시론의 궁극이 될 수 없다. 나의 시론의 궁극은 정체공능인 것이다. 따라서 『정체공능과 해체의 시론』에서 해체는 나의 시론이 궁극적으로 지향하는 바가 아닌, 그것에 이르기 위한 한 방법일 뿐이다. '정체공능整體功能'이라고 할 때 '정체整體'는 본래 이항 대립이 아닌 '불이不二'나 '불연기연不然其然' 같은 융화와 혼융의 원리를 기반으로 하고 있다. 시 혹은 시의 언어는 다른 어떤 장르(양식)보다 이런 원리를 강하게 드러낸다. 이것은 시의 언어에 몸의 정체성整體性이 내재해 있다는 것을 잘 말해주는 것에 다름 아니다.

나의 정체공능의 시론이 시에 대한 이해와 해석의 지평을 넓히는 계기를 마련하는 데 조그마한 도움이 되었으면 한다. 동아시아 사유의 한 축으로 작용해 온 정체공능의 감각은 그동안 실체 중심의 서구적 사유의 미망으로부터 깨어나게 하는 어떤 힘을 내재하고 있는 것으로 볼 수 있다. 서구의 사유에 대한 반성과 정체공능에 대한 깊이 있는 모색은 그동안 몸을 화두로 삼아 전개해온 나의 공부가 나아가야 할 또 다른 길이라고 할 수 있다.

어려운 상황 속에서도 흔쾌히 청을 들어준 도서출판 b의 조기조 대표와 식구들께 감사하며, 꼼꼼하게 선생의 글을 읽어준 제자 김세아, 양진호, 이민주, 이황임에게 고마움을 전한다.

2022년 1월

서울숲 胥山齋에서 저자 씀

I 언어와 사물

1. 언어와 사물성

1. 시와 언어

동서의 오랜 미학적 전통 속에서 시는 늘 논쟁의 중심에 있었다. 고대와 중세 시기 시는 예술이 아니라 일종의 철학 혹은 예언으로 간주되기도 했지만, 그것이 예술의 한 부류라는 것을 이미 아리스토텔레스의 『시학』과 그것에 대해 보인 사람들의 반응은 잘 말해주고 있다. 르네상스 시기에 시가 별다른 저항이나 문제없이 자연스럽게 예술의 한 부류로 편입되었을 뿐만 아니라 1747년 샤를 바퇴Charles Batteux에 의해 그동안 수공예와 학문이 배제된 새로운 예술에 대한 논의가 '순수예술fine arts'이라는 명칭과 개념을 획득하고 그것을 토대로 예술의 범위와 보편성을 정립하는 과정에서도 시는 회화, 조각, 음악, 무용, 건축, 웅변 등과 더불어 중요한 부류들 중의 하나로 간주되었던 것이다. 순수예술이라는 용어와 개념의 성립은 예술의 범위를 좁힘으로써 그것의 정체성과 자율성을 강화하려는 의도를 드러내고 있으며, 그 결과 각각의 양식들에 대한 이론적인 논의들이 활발하게 전개되는 계기를 마련하게 된다.

시, 회화, 조각은 '사물이나 사건을 인간의 기억 속에 보존시키기 위한 일에 이바지한다'는 점에서 공통점을 지니며, 또한 '시, 회화, 조각, 무용 등은 수공예와 달리 비유적, 은유적 특질을 공유한다'거나 '시, 회화, 조각, 음악, 무용, 건축, 웅변 등 이른바 순수예술은 모두 실재를 모방한다'[1]는 점에서 공통점을 지닌다. 이 사실은 순수예술의 범주에 속한 양식들의 정체성을 강화하기 위한 이론적인 접근인 동시에 그 순수예술 양식들 각각의 차이와 정체성을 탐색하는 이론적 접근이기도 하다. 비록 시가 기억과 은유, 실재의 모방 측면에서 다른 순수예술 양식들과 공통점을 드러내지만 그것은 또한 이 각각의 양식들과 다른 어떤 특성을 드러낸다고 할 수 있다. 가령 이 각각의 양식들이 모두 어떤 대상을 전제로 그것이 은폐하고 있는 세계를 드러낸다는 점에서는 같지만 그것을 드러내는 매체와 방식에 있어서는 서로 차이를 보인다고 할 수 있다. 회화는 색이라는 매체를 통해 구현되는 예술이고, 음악은 소리, 무용은 몸을 통해 구현되는 예술이라면 시는 언어를 통해 구현되는 예술이라고 할 수 있다.

어떤 대상이나 세계를 색, 소리, 몸, 언어 등 각각의 상이한 매체를 통해 드러낸다는 것은 예술의 기본인 상상과 표현의 영역에 결정적인 영향을 미친다는 것을 의미한다. 언어, 색, 소리, 몸 등 예술에서 이러한 매체에 대한 이해 없이 그 양식을 이야기하는 것은 불완전하고 위험한 일이다. 시는 색, 소리, 몸 등과도 관계가 없는 것은 아니지만 그것을 이루는 토대는 언어라고 할 수 있다. 이런 점에서 시는 색, 소리, 몸 등을 모두 언어로 수렴할 수밖에 없다. '색의 언어', '소리의 언어', '몸의 언어'라고 할 때 그 언어는 색, 소리, 몸의 존재성을 드러내는 매개체가 되는 것이다. 시에서는 언어가 아니면 색, 소리, 몸의 존재성뿐만 아니라

1 | W. 타타르키비츠, 손효주 옮김, 『미학의 기본 개념사』, 미술문화, 1999, pp. 34~37.

세계의 존재성을 온전히 드러낼 수 없다. 시에서 언어가 배제된 상태에서 다른 그 무엇으로 세계를 드러낸다는 것은 마치 무용에서 몸 없이 세계를 드러낸다는 것과 다르지 않다. 시에서 언어를 부정하고 그 한계를 자각하여 불립문자不立文字의 세계를 겨냥하고 있는 선시와 같은 양식에서도 언어를 통하지 않고서는 그러한 세계를 드러낼 수 없다.

하이데거가 '언어는 존재의 집'이라고 한 것이라든가 비트겐슈타인이 '언어의 한계는 곧 세계의 한계'라고 한 것 등은 모두 언어의 존재성을 이러한 관점에서 규정한 것이라고 할 수 있다. 언어가 곧 존재이고 세계인 차원에서 보면 그 언어는 단순한 지식이나 정보 전달의 기능에 머물러 있지도 또 단순한 감정이나 정서 환기의 기능에 머물러 있지도 않다는 것을 말해준다. 여기에서의 언어는 도구적 기능을 넘어 존재의 이면에 은폐된 세계를 발견하여 그것을 직접적이고 낯선 상태로 드러내기 위한 매개체인 것이다. 만일 언어가 도구적 기능에 그친다면 세계는 그만큼 발견의 한계를 드러낼 수밖에 없다. 이때 여기에서 말하는 발견의 한계는 존재 혹은 세계가 은폐하고 있는 어떤 가능성을 가리킨다. 이 가능성은 보이는 차원을 넘어 보이지 않는 차원의 다양한 감각적인 현상을 포괄하고 있다는 점에서 그것은 도구화되고 개념화된 혹은 일상의 인습화된 세계와는 다른 새로움과 낯섦을 기반으로 하는 미적 세계를 드러낸다고 할 수 있다.

그런데 이 미적 세계는 발견으로서의 언어의 표현 정도에 비례하여 드러난다. 도구로서의 언어로는 존재의 결핍이나 결여를 충족시키지 못할 뿐만 아니라 둘 사이의 간극을 더 벌려놓을 위험성이 있다. 언어의 도구화 정도가 크면 클수록 존재는 그만큼 망각될 공산이 커지게 된다. 발견의 언어로 표현되지 않는 존재는 그것이 세계 내에 존재함에도 불구하고 지각의 장으로 불러내어질 기회조차 상실하게 된다. 도구화된 언어가 드러내지 못한 존재는 눈에 보이는 차원 이면에 은폐되어 있는 불투명하고 애매모호한 감각의 덩어리 형태로 존재하는 새롭고 낯선 지평의 세계이다. 가시화될 수 없는 비가시화된 세계를 은폐하고 있으면서 '지금, 여기'뿐만 아니라 미지의 근원적인 세계를 겨냥하는 언어는 쉽게 헤아릴 수 없고 접근하기 어려운 깊이와 부피감을 지닌다고 할 수 있다. 가시적인 것과 비가시적인 것, 여기와 저기(미지), 의식과 무의식, 주관과 객관, 물질과 감각 등 이중적이고 중층적인 언어 혹은 시의 구조는 '시와 지평과의 관계를 탐색하는데 일정한 계기로 작용하여 형식주의와 구조주의가 범하고 있는 오류와 한계를 비판적으로 들여다 볼 수 있게 한다.'[2]

시는 어떤 양식보다도 중층적이고 이중적인 언어와 지평 구조를 토대로 하고 있다. 이런 점에서 시의 언어가 겨냥하고 있는 것은 '과학에 기반한 객관적인 현실이 아니라 지각되고 체험된 세계의 현실'[3]이다. 이것은 시인과 시적 대상 혹은 주체와 세계 사이의 관계 내에서 지각되고 체험된 복잡한 언어에 대한 이해가 전제되어야 비로소 시적 지평이 드러난다는 것을 의미한다. 언어가 존재의 집이라는 하이데거의 사유에서 그 존재란 형식주의자들이 말하는 것처럼 단순한 형식논리로서의 언어를 가리키는 것이 아니라 주체와 세계 사이의 지각되고 체험된 관계를 통해 드러나는 언어를 가리키는 것이다. 가령 시인이 꽃을 노래한다고 할 때 그 꽃을 언어의 형식논리 안에서 이해하려고 한다면 그 꽃의 존재성은 온전히 드러나지 않게 될 것이다. 그 꽃이 하나의 꽃으로 존재한다는 것은 세계 내에서 그것을 지각하고 체험할 때 성립되는 것이다. 우리는 형식논리 안에 그 꽃을 가두어놓고 그것을 꽃이라고 부르고 이해하는 경향이 있다. 하지만 이것은 지각과 체험의 과정이

2 | 미셸 콜로, 정선아 옮김, 『현대시와 지평구조』, 문학과지성사, 2003, pp. 7~12.
3 | 미셸 콜로, 위의 책, pp. 9~10.

부재한 상태에서 이루어진 행위이기 때문에 꽃의 존재성을 온전히 드러낼 수 없다. 주체와 세계가 배제된 채 언어의 형식논리에 의해 성립된 꽃은 '존재 망각'에 지나지 않는다. 존재 망각의 언어는 시의 언어가 지향하는 바가 아니다. 오히려 시의 언어는 그 존재 망각에 저항한다. 이런 점에서 시의 언어는 존재의 자각이라는 열린 지평 구조를 드러낸다고 할 수 있다.

2. 은유와 환유

사물이나 사물성이 드러나는 방식은 언어, 주체, 세계의 관계 내에서다. 하지만 시에서 주체와 언어는 언어를 통해 드러날 수밖에 없다. 이런 점에서 언어는 하나의 사물이나 사물성의 형태로 존재하게 된다. 언어가 사물의 속성을 지니게 된다는 것은 그것이 단순히 의미 전달이라는 도구적 차원의 기능을 넘어 그 자체로 지각되고 체험된 현실 세계의 깊이와 부피감을 드러낸다는 것을 말한다. 시의 언어가 사물 그 자체로의 본질적인 환원을 실현하기 위해서는 언어를 운용하고 표현하는 방식에 유념할 필요가 있다. 언어의 사물성 혹은 사물로서의 언어는 주체와 세계 사이의 치열한 관계성에 대한 탐색과 발견의 과정을 통해 얻어지는 것이다. 시적 주체가 세계와의 관계 내에서 지각하고 체험한 바를 온전히 언어를 통해 드러내 보일 때 그것이 곧 하나의 사물이 되는 것이다.

시의 언어가 이러하다는 것은 그것이 지니는 근본적인 원리와 속성을 이해하는 것이 중요하다는 것을 의미한다. 기본적으로 언어는 은유와 환유의 구조로 되어 있다. 선택의 축에 기반을 두고 있는 은유의 유사성, 중심지향성, 체제 지향성과 결합의 축에 기반을 두고 있는 환유의 인접성, 탈중심성, 탈체제 지향적 힘 등이 시인의 지각과 체험된 세계와 만나

하나의 구조화된 언어나 사물로 된 집을 짓게 된다. 하나의 사물을 다른 사물로 대체하는 은유와 각각의 사물의 개체성을 확장하는 환유는 동시에 작용하면서 존재와 세계에 대한 깊이 있고 낯선 발견의 표상을 구현하려고 한다. 시인이 궁극적으로 겨냥하고 있는 발견의 표상은 과학적 개념이나 논리에 따라 설정된 방식이 아니라 존재와 세계가 실제로 나타나는 방식에 의해 성립되는 것이다. 가령 어떤 사물이나 풍경을 시적으로 형상화할 때 중요한 것은 그것을 눈에 보이는 대로 묘사하는 것이 아니라 그 본다는 지각 행위 자체를 근본적으로 깊이 있게 성찰하고 탐색하는 것이다. 사물이나 풍경을 지각 행위의 과정으로 이해할 경우 시적 주체는 그것들의 의식이 되고, 그것들은 시적 주체 안으로 들어와 그 속에서 자신을 생각하는 일이 발생하게 된다.

이러한 지각 행위 내에서 언어는 시적 주체와 사물(풍경) 사이에서 발생하는 가역적인 현상을 온전히 표현하기 위한 매체로 존재해야 한다. 이것은 시 혹은 시의 언어에서 중요한 것이 개념화되고 도구화된 형식논리 차원의 은유와 환유가 아니라 지각에 의한 현상 차원의 은유와 환유라는 것을 의미한다. 언어의 존재를 현상의 차원에서 들여다보면 세계는 불투명한 여러 겹의 층위(시간과 공간)로 이루어진 혼돈과 가역의 잠재적인 장이 된다. 눈에 보이는 차원이 끝이거나 결정된 세계가 아니라 그 이면, 다시 말하면 눈에 보이지 않는 차원에서 눈에 보이는 차원을 향해 끊임없이 살아 움직이는 감각의 덩어리로 존재하는 세계가 바로 언어의 세계인 것이다. 이 감각의 덩어리는 사물이나 세계가 주체의 의식과 만나 스스로를 생성하고 구축한 존재의 한 형태이다. 이 감각의 덩어리는 존재와 세계에 대한 깊이와 부피감을 내재하고 있기 때문에 그것을 토대로 한 언어와 시 역시 깊이와 부피감을 지니게 된다고 할 수 있다.

내 마음 속 우리님의 고은 눈썹을
즈문밤의 꿈으로 맑게 씻어서
하늘에다 옴기어 심어 놨더니
동지 섣달 나르는 매서운 새가
그걸 알고 시늉하며 비끼어 가네

– 서정주, 「冬天」, 전문[4]

이 시의 지각 대상은 “님”이다. 이 “님”이 시적 주체의 의식 속으로 들어오는데 그 표현이 바로 “내 마음 속 우리님”이다. “님”의 가시화는 지각의 한 현상을 드러낸 것이며, 그것이 어떤 존재성을 가지느냐의 문제는 비가시화된 세계와의 관계 속에서 규명된다. 만일 이 시에서의 “님”이 비가시화된 차원을 배제한 상태에서 드러난 존재라면 그것은 혼돈과 가역의 잠재적인 속성을 제대로 지니지 못하기 때문에 일정한 깊이와 부피감을 성취하기가 어려울 것이다. 비가시적인 차원의 배제는 “님”의 다양한 존재성을 단선적이고 평면적인 모습으로 제시할 위험성이 커 “님”이 스스로를 생성하고 구축하는 과정에서 나타나는 복잡하고 입체적인 모습은 볼 수 없게 될 수도 있다.

이 시에서의 “님”은 “눈썹”을 통해 가시화된다. “님”이 “눈썹”으로 표현된 것은 부분을 통해 전체를 드러낸다는 점에서 일종의 제유이다. 제유는 크게 보면 환유에 속한다고 할 수 있다. 하지만 이것만으로는 “님”의 존재성을 드러내는 데 특별할 것이 없다. 그것이 특별한 존재가 되려면 먼저 시적 주체의 의식 속으로 “눈썹”이 들어와 그것이 강렬한 주의attention의 대상이 되어야 한다. 이 대목에서 이 시는 질적인 도약을 이룬다. “눈썹”의 가시적인 차원 이면에 은폐되어 있는 비가시적인 차원의 감각

4 | 서정주, 『미당 시전집 1』, 민음사, 1994, p. 185.

덩어리들이 솟구쳐 올라 기존의 판을 혼돈과 가역의 장으로 바꾸어놓고 있다. "눈썹"이 두텁고 낯선 시간과 공간의 층위를 지니게 된 것이다. "눈썹"이 생성되고 구축된 공간이 하늘 그것도 '겨울 하늘("冬天")'이다. "눈썹"과 '겨울 하늘'과의 만남은 신선하고 충격적인 환유적 결합의 결과물이다. "눈썹"이 "겨울 하늘"에 심겨짐으로써 "님"은 공간의 무한성과 절대성의 의미를 지니게 된다.

그러나 이 무한성과 절대성은 공간에 의해서만 생성되는 것은 아니다. 하늘에 심겨진 "눈썹"은 초승달의 은유적 표현이다. 그렇다면 이 초승달은 고정되어 있지 않고 반달로 또 보름달로 변화할 수밖에 없다. 눈썹이 은유적으로 치환된 초승달에서 보름달로 변화한 것은 은유의 확장으로 볼 수 있다. 또한 초승달에서 반달로, 반달에서 보름달로의 변화는 인접성의 원리에 기반하고 있다는 점에서 그것은 환유의 확장으로 볼 수 있다. 이러한 초승달의 은유적이고 환유적인 확장은 시간을 통한 "님"의 무한성과 절대성을 강화하고 있는 것으로 볼 수 있다. "눈썹"이 심겨진 겨울 하늘을 이루는 원리가 무한하고 절대적인 공간성과 시간성이라는 사실은 "님"의 존재를 외경의 차원으로 끌어올리고 있다. "님"이 감히 범접할 수 없는 외경의 대상으로 존재하기 때문에 "동지 섣달"의 하늘을 "나르는 매서운 새"도 비껴갈 수밖에 없다. 지상에 내가 있고, 그 위에 "새"가 있고, 또 그 위에 "님"이 있는 것이다. '나-새-님'의 존재가 시에서 은유와 환유의 확장된 원리를 통해 가시적으로 혹은 비가시적으로 드러남으로써 심오하고 심원한 현상의 세계가 구축되는 것이다.

> 말아, 다락같은 말아
> 너는 즘잔도 하다마는
> 너는 웨그리 슬퍼 뵈니?
> 말아, 사람편인 말아,

검정 콩 푸렁 콩을 주마

이 말은 누가 난줄도 모르고
밤이면 먼데 달을 보며 잔다

– 정지용, 「말」, 전문[5]

이 시는 지각 대상에 대한 참신하고 깊이 있는 통찰력이 돋보이는 작품이다. 이 시의 표층에 제시된 지각 대상은 "말"이다. 이것은 시적 주체의 의식 속으로 들어온 것이 "말"이라는 것을 의미한다. 하지만 시의 표층을 넘어 그 심층까지 들여다보면 시적 주체의 의식을 통해 생성되고 구축되는 것이 "말"만이 아니라 시인(인간) 자신도 해당된다는 것을 알 수 있다. 시적 주체의 의식을 충격하고 있는 것은 인간의 외로움이다. 그런데 시적 주체는 그것을 인간이 아닌 "말"을 통해 이야기하고 있다. 이런 점에서 인간의 외로움은 비가시적인 차원에 놓여 있다고 할 수 있다. 이 비가시적인 차원이 가시적인 차원을 향해 천천히 단계적으로 말을 건네는 혹은 가까이 다가가는 구도가 바로 이 시의 전체적인 흐름이다.

시인의 이러한 의도는 은유와 환유의 원리를 통해 구현된다. 이 시는 '은유와 환유의 구조로 이루어진 아름다운 텍스트'[6]이다. 이 시의 은유와 환유는 시행 하나하나에서뿐만 아니라 전체 구조 속에서도 드러난다. 먼저 시인은 "말"을 "다락"에다 비유하고 있다. "다락"의 높고, 뛰지 못하는 의미와 말을 유사성의 차원에서 연결한 것이다. 뛰지 못하기 때문에

5 | 정지용, 이숭원 주해, 『원본 정지용 시집』, 깊은샘, 2003, p. 127.

6 | 이어령, 「언술로서의 은유— 서서 자는 말」, 『詩 다시 읽기』, 문학사상사, 1995.

그 "말"은 '점잖지만 슬퍼 보이는 것'이다. 이것은 "다락같은 말"의 은유적인 확장이라고 할 수 있다. 즉 비유적인 언술이 "다락"에서 "사람"으로 옮겨간 것이라고 할 수 있다. 그리고 이 비유적인 언술이 표층화된 것이 바로 "사람편인 말"인 것이다. "다락같은 말"이 "사람편인 말"이 된 것은 환유로 볼 수 있다. 이런 점에서 이 시는 형식과 내용 면에서 은유와 환유의 총체적 구조로 이루어져 있음을 알 수 있다.[7]

그러나 이 시의 전체적인 구도가 "다락같은 말"에서 "사람편인 말"로의 이행이지만 그것은 "다락"의 은유, "즘잔"고 "슬퍼 뵌"다는 의인화된 언술, "검정 콩 푸렁 콩"의 매개, 태생과 "달"을 통한 고독의 확장 같은 다양한 관점에서 보여지고 서로 충돌하는 과정을 통해 생성되고 구축된 것이기 때문에 "말"의 개념화되고 상투화된 의미에서 벗어나 신선하고 낯선 사물성을 환기한다. 시적 주체의 의식 속으로 들어온 "말"이 스스로를 생성하고 구축하는 실질적인 대상이 자신이 아니라 사람이라는 것은 의인화된 시에서 흔히 볼 수 있는 구도이지만 이 시처럼 신선하고 낯선 사물성의 지평을 제시하고 있는 경우는 흔치 않다. 이것은 사물을 어떤 중심적인 관점이나 개념화된 틀로 드러내려는 데서 발생한다. 눈에 보이는 것만을 언어로 표현해서는 결코 사물의 전모를 온전히 드러낼 수 없다. 사물은 시적 주체의 의식 내로 들어서면서 지각의 혼돈 상태에 빠지며, 그 사물의 지금 눈에 보이는 차원을 넘어 그 사물의 이전이나 이후 혹은 이면에 감추어진 차원을 포착해 낼 때 스스로 베일을 벗고 그 깊이와 부피감을 우리에게 드러내 보인다.

7 | 「현대시와 언어(diction)의 매트릭스」(『현대시』 2015년 1월호)에서 필자는 정지용의 「말」을 은유와 환유의 차원에서 이야기한 바 있다.

3. 언어와 사물의 꿈

시의 언어가 궁극적으로 겨냥하고 있는 것이 존재의 집이라면 시인은 늘 그것에 대한 자의식에 시달릴 수밖에 없다. 하지만 언어가 곧 존재가 되는 일은 인간의 역사에서는 일어날 수 없다. 그것은 신의 역사에서나 가능한 일이다. 언어는 존재를 온전히 드러내기에는 분명 한계가 있다. 시인은 이 한계에 대해 누구보다도 잘 알고 있을 뿐만 아니라 여기에 대해 민감하게 반응한다. 시인의 이 민감한 반응은 몸의 지각을 통해 그것을 고스란히 언어화하려는 욕망으로 드러난다. 시인의 몸의 지각은 그의 최초의 의식에 들어오는 존재 혹은 사물의 떨림을 말한다. 이때의 의식은 인간중심적인 관념이 배제된 사물의 있는 그대로의(날 것 혹은 날 이미지의) 상태를 배후로 거느린 감각 덩어리 그 자체를 가리킨다. 주체의 의식에서 관념이 배제된 날것 그대로의 상태란 존재의 결여와 한계를 넘어선 세계의 한 극단을 의미한다. 이 세계는 시인이 겨냥하는 온전한 존재 의식의 최대치에 다름 아니다.

시인이 이러한 세계에 이르기 위해서는 필연적으로 언어에 대한 논의가 뒤따라야 한다. 일반적으로 언어는 은유와 환유의 원리로 결합된 구조를 지니며, 그것을 어떻게 운용하여 사물을 드러내느냐 하는 문제는 시인의 오랜 과제였다고 할 수 있다. 우리는 이미 앞에서 정지용이나 서정주의 시를 통해 그것을 살펴보지 않았던가. 이 시들은 은유와 환유의 원리를 통해서 가시적인 차원 이면에 은폐되어 있는 비가시적인 차원의 복잡하고 다양한 현상을 드러내 보임으로써 그것이 지니는 존재론적인 깊이와 부피감을 제공하고 있다. 하지만 이것이 곧 시인이 궁극적으로 겨냥하는 존재의 집에 대한 욕망 충족을 의미하는 것은 아니다. 누구보다도 그것을 잘 알기에 시인은 그 욕망 충족을 위해 존재의 집의 토대인 언어에 대한 성찰에 집중한다. 이 과정에서 시인은 우리가 별다른 의심

없이 인식해 온 은유와 환유의 통합된 언어 구조에 주목한다. 언어와 존재 혹은 언어와 사물 사이의 간극의 원인을 관념에 있다고 본 시인에게 은유는 의심의 대상이 되기에 이른다. 시에서 은유는 사물을 다른 사물로 대체한다는 점에서 주체의 의식에 관념이 개입된 것으로 볼 수 있다. 은유처럼 관념이 개입되면 사물은 명명되고, 한정되어 의미가 규정되어 버린다. 이렇게 되면 사물은 주체의 의식 속으로 들어와 스스로 생성되지도 또 스스로 구축되지도 못하게 된다. 사물은 사물의 현상 그 자체로 말할 때 스스로 깊이와 부피감을 드러내 보이고, 세계 내에 존재하는 다른 사물들과 관계를 형성하면서 열린 지평을 제시하게 된다.

> 뜰 앞 잣나무가 밝은 쪽에서 어두운 쪽으로 비에 젖는다
> 서쪽 강변의 아카시아가 강에서 채전 방향으로 비에 젖는다
> 아카시아 뒤의 은사시나무는 앞은 아카시아가 가져가 없어지고 옆구리로 비에 젖는다
> 뜰 밖 언덕에 한 그루 남은 달맞이가 꽃에서 잎으로 비에 젖는다
> 젖을 일이 없는 강의 물소리가 비의 줄기와 줄기 사이에 가득 찬다
>
> – 오규원, 「우주 2」, 전문[8]

이 시에서 주목되는 것은 풍경이 주체의 의식 속으로 들어와 스스로 생성되고 구축된다는 사실이다. 주체 중심의 풍경에 익숙해 있는 우리에게 사물 중심으로 구축된 풍경은 낯설 수밖에 없다. 사물에 대한 주체의 관념을 배제한 상태에서 사물 본연의 있는 그대로의 모습과 여기에서 지각되는 현상 자체를 드러내고 있기 때문에 시에서의 언어는 철저하게 인접성에 기반을 둔 환유의 원리를 따르고 있다. 하나의 사물이 주체의

8 | 오규원, 『오규원 시전집 2』, 문학과지성사, 2002, p. 151.

관념을 통해 다른 사물로 대체되는 것이 아니라 그 각각의 사물이 있는 그대로의 모습으로 자연스럽게 연결된 상태를 이 시는 겨냥하고 있는 것이다. 시인은 "잣나무"는 무엇이라고 이야기하지 않는다. 주체의 지각에 의해 현상의 차원에서 그것을 "밝은 쪽에서 어두운 쪽으로 비에 젖는다"고 말할 뿐이다. 이것은 "잣나무"뿐만 아니라 "아카시아", "은사시나무", "달맞이 꽃(잎)", "강" 등에 모두 해당된다. 이 사물들은 각각 자신의 있는 그대로의 모습을 스스로 생성하고 또 구축하고 있는 것이다. 하지만 이 사물들은 각각 분리되어 있는 것이 아니라 서로 얽혀 있다고 할 수 있다. 시인은 이 사물들의 복잡하고 불투명한 얽힘을 "비"라는 현상적 차원의 질료를 통해 드러내고 있다. 각각의 사물들의 비에 젖는 모습이 얽혀 하나의 전체적인 현상으로 지각되는 세계, 그것을 시인은 "우주"라고 명명한다.

시인이 보여주고 있는 이러한 현상으로서의 세계를 눈에 보이는 가시적인 차원의 세계로만 이해해서는 안 된다. 이 시의 풍경은 가시적인 차원의 묘사 너머에 있다. "달맞이가 꽃에서 잎으로 비에 젖는다"와 "강의 물소리가 비의 줄기와 줄기 사이에 가득 찬다"에서 알 수 있듯이 그것은 비가시적인 차원을 은폐하고 있다. 이 두 표현은 관념이 만들어낸 풍경이 아니라 환유적인 관계로 연결된 사물의 몸의 비가시적인 차원을 드러낸 것이라고 할 수 있다. 그것은 마치 우리 몸의 등이 눈에 보이지 않는다고 해서 그것을 우리가 지각할 수 없다고 여기는 것과 다르지 않다. 하지만 우리의 등은 우리 몸의 일부이기 때문에 그것은 온전한 지각의 대상이다. 시인이 사물을 대하는 방식이 이런 지각의 현상학 차원에 있음을 이 두 표현은 잘 보여주고 있다. 가시적인 차원 이면에 은폐된 이와 같은 비가시적인 차원의 현상을 몸적 주체의 지각을 통해 잘 드러내는 것이야말로 진정한 발견인 것이다. 이 발견이 우주의 풍경을 더욱 깊이 있게 하고 또 부피감을 지닌 존재로 만들어준다고 할 수 있다.

오규원의 '날 이미지 시'는 시인의 주체 중심주의에서 벗어나 사물의 존재성을 직접적으로 드러내 보이려는 의지의 산물이기 때문에 언어 역시 그러한 속성을 드러낼 수밖에 없다. 이런 점에서 그의 언어에 대한 자의식은 '반주체 중심의 사실적 세계를 지향한다'[9]고 할 수 있다. 그의 시적 태도가 보여주는 날것으로의 사물성은 존재의 아름다움이 주체의 주관성에서 비롯된 것이냐 아니면 대상 자체의 객관성에서 비롯된 것이냐 하는 오랜 미학적 논쟁의 역사에서 후자에 서 있다고 볼 수 있다. 하지만 오규원과 달리 그것을 주체의 차원에서 해명하려는 시인이 있다. 바로 김춘수 시인이 그렇다. 그의 '무의미시'는 시적 대상이 없는 상태를 겨냥한다. 이러한 시적 태도는 자연스럽게 언어 그 자체 혹은 언어중심주의적인 경향을 띠게 된다. 그가 대상이 부재한 상태에서 언어의 형식이나 형태에 집중해 서술적 이미지와 리듬의 중요성을 강조한 데에는 바로 이 언어중심주의가 자리하고 있다. 그 대표적인 시가 「처용단장處容斷章」 연작과 「타령조打令調」 연작이다. 이 연작들은 의미가 배제된 상태에서 시 전체가 리듬의 반복과 변주의 구조로 되어 있다.

> 불러다오.
> 멕시코는 어디 있는가,
> 사바다는 사바다, 멕시코는 어디 있는가,
> 사바다의 누이는 어디 있는가,
> 말더듬이 일자무식 사바다는 사바다,
> 멕시코는 어디 있는가,
> 사바다의 누이는 어디 있는가,

---

9 | 오규원·이재훈 대담, 「날 이미지와 무의미 시 그리고 예술— 오규원 대담」, 『시와 세계』 2004년 가을호, p. 90.

불러다오.

멕시코 옥수수는 어디 있는가,

– 김춘수, 「處容斷章 제 2부 들리는 소리 · 5」, 전문[10]

시적 대상과 의미가 제거된 상황에서 남는 것은 무의미한 언어의 나열이다. 이런 점에서 여기에서의 언어는 내용이 없는 형식으로 되어 있다고 할 수 있다. 언어에서 내용과 형식의 깊은 연관성을 고려한다면 내용의 부재는 그 형식이 주체의 주관이나 관념에 의해 구성되거나 연출될 수 있다는 것을 의미한다. 내용 없는 형식은 어떤 누빔점point de capiton도 없이 끊임없이 미끄러져 내릴 수 있다. 이것은 주체의 관념에 의해 얼마든지 언어 혹은 언어의 형식이 바뀌고 조작될 수 있다는 것을 말한다. 김춘수 시인도 관념을 제거한 서술적 이미지와 리듬만으로 이루어진 세계를 겨냥하는 실험을 단행했지만 결과적으로 그가 한 작업은 주체 중심의 관념을 통한 유희적이고 상상적인 놀이라고 볼 수 있다. 시인이 겨냥하는 바가 대상이 아니라 주체 혹은 주체의 내면을 향한다면 언어는 무의미하고 공허한 세계를 지시할 수밖에 없게 될 것이다.

언어의 형식논리에 의한 유희성과 놀이성의 강화는 그것이 무의미한 형식의 확대 재생산에 다름 아니기 때문에 그 극단에 이르면 공허함의 심연을 마주하게 될 것이다. 시인이 겨냥하는 추상화된 리듬이나 소리의 세계가 공허함의 차원을 드러낼 경우 그것을 생성하고 구축하는 주체는 자기 소멸의 길로 들어서게 된다. 주체의 소멸은 곧 시의 소멸을 의미한다. 이 의미의 영점화 혹은 예술의 영점화[11]는 김춘수의 무의미 시를 이어받아

10 | 김춘수, 『김춘수 시전집』, 민음사, 1994, p. 330.

11 | 김준오는 '김춘수·이승훈 시에 나타난 의미의 영점화'가 '황지우에 와서 예술의 영점화로 대체된다'고 보고 있다. 그가 말하는 예술의 영점화는 '삶과 예술을 구분하지 않는 것', '소재가 바로 작품이 되는 것' 등에서 비롯되는 것이라고

비대상시를 주창한 이승훈이나 80년대 실험적 해체시를 선보인 황지우, 박남철 같은 시인으로 이어진다. 시적 대상과 의미가 제거된 상태에서 언어 그 자체에 몰입한 시인들이 마주하게 되는 필연적인 결과로서의 의미와 예술의 영점화는 언어와 사물(대상)에 대한 깊이 있는 지각과 사유의 과정을 통해 하나의 미학을 구축해야 하는 이들이 반드시 거쳐야 하는 일종의 통과제의 같은 것이라고 할 수 있다. 시인의 지각과 사유가 시의 영점화에 이르면 그것이 시의 소멸이 아니라 시의 생성과 실존을 위한 또 다른 모색의 한 방식임을 이해하게 될 것이다.

할 수 있다. 의미의 영점화와 예술의 영점화와 같은 이러한 현상을 그는 '모더니즘 예술에 나타난 심각한 위기'로 진단하고 있다. (김준오, 고현철 엮음, 『김준오 평론선집』, 지식을만드는지식, 2005.)

2. 응시와 침묵

시인이란 어떤 존재인가? 이 물음에 대한 답을 위해 우리가 기울인 고뇌의 시간은 하나의 역사가 되고도 남음이 있다. 여기에서 '우리'라고 한 것은 그것이 비단 시인에게만 던져진 물음이 아니기 때문이다. 이 물음은 시인을 넘어 우리 모두에게 오랜 기간 동안 숭고한 관심과 태도를 불러일으키고 있다. 시의 숭고함은 인류 역사의 과정에서 시가 차지하고 있는 위치와 지위에서 비롯된 것으로 볼 수 있다. 시는 노래와 춤과 더불어 인류 역사와 함께해 온 양식 중의 하나이다. 인류의 오랜 역사의 과정에서 이렇게 시가 숭고한 지위와 위치를 부여받아 온 데에는 이것이 지상의 양식임에도 불구하고 '뮤즈' 혹은 '뮤즈신'이라는 천상의 존재성을 부여받은 사실과 무관하지 않다. 뮤즈로서의 시가 드러내는 신성함은 지상에 존재하는 많은 양식이나 학문과 차별화되는 지점인 동시에 시인이란 어떤 존재인가에 대한 답을 지니고 있는 세계라고 할 수 있다.

뮤즈로서의 시의 신성함은 점차 세속화의 길을 걷게 되며, 이로 인해 지상의 양식들로부터 일정한 도전을 받게 된다. 그 대표적인 양식이 바로 철학이다. 시와 철학은 세계의 이면에 은폐된 의미를 탐색하고 발견한다는 점에서는 크게 다르지 않지만 시는 인지나 인식에 앞서 감각이나 영감과 같은 영역을 지니고 있다는 점에서는 차이가 있다. 이 영역은 인지나 인식을 통해 이해하고 판단할 수 있는 것이 아닌 신이나 천상의 소리를 매개하고 재현하는 그런 영역인 것이다. 이런 점에서 철학은 시를 지상의 영역으로 끌어내리려는 의도를 드러내기에 이르며, 그 대표적인 예가 플라톤의 시인 추방론이다. 자신이 만든 이데아의 영토로부터 시인을 추방해야 한다는 그의 논리의 이면에는 뮤즈로서의 시에 대한 불편함과 불안감이 내재해 있는 것이다. 시의 세속화는 인간이 정해놓은 제도화 된 분류 체계와 형식에 의해 더욱 강화되면서 급기야는 정체성의 위기까지 불러오게 된다. 시의 정체성 위기는 시에 세속성을 강화하는 방향으로 흐르면서 시를 주主가 아닌 종從의 차원으로 자리하게 하는 상황까지 이르게 한다.

시의 이러한 세속화는 시대 속에서 변화와 혁신을 통해 시의 갱신으로 이어지지 못한 채 진부한 담론만 생산하게 된다. 이 담론의 진부함이 시적 논의에 한계를 야기하면서 차츰 시 본연의 정체성에 대해 탐색하고 그 가치를 자각하려는 움직임이 일어나게 된다. 점점 다국적화 되고, 테크놀로지에 의해 자동화되어 가고 있는 거대 자본주의 사회에서 시가 정체성을 유지하기 위해서 요구되는 것이 신성의 배제나 제거가 아니라 오히려 그것의 강화라는 사실을 자각함으로써 시는 새로운 발견의 대상으로 부상하기에 이른다. 새로운 인공지능 학습법인 딥러닝에 의해 개발된 알고리즘에 더 이상 인간의 지능이나 이성이 상대가 되지 못한다는 것을 알게 되면서 인간은 그 알고리즘 영역 밖의 존재에 대해 관심을 갖기 시작한 것이다. 인간의 지능이나 이성 밖에 존재하는 것은 감각이나 감성과 같은 영역이며, 이것에 기반을 둔 대표적인 양식이 시라고 할 수 있다. 이런 점에서 시는 인간이 인간으로서의 정체성을 드러낼 수 있는 양식인 동시에 그것을 초월한 그 무엇, 다시 말하면 뮤즈로서의 신성함을 지닌 양식이라고 할 수 있다.

'지금, 여기'에서 시의 정체성이 신성성과 감성에 있다면 그것은 곧 시의 근원에 대한 이해와 성찰로 이어질 수밖에 없다. 이런 점에서 시의 신성성과 감성은 시의 정체성 내지 존재성을 의미한다고 볼 수 있다. 하지만 시의 정체성 혹은 시를 다른 양식과 구분 짓고 차이를 발생시키는 것이 무엇이냐 하는 문제는 시의 원리 전반에 대한 이해를 통해서만이 그 답을 구할 수 있다. 기본적으로 시라는 양식은 언어의 존재 혹은 존재의 언어를 토대로 한다. 다른 양식과는 달리 시의 언어에서는 세계가 은폐하고 있는 존재를 얼마나 온전히 드러내느냐 하는 문제가 중요하다고 할 수 있다. '언어가 존재의 집'이라는 하이데거의 언명이 잘 말해주듯이 시의 언어는 그 자체로 온전한 존재가 되어야 한다. 하지만 언어가 존재를 온전히 드러내는 것이 가능한 일일까? 이 물음에 대한 답은 어렵지 않다. 어떤 존재를 온전히 드러내는 언어는 없다고 볼 수 있다. 많은 이들이 언어의 한계나 불완전함을 이야기하는 이유가 여기에 있다.

언어의 한계와 불완전함, 이로 인해 드러나는 불안은 기본적으로 언어가 무엇인가를 대신하고 대체하는 기능을 하고 있다는 데서 비롯된 것으로 볼 수 있다. 이것은 언어의 비유적인 속성을 말한다. 언어의 이 비유성이 존재를 온전히 드러내는 데 장애가 되기 때문에 그것을 배제한 새로운 대안이 요구되는 것이다. 하이데거가 언어는 존재의 집이라고 규정한 것도 언어의 이러한 한계를 인식하고 그것을 넘어 언어가 곧 존재가 되는 세계를 겨냥한 데서 나온 것이라고 할 수 있다. 언어가 존재의 집이 되려면 그 언어는 존재를 개념화하거나 은유화 해서는 안 되고 그것이 은폐하고 있는 현상을 현상 그 자체로 드러내야 가능한 것이다. 어떤 존재는 언어 이전에도 존재하며, 그 존재는 개념화되거나 은유화된 상태가 아닌 하나의 현상 혹은 사물 그 자체로 존재하는 그 무엇인 것이다. 하나의 현상 혹은 사물의 존재를 존재 그 자체로 드러내는 언어를 겨냥한다는 것은 그것이 신의 영역이라는 점에서 불가능한 시도일 뿐만 아니라 불경한 것이라고 할 수 있다. 신의 차원에서 보면 인간의 언어는 바벨탑의 욕망과 그로 인한 언어의 혼란과 혼돈 이후의 언어이다.

이러한 언어의 혼돈과 혼란은 그것이 온전한 존재성을 드러낼 수 없다는 것을 의미한다. 이런 점에서 온전한 존재로서의 언어에 도전한다는 것은 신의 권능에 대한 도전으로 볼 수 있다. 인간의 이 도전이 종교적인 차원에서 보면 불경하기 짝이 없는 것이지만 예술적인 차원에서 보면 그것은 대단히 매혹적인 것이 되기도 한다. 예술 특히 시의 차원에서 보면 애초에 그런 시도가 닫혀 있었던 것은 아니다. 신과 인간의 분리가 엄격한 서구의 역사에서 보아도 시는 뮤즈 혹은 뮤즈신이라고 하여 천상의 신성함을 지닌 양식으로 간주해 온 것이 사실이다. 시 혹은 시의 언어는 천상과 지상, 신과 인간을 매개하는 양식으로 존재해 온 것이다. 언어의 혼란이 있기 전 존재와 사물이 그 자체로 드러나고, 현상하는 세계를 시는 꿈꾸어 왔다고 할 수 있다. 누구보다도 언어에 대한 자의식이 강한 시인의 경우 존재를 존재 그 자체로, 사물을 사물 그 자체로 보고 또 그것을 드러내려는 시도를 끊임없이 하면서 자신의 정체성을 확보하려고 한다.

시에서 언어 못지않게 존재와 사물에 대한 논의가 중요한 비중을 차지하고 있는 것도 이와 무관하지 않다. 그동안 시에서 존재 특히 사물에 대한 논의는 상당히 깊이 있는 차원까지 진행되어왔다고 할 수 있다. 시인이 추구해야 할 중요한 명제 중의 하나가 존재 망각에 대한 저항이라고 해도 과언이 아니다. 이런 맥락에서 볼 때 시에서 그것을 실천한다는 것은 무엇을 의미하는 것일까? 존재 망각이 아닌 존재 자각을 위해 시인이 먼저 실천해야 할 덕목은 무엇일까? 이 물음에 대한 답을 위해 우리는 먼저 사물 그 자체 혹은 사물이 드러내는 모습 그 자체로 되돌아갈 것을 주장한 후설의 말을 떠올릴 필요가 있다. 외부 사물 그 자체가 순수의식 안으로 들어오는 것을 본질적인 환원으로 간주한 후설의 현상학적 사유는 존재 망각에 대한 구체적인 저항의 방식을 제시한 것이라고 할 수 있다. 그의 이러한 제시는 존재에 대한 과정에서 언어 못지않게 중요한 것이 주체와 세계의 관계를 포괄하고(은폐하고) 있는 사물이라는 사실을 말해준다.

시인에게 사물은 시적 동기를 유발하는 대상이면서 동시에 시인으로서 자신의 시적 상상과 표현의 정도를 가늠할 수 있는 대상이다. 어떤 사물을 시의 차원으로 끌고 들어올 때 중요한 것은 그 사물의 존재성이다. 그런데 이 존재성은 쉽게 드러나지 않는다. 사물이 은폐하고 있는 존재성은 눈에 보이는 차원뿐만 아니라 눈에 보이지 않은 차원까지 포괄할 때 온전히 드러난다. 눈에 보이지 않은 이 비가시성의 세계는 이미 정해놓은 구조와 틀 그리고 개념화되고 은유화된 원리로는 그 전모가 드러나지 않는다. 이런 것들은 전체적인 현상을 드러내지 못한다. 어떤 사물의 전체적인 현상은 지각으로밖에 드러날 수 없다. 기본적으로 지각은 수치화된 평면성과는 차원이 다른 다양한 형태와 열린 가능성으로 충만한 세계이다. 지각의 관점에서는 모든 것이 객관적이고 과학적인 원리나 형태로 존재할 수 없다. 인간의 몸의 지각은 언제나 입체적이다. 이것은 모든 것이 어떤 원리나 개념에서처럼 눈에 보이는 투명하고 최적화된 상태로 드러나는 것이 아니라 지각 작용에 의해 불투명하고 애매모호한 상태로 드러난다는 것을 의미한다. 가령 어떤 사물이 있으면 그 사물은 지각 작용에 의해 어떤 부분은 크게 잘 보일 수 있고 또 어떤 부분은 작게 보이거나 아예 보이지 않을 수도 있다. 이때 눈에 보이지 않는 부분은 존재하지 않는 것이 아니라 전체 현상 속에서 잠재적인 지평의 형태로 존재하고 있는 것이다. 이렇게 잠재적인 지평의 형태로 존재하는 부분이 있기 때문에 눈에 보이는 부분이 존재하는 것이다.

이러한 현상은 고정되어 있는 것이 아니라 지각에 의해 변화가 가능하다. 인간의 눈이 위치를 달리해 지각 작용이 일어나면 잠재된 부분이 전경화되고, 이전에 전경화되었던 부분은 눈에 보이지 않는 잠재적인 지평의 형태로 존재하게 된다. 우리가 어떤 사물을 볼 때 눈에 보이지 않는 뒷면의 존재를 지각하는 이유 역시 이와 다르지 않다. 이런 지각의 예는 많이 있다. 우리가 불을 보고 뜨거운 것을 지각하는 것이라든지 아니면 바늘에 찔렸을 때 그것의 형태가 뾰족하다는 것을 지각하는 경우가 이에 해당한다. 이 경우들은 모두 지각에서 눈에 보이지 않는 차원의 중요성을 말해주고 있는 것이라고 할 수 있다. 그 뒷면 혹은 눈에 보이지 않는 차원은 존재하지 않는 것이 아니라 지평의 형태로 존재하기 때문에 그 사물은 하나의 전체적인 현상 속에서 지각되는 것이다. 이렇게 지각에 의해 전체 현상의 형태로 하나의 사물이 존재한다면 그 사물은 지각의 주체와 대상 사이가 분리되어 있는 것이 아니라 함께 있는 것이다. 주체와 대상은 함께 생겨나기(태어나기) 때문에 사물과 나의 경계가 모호해지고 사물이 나인지 내가 사물인지 모르는 지경에 놓이게 된다. 나의 몸의 주체와 대상이 이런 상태에 놓이게 되면 사물은 그 본연의 형태를 드러내게 된다. 사물이 은폐하고 있는 형태를 발견하고 그것을 드러내기 위해서는 반드시 이러한 지각 작용이 전제되어야 한다.

사물에 대한 시인의 응시와 침묵은 비록 그것이 언어의 형태로 드러나지 않는다고 하더라도 시의 중요한 과정이라고 할 수 있다. 시인의 응시와 침묵은 사물의 있는 그대로의 모습에 이르기 위한 한 방법이다. 시인의 응시와 침묵의 정도에 따라 사물의 모습과 형태는 다르게 드러난다. 시인의 응시와 침묵이 그 사물의 정점 혹은 중심을 향해 육박해 갈수록 그 사물의 현상 전체는 온전히 제 모습을 드러내게 되며, 시의 언어는 여기에 따라 자연스럽게 생겨나는 것이다. 시의 언어를 탄생시키는 이러한 시인의 응시와 침묵은 이미 그 안에 잠재적인 시의 형태를 지니고 있는 것으로 볼 수 있다. 어떤 사물의 전체적인 현상을 하나도 놓치지 않기 위해서는 그 현상의 토대가 되는 지각의 다양한 모습을 깊이 있게 응시하여 그 전모를 밝히는 것이 중요하다. 사물의 현상 혹은 지각의 다양한 현상은 그것을 어떤 물질로 이해해서도 안 되고 또 그것을 정신이나 실체로 이해해서도 안 된다. 그것은 어떤 존재를 가능하게 하는, 바탕이나 지평을 아우르는, 때와 장소가 시작되는 지점이자 그것들과 매개되어 있는 그런 것들에 의해 나타나는 세계인 것이다. 현상이 현상으로서 드러나게 하는 바탕이자 매개가 있어야 존재가 가능하며 그것을 가능하게 하는 것이 바로 '살la chai'이라고 할 수 있다.

시의 언어는 이러한 살을 통해 드러나는 존재의 집이다. 시의 언어가 어떤 사물을 드러낸다면 그것은 단순히 그것의 표면만을 드러내는 것이 아니라 그 이면에 은폐되어 있는 잠재적인 지평까지를 드러낸다는 것을 의미한다. 시의 언어는 사물의 잠재적인 지평까지를 드러낼 때 비로소 존재 가치를 인정받게 되며, 이 잠재성은 살을 통해서 길러지고 구체화되면서 존재의 언어로 거듭난다. 시에서 사물이 깊이와 잠재적인 지평으로서의 차원을 드러낸다면 그것은 사물이 투명하고 가시적인 모습을 제시하기 때문이 아니라 그 안에 우리가 도저히 헤아릴 수 없을 정도로 풍요롭고 무궁무진한 세계의 근원과 발생론적인 근거를 은폐하고 있기 때문이다. 시에서 어떤 사물이 존재의 깊이와 부피감을 불러일으킨다면 여기에는 반드시 살을 통한 언어의 전체적인 현상으로서의 지각 작용이 일어나고 있는 것이다. 이런 시를 만나게 되면 우리의 몸은 자연스럽게 전율하게 된다. 어떤 사물이 은폐하고 있는 존재의 본질과 진리가 살을 통해 전체적인 현상으로 나타나면서 우리의 몸의 지각을 흔들어놓았기 때문에 가능한 것이라고 할 수 있다.

오리 모가지는
湖水를 감는다.

오리 모가지는
자꾸 간지러워.

– 정지용, 「湖水 2」, 전문[12]

지각의 주체가 주목한 대상은 "호수"이다. 지각의 주체가 "호수"에 주의를 기울이면서 그 "호수"는 지각장 속으로 들어오게 된다. 이것은 "호수"가 주체에 의해 바라봄의 대상이 된다는 것이고, 그 바라봄 속에 주체 자신이 드러난다는 것을 의미한다. 즉 주체 자신이 "호수"에 의해 보여지는 존재라는 것이다. 주체는 "호수"를 보는 동시에 그 "호수"에 의해 보여지며, "호수"는 주체의 바라봄을 통해 자신을 바라보게 된다. "호수"는 주체 속에서 자신을 의식하고, 주체는 그 "호수"의 의식으로 작용한다. 주체가 "호수"를 본다는 것은 자신을 보고 있는 "호수"를 본다는 것이다. 주체와 "호수" 사이의 이러한 관계는 살을 통해 이루어지며, 이 살은 언어의 발생과 형태에 작용하여 시의 전체적인 현상을 이룬다.

이런 점에서 볼 때 지각의 주체와 "호수" 사이에 이루어지는 바라봄과 보여짐이 중요하다. 지각 주체가 "호수"를 깊이 있게 응시하여 "호수"의 전체적인 현상에 대한 전모를 지각한다면 시의 언어는 사물의 두터운 층위와 전망까지를 드러내게 되지만 그렇지 못한 경우에는 "호수"의 표피적인 인상이나 물질성만을 드러내게 되어 은폐된 존재의 발견이나 탈은폐에서 발생하는 깊은 울림과 전망을 제시하지 못하게 된다. 이 시에서 "호수"에 대해 가지는 지각 주체의 중요한 태도는 "호수"를 관념이나 개념, 비유와 같은 차원에서 바라보지 않고 전체적인 현상의 차원에서 바라보고 있다는 점이다. "호수"에 대해 가지는 관념이나 비유는 지각에

12 | 정지용, 이숭원 주해, 『원본 정지용 시집』, 깊은샘, 2003, p. 87.

의한 현상의 차원보다는 경험이나 관습의 차원에 가깝다고 할 수 있다. 하지만 이 시에서의 지각의 주체는 "호수"를 하나의 현상의 차원으로 보고 있다. 지각의 주체에게 "호수"는 감각의 덩어리이고, 풍요롭고 무한한 깊이와 전망을 지니고 있는 낯선 존재인 것이다. "호수"가 드러내는 이 두터운 깊이와 지평을 표현한 말이 바로 "자꾸 간지러워"이다.

"자꾸 간지러운" 대상으로 "호수"를 지각한 데에는 "오리"에 투사된 주체의 의식을 통해 알 수 있듯이 밑도 끝도 없이 일렁이는 "호수"의 물결을 응시했기 때문이라고 할 수 있다. 그 결과 "호수"의 물결이 "오리 모가지"를 감는 것인지 아니면 "오리 모가지"가 "호수"를 감는지 구분이 안 가는 상태까지 이르게 된 것이다. "오리"가 "호수"를 보고, 그 "호수"에 의해 "오리"가 보여지고, 이것은 결국 "오리"가 자신을 보고 있는 "호수"를 본다는 것이 된다. "호수"에서 관념이나 개념 그리고 비유가 제거되고, 이렇게 지각의 차원에서만 "호수"와 만나게 되면 시의 사물성은 날것 그대로 드러날 수밖에 없다. 주체와 대상 혹은 주체와 객체가 서로 넘나들면서 간지러움으로 존재하는 세계를 통해 우리는 "호수"가 은폐하고 있는 근원적이고 낯선 사물성을 발견하게 되는 것이다. '호수가 이러이러하다'는 관념이나 개념에 의한 경험적인 태도나 '호수는 푸른색이다'라고 규정해버리는 그런 단일하고 폐쇄적인 태도에서는 어떤 새롭고 다양한 지평들을 기대할 수 없다.

지각의 차원에서 사물의 부피감이나 두터움을 지니지 못하는 시, 어떤 잠재적인 지평도 제시하지 못하는 시는 시로서 존재 가치가 없다고 해도 과언이 아니다. 어떤 사물도 본래부터 틀지어진 것은 없으며, 그 형태 또한 고정된 것도 없다. 지각의 주체와 사물과의 치열한 응시와 만남을 통해 탄생하는 긴장 없이 좋은 시도 없다. 사물은 모두 전체적인 현상의 형태로 존재하며, 이로 인해 그것을 온전히 드러내는 일은 지각에 의존할 수밖에 없다. 왜 시와 시의 언어를 지각의 현상학 차원에서 성찰하는 일이 중요한지 정지용의 「호수 2」와 같은 시는 그것을 잘 말해준다. 호수와 같은 사물에서 인간이 덧씌운 모든 관념을 제거하고 나면 남는 것은 투명하고 단일한 세계가 아니라 우리 인간이 경험하지 못한 불투명하고 애매모호한 다성적인 세계라고 할 수 있다. 이것은 호수를 포함한 모든 사물이 은폐하고 있는 세계이다. 우리는(우리의 이성과 과학은) 너무 쉽게 그 세계를 온전히 들추어낸 것처럼 떠들어 왔지만 그 세계는 우리에게 온전히 전모를 열어 보인 적이 없다. 그것은 가령 길가에 아무렇게나 피어 있는 들꽃의 신비도 해명하지 못하고 있으면서도 이성이나 과학을 신처럼 떠받들고 있는 '지금, 여기'의 상황을 돌아보면 쉽게 드러난다. 이런 점에서 '지금, 여기'에서의 우리 시 혹은 시인의 사명은 엄중하다. 사물이 은폐하고 있는 전체적인 현상의 모습이나 형태를 발견하고 그것을 우리 인간의 잠재적인 지평의 차원으로 열어 보이는 일은 우리 인간에 의해 숱하게 외면당하고 또 소멸한 사물이나 사물성의 존재를 회복하는 숭고한 행위가 될 것이다.

3. 현대시와 딕션diction

시에서 우리가 받는 인상은 시인에 따라 또는 시에 따라 다르다. 이 다름은 시의 지속 가능한 생명력을 드러낸다. 만일 모든 시가 천편일률적인 인상과 형식을 드러낸다면 그것은 시의 정체 내지 퇴보를 의미한다. 시의 역사가 인류의 역사와 궤를 같이할 만큼 지속 가능한 생명력을 유지할 수 있었던 데에는 시의 인상과 형식에서의 새로움이 전제되었기 때문이라고 할 수 있다. 그런데 시에서의 이러한 새로움이란 우선 시인 개인의 기질이나 취향, 세계관 등에서 비롯된 것으로 볼 수 있다. 시인 각자 각자가 어떤 대상이나 사물을 보는 감각 자체가 다를 뿐만 아니라 그것에 대한 인지의 정도도 다르기 때문에 새로운 인상과 형식이 가능한 것이다.

하지만 그 새로움이 과연 개인의 차원에서만 비롯되는 것일까? 시인이 생산해 낸 시의 인상과 형식이 전적으로 시인 개인의 산물일까? 이 물음에 대한 답은 시에 대한 통시적인 시각이나 시사적인 맥락을 고려하면 쉽게 풀릴 수 있는 문제이다. 시인이 생산해 낸 시가 시대에 따라 인상과 형식을 달리하고 있다는 것은 그것이 단순한 개인의 차원을 넘어서는 그 무엇이라는 사실을 말해준다. 우리가 알고 있는 시의 경우, 근대 이전과 이후는 물론 근대 이후 시기별로 시의 인상과 형식이 다르다는 것은 그 각각의 시대의 흐름을 시가 반영하면서 동시에 그것을 굴절시켜 보여주고 있다는 것에 다름 아니다. 시의 인상과 형식이란 언어를 통해 현현될 수밖에 없다는 점에서 시대에 따른 시의 언어diction의 형태와 그 운용에 대해 알아보는 것은 시의 이해에 필수적이라고 하지 않을 수 없다.

근대 이후 우리 시의 언어 형태와 운용을 보면 뚜렷하게 현대성에 대한 지표들이 드러나 있다. 이것은 현대시로서의 존재 이유를 말해주는 것으로 이 현대성의 지표가 우리 시의 지평을 가늠하는 한 준거로 작동하고 있다고 할 수 있다. 우리 시의 언어를 통해 드러나는 현대성은 크게 이미지와 견고한 말(감정의 절제)을 통한 감수성의 혁신, 통합적이고 전체적인 것을 이상으로 삼는 형이상시로의 이념 추구, 의식을 넘어 무의식의 세계만이 참된 공간이라고 주장하는 자동기술의 발견 등으로 나누어 볼 수 있다. 이러한 현대성의 지표들은 1920·30년대 우리 시에 등장하기 시작하면서 일정한 변주 과정을 거쳐 지금까지 이어져 오고 있다. 우리 시사에서 이러한 현대성의 지표들의 등장은 기존의 전통적인 시에 대한 개념과 의미를 해체하고 있다.

먼저 우리 시를 이미지와 견고한 말을 통한 감수성 혁신의 차원에서 이해한다는 것은 시를 낭만적인 정서의 등가물로 인식하고 있던 전통주의자들의 시관에 대한 위반이자 부정이라고 할 수 있다. 당시 이런 낭만적인 시관을 대표하는 시인인 김소월의 언어는 인간의 감정을 조절하거나 통제하지 않은 채 그대로 흘러넘치게 하는 방식을 통해 이루어짐으로써 감정이 언어를 지배해버리는 양상을 드러낸다. 감정의 중시는 리듬이나 운율을 통한 노래성에 집착하는 태도로 이어져 복잡하고 애매한 의미의 내면화와 같은 현대적인 언어 감각은 보여주지 못하고 있다. 소월의 대표작 중의 하나인 「초혼」이나 「진달래꽃」의 언어 구사와 운용은 '한'과

'혼'과 같은 인간의 정서를 객관적인 상관물을 통해 드러내는 것이 아니라 시인의 주관적인 태도에 의해 표출하기 때문에 그 언어에 눈물, 회환, 탄식, 통곡 같은 휴머니즘적인 요소가 많을 수밖에 없다.

시의 현대성은 언어에서 이런 요소를 걷어내는 것이며, 여기에 시의 새로움이 있다는 인식은 흄이나 에즈라 파운드가 전개한 이미지즘 운동의 요체이다. 흔히 말랑말랑하고 축축한 언어의 구사와 운용이 아니라 건조하고 딱딱한 언어의 구사와 운용으로 이야기되는 이미지즘 운동은 기존의 감정이나 정서에 대한 현대적인 차원의 감수성 혁명이라고 할 수 있다. 흄이나 에즈라 파운드 같은 이미지스트들이 제기한 방법에는 새롭게 사물이나 세계를 인식하려는 의도와 함께 그것을 세련되게 조직하고 구성하려는 의도가 내재해 있다. 이미지스트들이 제기한 방법은 기본적으로 시의 언어에 대한 자의식에서 비롯된 것이라고 할 수 있다. 사물과 언어에 대한 새로운 인식은 시의 지평을 확장한 것이 사실이며, 우리의 경우에도 이 이미지즘 운동은 1920·30년대 정지용, 김기림, 김광균 등을 중심으로 활발하게 전개되기에 이른다.

이 세 시인 중 이미지즘 운동이 제기한 방법론을 가장 훌륭하게 이행한 이는 정지용이다. 그가 보여준 사물이나 대상에 대한 인식 태도와 언어의 조직과 구성에 대한 방법 등은 우리 시사에서 단연 독보적이다. 가령 그의 대표작으로 평가받고 있는 「향수」, 「유리창」, 「말」 등을 보면 왜 그가 최고의 이미지스트인지를 알 수 있다. 「향수」와 「유리창」은 이미지를 통한 감정과 정서의 대위적인 조절과 절제가 돋보이는 작품들이고, 「말」은 대상에 대한 언어의 조직과 구성이 돋보이는 작품이다. 그는 「향수」에서 시적 대상인 '고향' 혹은 '고향에 대한 정'을 자신의 주관적인 감정이나 정서에 입각해 직설적으로 표출하지 않고, "얼룩백이 황소가 해설피 금빛 게으른 울음을 우는 곳"이라든지 "빈 밭에 밤바람 소리 말을 달리고"에서처럼 그것을 시각이나 청각적인 이미지를 통해 실체화하고 객관화하여 표현해내고 있다. 감정이나 정서가 객관적인 상관물을 통해 이미지화됨으로써 우리는 이전에 발견할 수 없었던 고향에 대한 정이라든지 대상에 대한 상실감을 새롭게 체험하게 되는 것이다.

그의 시가 드러내는 이미지를 통한 감정과 정서의 대위적인 조절과 절제의 새로움은 언어의 새로움이며, 이로 인해 그의 시의 언어는 지금 보아도 낡고 오래되었다는 느낌을 주지 않는다. 하지만 그의 시의 새로움이 이미지의 구사와 운용을 통해서만이 드러나는 것은 아니다. 그의 시의 새로움은 대상에 대한 언어의 조직과 구성에 의해서도 드러나는데, 가령

말아, 다락같은 말아,
너는 즘잔도 하다마는
너는 웨그리 슬퍼 뵈니?
말아, 사람편인 말아,
검정 콩 푸렁 콩을 주마.

이 말은 누가 난줄도 모르고
밤이면 먼데 달을 보며 잔다.

– 정지용의 「말」 전문[13]

를 보면 그것을 잘 알 수 있다. 이 시의 시적 대상은 "말"이다. 이 시에서 이미지화된 언어는 "검정 콩 푸렁 콩" 정도이다. 이것은 이 시의 묘미가 이미지의 구사와 운용에 있지 않다는 것을 의미한다. 이 시의 묘미는 언어의 기본 원리인 은유와 환유를 구사하고 운용하는 방식에 있다.

13 | 정지용, 이숭원 주해, 『원본 정지용 시집』, 깊은샘, 2003, p. 127.

은유는 유사성, 환유는 인접성의 원리라는 점에서 볼 때 시적 대상인 "말"과 "다락" 사이의 은유적인 관계는 '높음', '움직일 수 없음'의 의미를 생산하고, 이것은 다시 "즘잖음"과 "슬픔"으로 이어진다. "말"이 "즘잖고 슬퍼 뵌다"는 것은 "말"이 의인화되어 간다는 것에 다름 아니다. "말"과 '인간' 사이의 관계는 "검정 콩 푸렁 콩"을 주면서 더 가까워지고, 이 시의 마지막 행 "이 말은 누가 난줄도 모르고 / 밤이면 먼데 달을 보며 잔다"는 대목에 와서 절정에 달한다. 여기에 이르면 "말"의 슬픔은 온전히 시적 화자(인간)의 슬픔으로 전이되게 된다. 이것은 「말」이 '은유와 환유의 결합에 의해 탄생한 아름다운 시'[14]라는 것을 의미한다.

「말」의 시적 구조가 이러한 은유와 환유의 원리에 의해서 이루어진 것이라면 이미 그는 언어에 대해 민감한 자의식과 함께 그것의 미적 효과를 간파하고 있었던 것으로 볼 수 있다. 언어의 구조화의 원리 혹은 언어의 미적 원리를 이해하고 쓰여진 시라면 그것은 시인의 기질이나 생리보다는 언어의 조직이나 구성과 같은 낱말의 배열이나 특수한 기능을 중시한 데서 비롯된 것이라고 할 수 있다. 시의 언어는 본질적으로 규정되어 있는 것이 아니라 시인에 의해서 조직되고 구성되는 것이다. 시의 현대성 혹은 현대시란 바로 언어에 대한 이러한 인식으로부터 비롯되는 것으로 이해하는 경우가 있다. 하지만 시의 현대성 혹은 현대시를 이미지와 언어의 구조화의 원리로만 이해하는 데에는 한계가 있으며, 고도로 문명화된 현대 사회에서의 시인의 정신은 이성과 감성, 순수와 비순수, 물질과 관념, 사상과 이미지 등을 포괄하는 새로운 전체를 형성하는 것으로 현대성과 현대시를 인식하는 태도가 중요하다고 볼 수 있다.

T. S 엘리어트가 「황무지」에서, 우리의 김기림이 「기상도」에서 구현하

14 | 이어령, 「언술로서의 은유 — 서서 자는 말」, 『詩 다시 읽기』, 문학사상사, 1995.

려고 한 시적 태도가 바로 이러한 통합적이고 전체적인 사고를 바탕으로 한 현대성의 추구라고 할 수 있다. 다분히 현대 문명 비판적인 문맥을 거느리고 있는 이들의 시적 논리에는 인간 존재에 대한 진지하고도 근원적인 물음과 반성이 내재해 있다. 복잡하고 다양한 정신적 상황 속에 놓여 있는 현대인의 내부를 향해 시적 상상력을 발휘해야 하는 시인의 고뇌가 언어에 투영되어 있어야 한다. 「황무지」에서 이질적인 여러 경험들이 다양한 양식의 표현 방법과 결합 방법을 통해 언어의 형식으로 드러날 때 이미지스트들의 시에서와는 다른 딕션을 체험하게 된다. 특히 아무런 관련도 없는 텍스트들을 서로 비교, 대조, 마찰시켜 상호 대화나 충돌의 과정에서 발생하는 일정한 긴장tension과 미적 효과는 현대성의 새로운 지평을 제시하고 있다고 볼 수 있다. 「황무지」와 「기상도」 모두 장시의 형식을 취하고 있기 때문에 단형의 시에서 볼 수 없는 새롭고 낯선 스타일의 언어가 구사되고 또 운용됨으로써 독특한 시적 세계(딕션)가 탄생하는 것이다.

김기림이 「기상도」에서 보여준 이야기시와는 다른 장시의 형식과 다양한 이미지와 기법, 현대 문명에 대한 비판과 성찰 등은 이 시가 구체적인 현실성이 부족한 지나치게 서구 편향적인 관념성을 노출하고 파편화된 이미지와 방법들을 하나로 통합하는 데 실패한 작품임에도 불구하고 우리 시사에서 의미 있는 시도로 평가받고 있는 한 요인이라고 할 수 있다. 그가 구사한 이러한 다양한 형식과 기법 등은 딕션에 다름 아니다. 그의 이러한 시도는 우리 시의 현대성과 관련하여 중요하게 다루어지고 계승되어져야 함에도 불구하고 「기상도」를 이을만한 시가 나타나지 않았다는 점은 우리 시의 후진성을 드러내는 것이라고 할 수 있다. 형식과 내용, 기법과 현실, 이성과 감성 등을 통합하고 전체적으로 통찰하려고 한 그의 시도는 고스란히 「기상도」에 드러나 있으며, 그 의도 못지않게 이 시가 탄생시킨 언어 혹은 딕션의 형식은 우리 시사의 의미 있는 사건으로 기록될 것이다.

정지용, 김기림으로 대표되는 이미지즘과 형이상적 상상력은 우리 시의 현대성과 그 스타일을 보여주는 것으로 무엇보다도 이것이 언어(딕션)에 대한 자의식과 다양한 실험적인 시도들에 의해 이루어졌다는 것을 기억할 필요가 있다. 전통적인 언어관을 배격 내지 해체하면서 새로운 언어의 형식과 스타일을 발견한 일은 우리 시의 현대성 혹은 우리 현대시를 논할 때 빠뜨려서는 안 되는 중요한 덕목이 되었다. 하지만 우리 시의 현대성은 이들의 시도를 통해서만 드러나는 것은 아니다. 이들과는 성격을 달리하는 또 다른 이들에 의해 더욱 확장되고 또 새로운 지평이 확보되기에 이른다. 이러한 인식의 소유자들이 내세우는 주장이나 이들이 추구하는 목적은 인위적으로 제도화된 모든 현실을 거부하고 그것을 초월하여 새로운 가치를 창조하는 데 있다. 우리는 흔히 이들을 '초현실주의자'라고 부른다.

앙드레 브르통이나 트리스탄 짜라, 우리의 이상, 신백수, 이시우 등이 내세운 초현실주의 이념은 지금까지 시도되지 않았던 '꿈'이나 '자동연상'의 기법을 수용하여 새로운 스타일의 문학을 탄생시킨다. 초현실주의 이념에 따라 이들이 제시한 방법이 바로 '자동기술법'이며, 이 방법은 의식이 아닌 무의식의 영역에서 이루어지는 행위이기 때문에 기존의 언어(딕션) 구사나 운용과는 다른 스타일이 탄생할 수밖에 없다. 초현실주의자들의 스타일이 인위적으로 제도화된 모든 현실의 거부에 근거하고 있는 관계로 이들은 기존의 시에서 추구한 이미지와 언어의 구조화 원리를 통한 미적인 체계 자체를 거부하거나 해체해버린다. 이상에게서 볼 수 있듯이 이들이 구사하거나 운용하는 언어는 '미친놈의 잠꼬대'가 되는 것이다. 무의식과 초현실의 이념 위에서 쓰여지는 이들의 시가 투명한 이성적인 의식과 현실의 이념 위에서 사고하고 행동하는 이들에게 정상적인 것으로 인식될 리는 만무한 것이다. 심지어 이상을 옹호한 정지용조차도 그의 시를 '그저 珍奇한 것'으로 간주했을 정도였으니 다른 전통적인 시의 언어와 형식에 익숙해 있던 이들에게는 그것이 결코 받아들여질 수 없는 미친놈의 수작이나 잠꼬대였을 것이다.

이상은 우리 시사를 통틀어 최고의 스타일리스트이다. 무엇보다도 이런 스타일은 그가 구사하는 언어 혹은 딕션에서 명확하게 드러난다. 그의 연작시 「烏瞰圖」는 이전의 글쓰기의 스타일을 완전히 해체해버린다. 가령

> 때무든빨내조각이한뭉텡이空中으로날너떠러진다. 그것은흰비닭이의떼다. 이손바닥만한한조각하늘저편에戰爭이끗나고平和가왓다는宣戰이다. 한무덕이비닭이의떼가깃에무든때를씻는다. 이손바닥만한하늘이편에방맹이로흰비닭이의떼를따려죽이는不潔한戰爭이始作된다. 空氣에숫검정이가지저분하게무드면흰비닭이의떼는또한번이손바닥만한하늘저편으로날아간다.
>
> - 이상, 「烏瞰圖-詩第十二號」 전문[15]

를 보면 제도화된 언어의 규칙이라든가 이성적이고 도덕적인 현실의 논리로부터 해방된 채 이루어지는 무의식적이고 초현실적인 글쓰기의 장이 펼쳐지고 있음을 알 수 있다. 기존의 제도화된 언어 규칙인 띄어쓰기와 문법이 지켜지고 있지 않을 뿐만 아니라 "빨내-흰비닭이의떼-방맹이-평화-숫검정이-전쟁" 등에서 알 수 있듯이 이질적인 질료들과 이미지들이 서로 충돌하고 연쇄 반응을 일으키면서 낯설고 미묘한 세계를 만들어낸다. 시인이 겨냥하는 무의식적이고 초현실적인 세계를 위해 자동기

15 | 이상, 김주현 주해, 『이상문학전집』, 소명출판, 2005, p. 91.

술법이 글쓰기의 한 방식으로 작동한 것이며, 우리는 이제 이러한 세계를 자동기술법에 의해 쓰여진 낱말이나 문장의 구조를 통해 발견하고 또 그것을 향유하는 것이다.

초현실주의 이념이 만들어낸 자동기술법과 같은 글쓰기는 '지금, 여기'에서 모던함을 추구하는 시인들에게는 거의 보편화된 방식이라고 해도 과언이 아니다. 이상 이후 1950년대 후반기 동인 중의 하나인 조향과 무의미시론을 전개한 김춘수, 이미지의 자율성을 강조한 김종삼, 계몽적 이성을 비판한 김수영을 거쳐 1960년대 순수와 추상, 내면 탐구와 언어 실험을 표방한 전봉건, 이승훈, 정현종, 김영태, 오규원 등으로 이어지고 다시 1980년대 근대성과 자본주의에 대한 부정과 해체를 겨냥한 황지우, 박남철, 이성복, 장정일을 거쳐 1990년대와 2000년대의 박상순, 황병승으로 이어지면서 우리 현대시의 한 흐름을 형성해왔다고 할 수 있다. 이것은 우리 현대시를 이해하기 위해서는 무의식이나 초현실주의 같은 이념이라든가 그것의 창작 방법론인 자동기술과 같은 것들에 대한 성찰이 전제되어야 한다는 것을 의미한다.

최근 우리 시는 새로움이나 현대성의 차원과 관련하여 일정 부분 정체 상태에 놓여 있는 것이 사실이다. 현대시에 대한 깊이 있는 이해와 성찰 없이 단지 그것이 대중적인 소통의 부족이라든가 테크놀로지적인 감각이나 형식과 불화의 관계에 놓여 있다는 이유로 현대성의 경향을 강하게 지내고 있는 시들을 부정하고 비판하는 것은 스스로 후진성을 드러내는 일이라고 할 수 있다. 현대 문명이 발달하고 복잡해질수록 현대시 역시 복잡성을 띨 수밖에 없다. 현대시의 언어 혹은 딕션이 점점 애매모호해지고 복잡성을 띠게 되면서 그것에 대한 이런저런 논의들이 많이 대두되기는 했지만 그것을 단순히 시인 개인의 기질이나 취향으로 간주해버리는 경우가 대부분이기 때문에 현대 혹은 현대성이라는 거대한 흐름과 시의 관련성을 해명하는 데는 한계가 있을 수밖에 없다. 시의 언어(딕션), 특히 현대시의 언어(딕션)는 투명하지도 또 매끈하지도 않다. 이것은 현대시에 대한 논의가 점점 더 복잡하고, 경우에 따라서는 미궁으로 빠질 수 있는 위험성이 존재한다는 것을 말해준다. 이 복잡함과 미궁이 현대시 혹은 시의 영점화와 같은 시 자체에 대한 메타적인 논의와 시의 언어와 일상의 언어 사이의 긴장이 사라지면서 시와 일상의 경계가 해체되는 상황이 발생하지 않으리라고 누가 장담할 수 있겠는가? 이렇게 되면 시의 딕션 혹은 딕셔너리는 지평을 드러내 보이지 못한 채 스스로 그 언어의 매트릭스 속에 갇히게 될 것이다.

4. 비트bit의 감각과 시의 형식

– 디카시를 중심으로

1. 새로운 지각장의 탄생

시와 예술의 출발은 감각으로부터 시작된다. 이 감각은 주체의 의식과 대상 사이에서 생성되며, 이것에 실체감과 부피감을 제공하는 것은 '지각장'이다. 이 사실은 지각장의 존재 양상과 조건에 따라 감각은 물론 인지, 이해, 판단과 같은 상상 혹은 사유의 과정과 그 결과물인 형식이나 양식의 모습이 다를 수밖에 없다는 것을 의미한다. 지각장은 시간의 흐름에 따라 다양한 변화의 잠재태를 지닌다. 지각장의 변화를 실질적으로 규정하는 데 가장 커다란 영향을 미치는 것은 물적 토대라고 할 수 있다. 물적 토대가 어떤 것이냐에 따라 지각장의 속성과 현상 자체가 결정되는 것이다. 그동안 지각장을 결정짓는 물적 토대는 크게 자연적인 것과 인공적인 것의 교차와 재교차를 통해 형성되어 왔다고 볼 수 있다.

인류의 오랜 역사 속에서 물, 불, 공기, 흙, 광물과 같은 자연적인 것은 인간의 지각과 지각장을 그 자연의 질서와 무질서 속에서 비교적 완만하고 단선적인 변화의 잠재태로 존재해 왔다. 이에 비해 자연적인 것을 분석하고 해부하여 여기에서 수와 식으로 이루어진 법칙이나 체계를 세워 그것을 토대로 인공적인 어떤 물질을 끊임없이 생산하는 또 다른 차원이 탄생하게 된다. 이렇게 탄생한 전기, 전자, 나노와 같은 인공적인 것은 인간의 지각과 지각장을 그 인공의 질서와 무질서 속에서 우리가 상상을 초월할 정도로 빠르고 복잡한 변화의 잠재태로 존재해 왔다. 어쩌면 인류의 문명과 문화는 이 두 물질의 교차와 재교차를 통해 전개되어왔다고 해도 과언은 아니다. 하지만 후자의 경우(인공적인 것)는 전자(자연적인 것)에 비해 인류에게 영향력을 행사해 온 시간이 짧음에도 불구하고 그 파급력은 상상을 초월할 정도로 빠르고 광범위하다.

'지금, 여기' 우리가 사는 시대는 인공화된 가상 실재의 현현이라고 해도 무방할 정도로 거대한 매트릭스의 세계가 펼쳐지고 있다. 이 세계의 확산 속도는 가히 기하급수적이라고 할 만한데, 이것은 다른 무엇보다도 이 세계의 물적 토대를 이루는 '비트bit' 때문이라고 할 수 있다. 흔히 전자시대의 도래를 가능하게 한 것으로 평가받고 있는 비트는 새로운 개념의 자연성과 생태성을 드러낸다. 이것은 비트가 기존의 자연과 생태의 물적 토대를 이루는 '기氣'와 견줄만한 존재성을 지닌다는 것을 의미한다. 이 둘은 서로 물적 토대의 속성이 다름에도 불구하고 인간은 물론 인류의 문명과 문화 전반에 절대적인 영향력을 행사해 왔을 뿐만 아니라 행사하고 있고 또 행사하게 될 것이라는 점에서 실로 중요한 문제의식을 지니고 있는 물적 요소라고 할 수 있다. 이와 관련하여 나는 문명사 혹은 문화사적인 차원에서 둘 사이의 차이에 대해 논의한 바 있다.

> 먼저 디지털토피아와 에코토피아는 토대 자체가 다르다. 디지털토피아와 에코토피아의 토대가 되는 디지털과 에코는 각각 인공(문명)과 자연이라는 서로 대립적인 속성을 가진다. 인공과 자연이라는 이러한 차이는 디지털토피아와 에코토피아가 화합과 공존보다는 그 안에 불

화의 요소를 더 많이 가지고 있다는 것을 의미한다. 지금까지 인류가 이룩한 문명이 자연의 희생을 통해 성립된 것을 상기한다면 이 불화는 어떤 뿌리 깊은 딜레마를 제공한다고 할 수 있을 것이다.

다음으로 디지털토피아와 에코토피아는 세계 인식 자체가 다르다. 디지털적인 인식이란 세계를 불연속적이고 불확정적인 방식을 통해 드러내는 것을 의미한다. 디지털은 존재 혹은 존재자 자체를 0과 1로 조각낸 다음 그것을 무한수열적인 조합을 통해 새로운 어떤 것을 생산해 내는 것이다. 따라서 디지털적인 인식하에서는 우리가 도저히 상상할 수 없는 것까지 생산해 냄으로써 잉여적인 양태를 보인다. 이 잉여성이 세계를 점점 더 불연속적이고 불확정적인 쪽으로 몰고 가는 것이다. 디지털적인 인식에 비해 에코적인 인식은 세계를 연속적이고 확정적인 방식을 통해 드러낸다. 에코적인 인식하에서 세계는 디지털에서처럼 갑자기 켜지거나(0) 꺼지는(1) 일이 없으며, 갑자기 검정색(0)에서 흰색(1)으로 변하는 일도 없다. 여기에서는 어떤 변화과정을 거치지 않고 하나의 상태에서 다른 상태로 급변하는 그런 일은 일어나지 않는다. 따라서 잉여적인 양태라는 것이 드러날 수 없다. 이런 점에서 에코적인 인식은 아날로그적이라고 할 수 있다.

마지막으로 디지털토피아와 에코토피아는 존재에 대한 해석 자체가 다르다. 존재론적인 측면에서 보면 디지털은 존재하지 않는 것을 존재하게 하는 것이다. 'being digital'이라고 할 때 그 being은 기존의 어떤 실체로부터 존재성을 부여받은 그 being은 아니다. 이때의 being은 색깔도 없고 크기도 없고 무게도 없는 단지 광속으로만 흐를 수 있는 bit라는 기반 위에서 성립된 것이다. 이것은 우리가 존재론을 이야기할 때 종종 말해지는 '無名天地之始'의 無와는 다른 것이다. 無의 없음은 '있음을 전제로 한 없음'이다. 이에 비해 'being digital'의 없음은 '없음을 전제로 한 없음nothing'이다.[16]

기와 비트 사이의 차이를 토대, 인식, 존재의 차원에서 밝힌 글이다. 둘 사이의 차이는 분명하며, 그로 인해 이것을 기반으로 하여 성립되는 문명이나 문화는 다를 수밖에 없다. 하지만 인류의 문명이나 문화가 기에서 비트로 흘러갈 것이라고 예견할 수는 있지만 그것이 둘 사이의 단절을 통한 이행은 아니라는 사실을 주목할 필요가 있다. 아무리 비트에 기반한 디지털 세상이 절대적인 흐름을 형성한다고 하더라도 기에 기반한 에코적인 세상은 결코 쉽게 소멸할 수 없다. 이것의 소멸은 생식 기능을 하는 인간 자체의 전면적인 퇴장을 의미하면서 동시에 그것에 기반한 인류의 문명이나 문화의 퇴장을 의미한다고 할 수 있다. 인간이나 인류의 문명이나 문화에 대한 전망은 '지금, 여기'에서의 인간의 몸에 대한 통찰을 통해 이해하고 판단하는 것이 보다 구체적이고 현실적일 수 있다.

'지금, 여기'에서의 인간의 몸은 기와 비트 혹은 에코와 디지털로 이루어진 생성 주체이다. 만일 '지금, 여기'에서의 인간의 몸이 대기의 공기를 몸 안으로 들이마셨다가 뱉어내는 과정을 반복하지 않는다거나 음식물을 먹고 소화하는 과정을 거치지 않는다면 인간으로서의 생존이 불가능할 것이다. 인간이 이러한 생식 기능을 하지 않고 생존하기 위해서는 그 몸이 사이보그화되지 않으면 안 되며, 이것이 가능한지에 대해서는 그 누구도 자신 있게 말할 수 없다. 인간의 몸의 사이보그화는 지금 진행 중에 있는 것은 사실이지만 호흡이나 생식이 전제되지 않은 상태에서의 그것은 공상과학소설이나 영화에서나 현실성 있게 그려지고 있을 뿐이다. 이런 점에서 '지금, 여기'에서의 인간의 몸은 기와 비트가 교차하고 재교차하는 팽팽한 긴장 속에 있다고 볼 수 있다. 자연 생태적인

16 | 졸저, 『비만한 이성』, 청동거울, 2004, pp. 89~90.

여건의 변화로 인해 호흡과 생식이 위협받게 되면서 여기에 대한 불안과 관심이 높아진 것은 감각적인 차원에서의 몸의 존재성을 잘 드러낸 것이라고 할 수 있다.

그러나 지금 인간의 몸은 비트를 기반으로 한 디지털 생태계의 확산으로 인해 새로운 국면을 맞이하고 있다. 호흡과 생식 기능 없이 인간의 몸은 존재성을 상실하게 되는 것처럼 디지털 세계를 벗어나서는 인간관계라든가 사회 문화적인 생산 활동 등을 할 수 없게 되었다. 그 정도로 디지털 세계는 이제 인간의 생존을 가능하게 하는 하나의 생태계로 자리 잡았다고 할 수 있다. 비트에 의한 거대한 네트의 세계는 디지털의 속성상 무한한 가상성과 개방성이 전제된 상태에서의 애매하고 불투명한 의미와 전망을 생산해 내고 있는 것이 사실이다. 이러한 거대한 네트의 세계에서의 인간 혹은 인간의 몸은 디지털적인 지각 작용에 의해 구성되고 또 현현된다. 인간의 몸은 고정되어 있는 것이 아니라 끊임없이 살아 움직이는 하나의 현상체에 지나지 않는다. 이것은 인간의 몸이 새로운 지각장 내에서 그 존재성을 드러낸다는 것을 말해준다. 지각장이 변하거나 바뀌면 몸 역시 변하거나 바뀔 수밖에 없다. 몸에 의한 지각 현상은 그 자체로 하나의 세계를 드러낸다고 볼 때 비트를 기반으로 한 디지털적인 지각장의 출현은 곧 새로운 지각 주체의 탄생과 그것에 의해 구성되고 현현되는 새로운 세계의 탄생을 의미한다.

2. 시와 미디어의 결합 혹은 비트적 시의 형식

비트에 기반한 디지털 시대의 도래는 시인이라고 해서 비껴갈 수 있는 것이 아니다. 시인 역시 디지털적인 지각장 내에서 자신의 존재성을 드러낼 수밖에 없다는 점이 그렇고 또 그것을 통해 지각장을 새롭게 구성하고 해체할 수 있다는 점이 그렇다. 하지만 이 변화는 시인이나 시에 대한 인식과 존재 방식을 전면적으로 변화시킬 정도는 아니다. 비트라는 물적 토대와 시인의 의식 사이에는 일정한 차이가 존재하며, 그것은 둘 사이의 부정과 저항이라는 긴장을 통해 변화의 정도를 완만하게 이루어지게 하는 쪽으로 작용한 것이 사실이다. 시인의 의식이 비트의 무한수열적 조합을 따라가기에는 너무나 아날로그적이라고 할 수 있다. 아날로그적인 시인의 의식이 디지털적인 세계를 몸으로 지각하여 시의 형상을 이루어내기까지는 비교적 완만하고 느린 아날로그적인 과정이 필요한 것이다.

우리 시에서 지각장의 변화의 징후는 시와 멀티미디어의 결합에서 찾을 수 있다. 이 결합의 의도와 목적은 기존의 문자 중심의 시에 영상과 음향을 결합해서 지각장의 변화를 꾀하려는 데에 있다. '멀티포엠'이라는 이름으로 장경기에 의해 시도된 일련의 작업은 그다지 큰 관심과 반향을 불러일으키지 못한 채 시와 영상(음향)의 결합이 아니라 분리라는 결과를 낳고 말았다. 시에 영상이 더해져 기존의 시의 개념이나 의미가 변화하여 새로운 시의 양식이 탄생해야 그것을 진정한 차원의 멀티포엠이라고 할 수 있다. 그의 작업은 여기에 미치지 못할 뿐만 아니라 시에 대한 정체성을 더 모호하게 했다는 점에서 그 한계는 분명하다. 이것은 시와 멀티미디어의 결합이 단순한 실험 이상도 그 이하도 아닐 수 있다는 회의주의와 패배주의의 만연을 불러올 수 있다. 하지만 이러한 시도는 기존의 시에 대한 매체와 지각 차원의 반성과 불안을 반영하는 하나의 사건임에는 분명하다.

멀티포엠의 시도가 하나의 시도로 그쳤음에도 불구하고 시와 매체의 결합은 '디카시'라는 형태로 계속 이어지고 있다. 디카시란 디지털카메라를 활용한다는 점이 가장 큰 특징이다. 이 과정에서 디지털카메라의 역할은 시인이 자연이나 사물에서 시적 감흥을 일으키는 형상을 포착하

〈그림 1〉 장경기의 멀티포엠(영상시) digiart20080531total 1

는 것이다. 이렇게 포착된 시적 감흥과 그 메시지를 5행 이내의 문자로 재현해 내면 그것이 곧 디카시가 되는 것이다. 시에 디지털카메라를 활용하고 5행 이내의 문자로 그것을 재현해 내는 방식은 디카시가 지향하는 바가 SNS를 통한 대중과의 소통에 있음을 보여준다. 디카나 폰카를 통해 사진을 찍고 여기에 짧은 글을 붙여 SNS에 올리는 행위는 널리 대중화되고 보편화된 글쓰기의 한 양식이다. 이런 점에서 디카시는 일종의 '시놀이'로 볼 수 있다.

시에 매체를 활용한다는 점에서 디카시와 멀티포엠은 다르지 않지만 전자는 주로 사진이 주가 되고 후자는 동영상이 주가 된다는 점에서 차이가 있다. 사진은 정지된 상태의 사물이나 대상의 이미지에 대한 지각 작용이 이루어지고, 동영상은 일정한 시간 동안 움직이는 상태의 사물이나 대상의 이미지에 대한 지각 작용이 이루어진다. 이 사실은 동영상에 비해 사진이 한눈에 사물이나 대상 전체를 지각할 수 있기 때문에 이들에 대해 좀 더 집중적이고 깊이 있는 통찰이 가능하다는 것을 의미한다. 하지만 보다 큰 차이는 창작의 과정에 있다. 디카시의 경우는 사물이나 대상에서 시적 감흥을 일으키는 형상을 포착해 그것을 문자로 재현하는 것이고, 멀티포엠은 문자화된 시에서 얻게 되는 감흥과 이미지를 포착해 그것을 영상으로 재현하는 것이다. 사진 내에 은폐된 시의 형상을 발견하는 것과 시에 은폐된 이미지를 영상화하는 것은 모두 발견이라는 중요한 존재론적 자각을 공유하지만 디지털 영상 이미지로부터 지각을 끌어내느냐 아니면 아날로그적 문자 이미지로부터 지각을 끌어내느냐 하는 데 있어서는 서로 상이한 창작 태도를 취한다. 이것은 디카시와 멀티포엠의 형식과 내용은 물론 어조와 정조 같은 두 양식의 전체적인 느낌이나 분위기에도 영향을 미친다는 것을 말해준다.

디카시의 영상 이미지와 5행 이내의 시행은 디지털적인 지각 작용 과정에 적합한 형식이라고 할 수 있다. 디지털 세상의 도래는 우리로 하여금 '보는 것이 곧 믿는 것'이라는 믿음을 암암리에 심어주었을 뿐만 아니라 순간적인 감각과 속도의 경제성을 무의식화하여 우리의 사회 문화적 향유 방식을 지배하고 또 통제하고 있다. 이 말은 디지털 세계에서 생존하기 위해서는 여기에 맞는 감각이나 감성을 개발하고 발견해야 한다는 것을 의미한다. 디지털 세계 내에서 소통되는 글들은 대부분 이런 형식을 유지하고 있으며, 디카시가 보여주고 있는 것처럼 시의 경우에도 여기에 대한 인식을 가지고 있는 시인이 우리의 생각 이상으로 많이 존재한다. 그렇다면 왜 많은 기성 시인들이 디카시에 관심을 가지고 있을 뿐만 아니라 실제로 그것의 창작에 참여하는 것일까? 이것은 디카시에 대한 단순한 호기심을 넘어 그것이 은폐하고 있는 어떤 매력에 빠져들었다는 것을 말해준다.

먼저 이야기할 수 있는 것은 시를 만드는 방식의 차이이다. 기존의 시는 시적 주체와 대상의 관계에서 그 대상을 지각하는 것이 시인의

'눈'이라면 디카시에서는 그것이 시인의 '눈-카메라'로 드러난다. 전자의 경우 시인의 눈이 사물을 지각하면 그것은 곧바로 의식의 과정으로 이어지지만, 후자의 경우에는 그것이 곧바로 시인의 의식으로 이어지지 않고 일단 카메라에 의해 포착되는 과정을 거친 후에 이루어진다. 여기에서 카메라에 의해 포착된 사물은 정지 상태로 존재하고, 그것은 다시 시인의 눈을 통해 의식으로 이어지게 된다. 이런 점에서 카메라에 의해 포착된 정지 상태로서의 사물은 디카시의 정체성을 결정하는 중요한 조건이라고 할 수 있다. 카메라에 의해 포착된 사물은 시인의 눈이 지각하지 못한 사물의 세계를 은폐하고 있다. 시인의 눈은 사물을 정지해서 지각하는 것이 아니라 하나의 흐름으로 지각하여 그것을 의식화하기 때문에 사물의 순간, 다시 말하면 사물의 시간에 따른 분절화된 세계를 드러내지 못한다.

하지만 카메라는 그 순간, 순간의 세계를 드러낸다. 시인의 눈이 무심코 흘려버린 혹은 의식하지 못한 채 지나쳐버린 세계를 카메라는 우리 앞에 정지된 상태로 선명하게 드러내 보인다. 우리가 사진 속에서 발견하고자 하는 세계가 바로 그것이며, 그 발견의 순간 우리는 거기에서 매혹을 느낀다. 이 매혹은 시인의 눈이 지니는 결핍을 충족시켜 주는 데서 오는 감정이라고 할 수 있다. 우리가 오래된 사진을 보면서 느끼는 매혹은 단순히 지나간 시절에 대한 사실을 알게 된 것에서 비롯된 것이라기보다는 자신에게 충족되지 못한 채로 존재하는 어떤 결핍에 대한 환상을 본 데서 비롯된 것이다. 이런 점에서 이 오래된 사진은 자신의 무의식이 투사된 하나의 사물이라고 할 수 있다. 매혹의 감정이 크게 느껴지는 사진일수록 여기에는 결핍 혹은 구멍이 많을 수밖에 없고, 그 구멍을 통해 시인은 자신의 취향이나 경험, 무의식 등을 보게 되고 그것과 연결되어 순간적으로 강렬하게 다가오는 어떤 울림을 체험하게 된다. 이렇게 되면 시인은 자신의 생각이나 경험 그리고 사상 같은 것들을 모두 불러내 그 사진의 의미를 스스로 규정하고 결정하게 되는 것이다.

다음으로 이야기할 수 있는 디카시의 매력은 카메라와 시 혹은 영상과 언어가 상호보완적인 차원에서 작용하고 있다는 데에 있다. 이 작용은 디카시의 정체성을 결정하는 한 요인으로 볼 수 있다. 만일 카메라와 시가 상호보완적으로 작용하지 않는다면 디카시는 정체불명의 어설픈 절충이나 생경한 실험의 산물에 그칠 공산이 크다. 이것은 카메라(사진)가 결핍하고 있는 부분을 시(언어)가 채워주고 또 시가 결핍하고 있는 부분을 카메라가 채워주고 있다는 것을 말해준다. 이렇게 되면 둘 사이에는 적절한 긴장이 생기게 되는데 이것은 우리가 이전에 경험한 바 없는 새롭고 낯선 세계라고 할 수 있다. 디카시가 보여주는 이러한 세계는 오래전부터 이어져 온 회화와 시 사이의 관계에 대한 논의를 넘어서는 의미 구조를 드러낸다. 이전의 논의는 디카시처럼 하나의 단일한 장르 차원에서 이루어진 것이 아니라 회화와 시 각각의 독립된 장르 사이의 관계성 차원에서 이루어진 것이다. 둘 사이의 관계성에 대한 논의는 '시는 그림과 같이'[17]라는 호라티우스의 유명한 구호 아래 주로 '회화성'을 기반으로 하여 전개되어왔다. 17세기까지 이런 식의 논의가 이어져 오다가 18세기에 들어와 둘 사이의 분리에 대한 논의가 본격적으로 제기되기에 이른다. 18세기 중엽 레싱은 '회화가 공간적인 예술이라면 시는 시간적인 예술이며, 회화는 시처럼 일련의 시간을 연속적으로 재현할 수 없으며, 단지 개별적인 장면만을 옮길 수 있을 뿐'이라고 하면서 '시와 회화를 접근시키려 했던 시도는 실수였다'[18]고 주장한다. 둘 사이의 분리에 대한 이와 같은 논의는 이후 더욱 확고해졌으며, 회화는 시에서 분리되어

17 | W. 타타르키비츠, 손효주 옮김, 『미학의 기본 개념사』, 미술문화, 2011, p. 35.

18 | W. 타타르키비츠, 위의 책, p. 150.

'회화에만 적합한 형식'[19]을 찾는 데에 집중하게 된다.

20세기까지 회화와 시가 각각 독립된 장르이며, 이러한 인식하에서 각자의 길을 모색해온 것이 사실이다. 여기에 대해 의문을 제기하거나 둘을 결합하려는 시도는 더 이상 없었다고 해도 과언이 아니다. 하지만 21세기에 들어와 비트에 기반한 디지털 테크놀로지가 발달하면서 예술 전반에 새로운 변화가 일어나게 된다. 이 변화의 중심에 있는 것이 바로 '모바일폰(휴대폰 혹은 스마트폰)'이다. 이 테크놀로지는 이제 예술의 한 규범이 되었을 뿐만 아니라 한 형식이 되었다. 기본의 예술의 형식이 이 테크놀로지의 형식으로 변형, 통합되는 현상이 발생한 것이다. 우리가 알고 있는 고전적인 소설은 물론이고 만화, 영화, 애니메이션, 게임 등 비교적 최근에 발달한 양식들도 이 테크놀로지의 형식 내에서 새롭게 그 존재성을 드러내게 된 것이다. 테크놀로지가 예술의 형식을 바꿔놓고 있는 것이 '지금, 여기'의 현 상황이며, 디카시 역시 그러한 환경에서 탄생한 장르라고 볼 수 있다. 모바일폰이라는 이 테크놀로지는 사진과 시 혹은 회화와 시를 두 개의 독립된 그릇(구조, 체계)으로서가 아니라 하나의 그릇 내에 그것을 담아내기에 이른 것이다. 이런 맥락에서 보면 디카시는 카메라와 시 혹은 회화와 시를 해체하여 하나로 통합한 것이라고 할 수 있다.

이렇게 하나의 그릇 안에 회화적인 것과 언어적인 것을 담고 있다는 것은 그 안에 분열의 요소가 잠재하고 있다는 것을 의미한다. 회화와 시라는 각각의 독립된 장르로서의 존재성을 오랫동안 유지해온 것들을 하나로 통합하여 그 정체성을 온전히 유지한다는 것은 그 불안을 잠재우기 위한 많은 실험과 모험의 과정이 필요하다는 것을 말해준다. 디카시의 장르로서의 정체성이 불안정한 것이 사실이다. 지금까지 디카시의 이름

19 | W. 타타르키비츠, 위의 책, p. 151.

을 달고 나온 생산물을 보면 새로운 장르의 탄생에서 오는 어떤 '강렬한 미적 충격' 같은 것이 없거나 있더라도 미미한 수준에 그치고 있다. 지금 단계에서는 앞서 제기한 카메라와 시 혹은 사진과 언어 사이의 상호보완성 차원에서 장르의 정체성을 조심스럽게 탐색하고 있는 것처럼 보인다. 가령 공광규의 디카시 「몸빼바지 무늬」에서도 그러한 탐색이 엿보인다. 상호보완성 차원에서 보면 이 시는 어느 정도 그 수준을 유지하고 있다.

이 시가 지니는 수준을 판단하기 위해서는 사진과 시를 분리해서 살펴보는 것이 좋을 듯하다. 시인이 디지털카메라로 찍은 것은 '국화꽃'이다. 그런데 여기에서 한 가지 의문이 든다. 시인이 찍은 이 사진을 보고 단번에 혹은 자연스럽게 어머니의 '몸빼바지'를 떠올릴 수 있을까? 하는 것이 바로 그것이다. '몸빼바지'에 대한 기억을 가지고 있는 사람에게도 이 사진만 보고 그것을 떠올리는 것은 쉽지 않다. 이것이 '몸빼바지 무늬'라는 상상은 언어로 된 '몸빼바지 무늬'라는 제목과 다섯 줄로 된 시의 행간을 통해서 비로소 가능해진다. '아! 이것이 어머니의 몸빼바지 무늬와 연결되는구나'라고 인지하는 순간 우리는 '국화꽃' 사진과 '어머니의 몸빼바지' 그리고 '언어로 된 시'가 하나의 연상되는 구조 내에서 절묘하게 결합되면서 그것이 은폐하고 있던 세계가 탈은폐되는 순간을 체험하게 된다. 우리가 미처 인지하지 못한 세계를 발견하는 순간 체험하게 되는 새롭고 낯선 충격은 그 자체로 미의 세계를 환기한다고 볼 수 있다.

이 시는 사물(국화꽃)에서 연상되는 '어머니의 몸빼바지'의 이미지를 순간적으로 포착해서 디카시의 형식으로 완성한 상호보완적 차원의 미를 보여주는 좋은 예라고 할 수 있다. 하지만 이러한 장점에도 불구하고 이 시는 소박한 리얼리즘적 차원의 재현의 미학에 머물러 있다고 볼 수 있다. 소박한 리얼리즘적 차원의 재현만으로는 사진이 드러내는 현실의 굴절된 모습이라든가 '시각적이고 무의식적인 세계'를 온전히 표현해 낼 수 없다. 기본적으로 카메라에는 '인간에 의해 의식적으로 만들어진

몸뻬바지 무늬

몸매를 잊은 지 오래된 어머니가
일바지를 입고 밭고랑 논두렁으로
일흔 해 넘게 돌아다니다가 돌아가셨습니다.
벗어놓은 일바지에 꽃들이 와서
꽃무늬 물감을 들여 주었습니다.

—공광규 (1960년~)

〈그림 2〉

공간 대신에 무의식적으로 공간이 들어선다'[20]는 점을 기억할 필요가

20 | 발터 벤야민, 반성완 옮김, 『발터 벤야민의 문예이론』, 민음사, 1992, p. 237.

있다. 카메라에 의해 포착된 세계는 겉으로 드러난 이미지 차원이 전부가 아니라 그 이면에 이렇게 무의식적 차원의 거대한 심연이 자리하고 있기 때문에 그것을 어떻게 잘 드러내느냐 하는 것이 더 중요하다고 할 수 있다. 이것은 사진을 어떻게 인식하느냐 하는 문제와 다르지 않다.

사진에 대한 무의식적이고 복합적인 차원의 인식은 곧 디카시의 장르, 다시 말하면 예술로서의 정체성을 강화시켜 줄 뿐만 아니라 그것이 지니는 미의식을 고양시켜 주는 계기가 될 것이다. 이제 겨우 걸음마 단계에 지나지 않는 디카시의 역사를 고려해볼 때 이러한 기대는 성급한 것일 수 있다. 하지만 이것은 우리 디카시가 궁극적으로 지향해야 할 방향이다. 디카시의 장르로서의 정체성은 그것을 조심스럽게 탐색해가는 과정에서 다져지기도 할 것이고 또 전위적인 실험과 모험의 과정을 통해 은폐된 지평이 드러나기도 할 것이다. '지금, 여기'에서의 그것은 후자보다는 전자에 가깝다. 새로운 장르의 탄생 과정에서 전위성이 전경화되는 것이 효과적일 때도 있지만 디카시처럼 사진과 시의 결합이라는 것 자체가 이미 전위적이라는 점을 고려한다면 그것을 조심스럽게 탐색해가는 것도 그 나름의 의미를 가진다고 할 수 있다.

3. 하이쿠, 선시, 극서정시의 형식과 디지털의 감각

디카시나 멀티포엠은 사진과 영상 매체를 끌어들여 시의 지평을 확장하려고 한 것이다. 하지만 이렇게 매체에 의한 이미지나 영상의 수용 없이 문자 자체의 형식과 내용을 디지털에 적합한 양식으로 재해석하고 재발견함으로써 시의 지평을 확장하려고 한 경우도 존재한다. 최근 새롭게 관심의 대상이 된 일본의 하이쿠나 우리의 선시 그리고 최근 최동호, 조정권, 이하석 시인을 중심으로 하나의 장르로 규정되고 개념화된 극서정시 등이 바로 그것이다. 여백이나 침묵 속으로 자신을 투사함으로써 세계에 대한 자각을 이끌어 내는 하이쿠의 양식이나 비논리나 역논리적인 언어의 직관을 통해 깨달음을 이끌어 내는 선시의 양식과 극서정시의 양식은 크게 다르지 않다.

(가)

고요함이여
바위에 스며드는
매미의 소리

- 마쓰오 바쇼, 하이쿠, 전문[21]

(나)

동자승의 손때가 묻은 작은 목탁 하나를 샀다
장사치는 대화면 산골짝에서 구했다며
唐詩集 한 권을 덤으로 주셨다

(중략)

옆 좌판의 장사치는 숙취해소에 그만이라며
도암면 산골짝에서 갓 베어왔다는 벌나무를 사라고 했다

- 이홍섭, 「봉평장날」, 부분[22]

(다)

21 | 마쓰오 바쇼, 오석륜 옮김, 『일본 하이쿠 선집』, 책세상, 2012, p. 18.
22 | 이홍섭, 「봉평장날」, 『가도 가도 서쪽인 당신』, 세계사, 2005, p. 35.

물 위를 헤엄친 눈송이 눈송이들 그 한생寒生 발설되지 않은

– 조정권, 「고요한 연못」, 전문[23]

(라)

별 없는 캄캄한 밤

유성검처럼 광막한 어둠의 귀를 찢고 가는 부싯돌이다

– 최동호, 「시」, 전문[24]

이러한 시들(가, 나, 다, 라)에 대한 관심과 실질적인 창작은 시인의 관념의 산물이 아니라 시대적인 현실 속에서 잉태된 발견의 산물이다. 디지털 세계 내에서 요구하는 감각과 형식에 우리 시인들이 호응한 결과물이 극서정시와 같은 시의 양식이라면 그것에 대해 충분히 주목할 필요가 있다. 시가 소통 불능의 괴물로 변해가는 상황에 대해 디지털 감성에 적합한 서정의 회복을 주장하는 데에는 신과 인간, 인간과 자연, 인간과 인간 사이의 공동체적인 소통을 중시해온 시의 효용에 대한 고전적인 해석이 내재해 있는 것으로 볼 수 있다. 최근 우리 시가 이미지, 자동기술, 형이상과 같은 현대성이 지닌 복잡성과 난해성을 넘어 자기도취(만족)와 자기기만의 늪에 빠져 허우적대는 경우를 심심찮게 목도하는 것은 구태의연하고 낡은 감성과 형식을 고수하는 것이 시라고 주장하는 경우를 목도하는 것만큼이나 불안하고 고통스럽다. 극서정시를 포함해 하이쿠와 선시 등이 비록 현대시의 복잡성과 난해성과는 거리가 있지만 그것이 '지금, 여기'의 자본의 논리라든지 향락에 함몰되지 않고 시의 위상을 지킬 어떤 가능성으로 존재하는 데에는 디지털적인 감각과 형식에 적합

23 | 조정권, 「고요한 연못」, 『먹으로 흰 꽃을 그리다』, 서정시학, 2011, p. 19.

24 | 최동호, 「시」, 『얼음 얼굴』, 서정시학, 2011, p. 21.

하다는 것 이외에 도교, 불교, 유교 같은 사상이 그 이면에 존재하기 때문이다. 이 사상들은 이러한 시의 이면에 존재하면서 우리의 현대 혹은 현대성에 대해 비판하고 저항하는, 또 때로는 그것을 해체하는 하나의 힘으로 작용할 것이다.

최근 하이쿠, 선시, 극서정시에 대한 우리 시인들의 관심은 디지털에 대한 내용 차원을 넘어 형식 차원으로까지 그 인식이 확장된 것으로 볼 수 있다. 하이쿠와 선시는 오래된 시가 양식이지만 '지금, 여기'에서의 그것은 시대와 현실과 팽팽한 긴장 관계를 유지하고 있는 것이 사실이다. 자본주의 시대의 과도한 욕구와 욕망에 대한 도교나 불교의 '허', '무', '공'의 논리는 그 자체가 반성의 형식을 거느리고 있다는 점에서 시인과 현실 사이의 긴장을 유발하는 더없이 좋은 시적 장치라고 할 수 있다. 이런 점에서 이 시의 양식들이 비판과 반성으로서의 역할을 한다는 데에 많은 이들이 공감할 것이다. 하지만 디지털 시대에 대한 비판과 반성의 차원 못지않게 중요한 것은 이 시의 양식들이 얼마나 디지털 혹은 디지털 시대의 속성을 지니고 있는가라는 것이라고 할 수 있다. 비트를 기반으로 한 디지털 시대에는 이루 헤아릴 수 없을 정도로 많은 정보들로 인해 극도의 피로감을 느끼게 된다. 이로 인해 사람들은 의식적으로 이 정보들을 필터링filtering하려고 한다. 이것은 디지털 세계 속에서의 소통의 방식은 극도로 단순해야 한다는 것을 의미한다. 이모티콘emoticon이라는 용어가 잘 말해주듯이 이 세계 속에서는 짧은 문자나 다양한 기호와 숫자의 조합을 통해 자신의 감정이나 느낌을 전달해야 한다. 이처럼 디지털 시대의 글의 형식은 소통의 효과와 생산성을 극대화하는 데 초점을 맞춰야 한다. 아날로그와는 달리 디지털 세계에서의 글의 형식은 단순성, 즉물성, 접근성, 함축성의 특성을 드러낸다. 이러한 글의 특성은 디지털 양식에 적합하도록 하기 위한 과정에서 자연스럽게 만들어진 것이라고 할 수 있다. 우리 시인들이 보여준 극서정시와 같은 양식 역시 디지털 양식에 대한 시인의 자의식과 발견이 만들어낸 시대적인 산물로 볼 수 있다. 디지털 시대의 서정은 극서정이 되어야 한다는 논리(최동호, 조정권, 이하석)는 이런 점에서 일정한 문제의식과 시대정신의 일단을 드러낸다.

4. 시온(사회)의 발견과 디카시의 지평

우리가 사는 세상은 점점 비트를 기반으로 한 디지털의 논리에 잠식되어 가고 있다. 이러한 현상은 이미 되돌릴 수 없을 정도로 일정한 관성과 잠재성을 지니고 있다. 이것이 시대의 흐름이라면 그것을 따라가는 것도 현명한 삶의 한 방법이 될 수 있을 것이다. 시인의 상상과 표현이 시대정신의 산물이라면 여기에는 시대의 흐름에 대한 순응도 포함되어 있다고 할 수 있다. 하지만 시대정신이란 단순히 시대에 대한 순응만을 의미하는 것은 아니다. 그렇다면 '지금, 여기'에서의 시대에 대한 저항이란 어떤 것을 말하는 것일까? 아마 그것에 대한 적절한 비유는 영화 「매트릭스」에서 '매트릭스'와 '시온'이 드러내고 있는 의미에 대한 통찰을 통해 이해할 수 있을 것이다. 견고한 가상세계인 매트릭스와 실재 세계인 시온에서 시온의 존재를 아는 사람은 많지 않다. 그것은 시온이 일정한 자각을 통해서만이 그 존재를 알 수 있는 그런 세계이기 때문이다.

시온의 존재를 자각한 이들은 매트릭스가 가상세계에 불과하다는 것을 알게 되자 그것에 맞서 싸운다. 이들이 매트릭스에 저항하는 이유는 분명하다. 이 세계가 주체적인 개체로서의 존재성을 인정하지 않을 뿐만 아니라 그것에 대한 자각이 불가능하도록 그 개체를 통제하고 조정하기 때문이다. 이 매트릭스라는 견고한 가상 실재는 기계에 의해 탄생한 세계라는 점에서 비트를 기반으로 한 디지털 문명에 대한 메타포 내지 알레고리로 읽어낼 수 있다. 만일 우리가 사는 '지금, 여기'가 매트릭스와 같은 세계라면 여기에 존재하는 시인은 어떤 태도를 지녀야 할까? 그것이 매트릭스라는 사실을 자각하지 못한 채, 다시 말하면 시온이라는 실재하는 세계가 존재한다는 사실을 자각하지 못한 채 매트릭스 내에서의 실존에만 몰두해야 할까? 물론 그것은 시인의 길이 아니다. 시인은 시온의 존재에 대한 자각을 위해 자신의 몸을 던져야 한다. 하지만 시온만으로는 살 수 없다. 진정한 실존은 매트릭스와 시온 사이에 있다. 시인은 매트릭스 내에서 시온을 꿈꾸어야 하고 또 시온 내에서 늘 매트릭스를 겨냥해야 한다. 매트릭스와 시온, 디지털과 에코, 기와 비트, 자연과 문명 사이에 시인은 존재해야 한다. 시인의 몸은 이 두 세계가 교차하고 재교차하면서 내지르는 비명과 흘린 피로 흥건해야 한다. 이럴 때 비로소 시의 지평이 그 모습을 드러내 보일 것이다.

디카시로 대표되는 '지금, 여기'에서의 상상력은 분명 비트를 토대로 한 디지털 테크놀로지의 발달과 긴밀하게 연결되어 있다. 디지털카메라가 없었다면 디카시도 없었을 것이다. 그런데 우리가 여기에서 곰곰이 생각해보아야 할 것이 있다. 그렇다면 디카시를 비롯하여 멀티포엠, 하이쿠, 극서정시, 선시 등과 같은 '지금, 여기'에서 만들어졌거나 유행하고 있는 양식들은 모두 디지털 테크놀로지의 산물일까?라는 점이다. '디지털 문화가 디지털 테크놀로지의 산물이라기보다는 디지털 테크놀로지가 디지털 문화의 산물'[25]이라는 찰리 기어의 말처럼 이 양식들은 항상 '기술적이기 이전에 사회적인 것'[26]으로 존재한다. 디카시에서 디지털카메라 역시 기술이기 이전에 사회적인 것이다. 디지털카메라를 기술적인 면에 초점을 맞추어 보게 되면 그것의 사회적인 것 혹은 문화적인 것을 간과하기 쉽다. 디지털카메라는 그 안에 무의식적인 차원은 물론 시온과 같은

---

25 | 찰리 기어, 임산 옮김, 『디지털 문화』, 루비박스, 2006, p. 16.

26 | 찰리 기어, 위의 책, p. 16.

경계의 차원을 지니고 있는 인간과 인간의 사회·문화적인 산물이다. 이런 점에서 디지털카메라가 포착하고 표현해내는 세계는 인간과 인간의 사회·문화적인 상상력을 구속하고 억압하는 힘(기술적인 것, 매트릭스 같은 것)에 대한 저항과 그 세계 내에서의 자신의 삶에 대한 반성과 성찰을 담고 있어야 한다. 디카시가 대중이 향유하는 장르라고 할 때 여기에서의 대중은 단순한 유희로서의 의미뿐만 아니라 사회적이고 문화적인 의미 또한 지니고 있는 그런 대중을 말하는 것이라고 볼 수 있다. 디카시가 디지털 문화의 한 예술 양식으로 존재할 수 있느냐의 여부는 이 양식 내로 대중을 얼마만큼 참여하게 하여 그들과 상호소통 하느냐에 달려 있다고 할 수 있다. 만일 디카시가 이러한 요구를 충족시켜 준다면 이것은 디카시가 이들에게 희망의 양식으로 존재한다는 것을 의미한다.

II 존재와 발견

1. 발견의 시학

1. 의식의 자율성과 시의 신성성

시란 무엇인가? 이 물음만큼 장구한 역사를 가진 양식도 없을 것이다. 서양의 경우 고대 바빌로니아의 '길가메시'라든가 희랍 시대의 뮤즈가 시와 음악의 여인이라는 점을 고려한다면 이 물음은 기원전 이천 년 이상부터 계속되어 온 것으로 볼 수 있다. 동양의 경우에도 공자가 엮은 『시경』을 예로 든다면 그 역사가 기원전 천 년 이상은 되며, 우리의 경우에도 고구려 유리왕의 '황조가'를 예로 든다면 그 역사가 기원전으로 거슬러 올라갈 정도로 오래된 것으로 볼 수 있다. 하지만 이것은 어디까지나 문자화된 기록으로 남겨진 것을 근거로 했을 때이다. 만일 문자화되지 않은 원시시대의 제천의식에서 이루어진 시가적인 언술까지 고려한다면 그 역사는 알려진 것보다 더 거슬러 올라갈 것이다.

이렇게 동서양을 막론하고 시가 인류와 함께해 왔다는 사실은 이 양식이 어떤 특별함을 지니고 있다는 것을 의미한다. 이 특별함의 단서를 우리는 '뮤즈'와 '제천의식'에서 찾을 수 있다. 동서양의 의식과 뮤즈 모두 신과 관계된 것으로 그것은 신성함을 표상한다. 원시나 고대의 제천의식에서 시는 신과의 소통을 매개하는 양식으로 존재했으며, 희랍 시대에는 시가 뮤즈의 차원으로 존재했다. 이것은 시라는 양식이 신성성을 지니고 있다는 것을 말해준다. 시의 신성함은 서양의 학문과 지식의 토대를 형성해 온 철학도 지니지 못한 것이다. 플라톤이 자신의 '공화국'에서 시인 추방론을 주장한 것도 시가 지닌 이러한 신성성을 끌어내리기 위한 일종의 전략에서 비롯된 것이라고 할 수 있다. 시와 철학의 불화는 서로에게 일정한 긴장을 불러일으키는 효과를 가져왔으며, 급기야는 '미학'이라는 새로운 양식을 탄생시키기에 이른다.[1] 시의 신성성은 고대를 거쳐 중세, 근대로 오면서 점차 약화되지만 그렇다고 그것이 사라진 것은 아니다. 여전히 신성성은 시의 이면에 존재하면서 이 양식의 특성을 결정짓는 중요한 역할을 하고 있다. 시의 신성성은 시인은 물론 시의 언어로 드러나며, 이것은 인간과 세계에 대한 깊은 통찰과 세속화된 의식에 함몰되지 않는 긴장을 불러일으키게 한다. 시인의 이러한 긴장은 시의 도태를 의미하는 것이 아니라 오히려 시의 존립 근거를 의미한다. 시의 시대적인 실존에 대한 모색의 일환으로 행해져 온 다수의 시도들[2]이

1 | 미학이 감성의 학이라면 문학 장르 중에서 가장 감성적인 장르인 시와는 단순한 관계 이상의 친연성을 지닌다. 실제로 바움가르텐(A. G. Baumgarten)에 의해 미학이 처음으로 새로운 학문으로 지칭된 것은 '시에 관한 몇몇 철학적 성찰'에서이다. 시에 대한 철학적 성찰은 명석하고 합리적인 인식에 의거하는 철학과 불투명하고 비합리적인 감성과 정서에 의거하는 시와의 만남이라는 점에서 일견 모순되어 보인다. 하지만 이러한 성찰을 통해 철학은 새로운 미지의 차원을 사유의 대상으로 열어놓음으로써 시의 해석을 보다 풍요롭게 하는데 일정한 계기를 제공하기에 이른다.

2 | 시의 시대적인 실존에 대한 모색의 일환으로 행해진 대표적인 것으로 '멀티포엠'과 '디카시' 등이 있다. 영상과 시의 결합이라는 차원에서 실험적으로 행해진 측면이 강하다. 문자를 매체로 하는 시와 영상을 매체로 하는 테크놀로지의 결합은 시 양식의 해체를 불러일으킬 정도의 잠재력을 지닌 시도임에도 불구하고

성과를 거두지 못한 데에는 시의 신성성이 지니는 의미를 제대로 간파하지 못한 이유가 크다. 시의 바탕에 신성성이 자리하고 있다는 사실에 대한 자각은 탈근대로 접어들면서 더욱 속도를 내는 세속화와 통속화 세계 속에서 그것이 커다란 긴장을 유발하는 인자로 작용한다는 것을 말해준다.

시의 신성성이 희랍 시대에는 신과 인간을 구분 짓는 하나의 요소로 작용했다면 주나라(당나라, 송나라, 명나라)에서는 그것이 인간과 인간을 구분 짓는 것으로 작용했다고 볼 수 있다. '지금, 여기'에서 그것은 신과 인간 정도까지는 아니라고 할지라도 인간과 인간 정도는 구분 짓는 작용을 하고 있다고 볼 수 있다. 인간과 인간 사이의 구분 짓기는 탈근대적인 세속화와 통속화 속에서 시의 정체성을 더욱 부각시키는 효과를 불러일으킨다. 시의 신성성에 대한 옹호는 인간의 신성성에 대한 옹호에 다름 아니다. 그렇다면 시의 신성성은 어떻게 드러나는가? 시의 신성성이 인간의 신성성에 다름 아니라면 우리는 인간의 신성성이 어떻게 드러나는지에 대해 알아야 할 것이다. 인간의 신성성은 무엇보다도 그 의식이 세속화된 세계에 함몰되지 않을 때 가능하다. 인간의 의식이 세속화되지 않으려면 낡은 관념이나 개념화된 도구를 통해 세계를 드러내지 말아야 한다. 이것은 어떤 도구적 연관성도 없이 세계를 드러내야 한다는 것을 의미한다.

인간이 낡은 관념이나 개념화된 도구를 사용하는 순간 의식의 확장과 질적인 변화는 이루어지지 않는다. 낡은 관념이나 개념화된 도구적 연관성 없이 은폐된 세계의 의미를 '탈은폐Entbergung 시키는 것'이 바로 인간

문자와 영상 혹은 시와 테크놀로지 모두로부터 일정한 파급력을 이끌어 내지 못하고 있다. 이것은 시의 태생적인 신성성이 '지금, 여기'에서의 이러한 시도들보다 더 파급력과 긴장을 불러일으킬 수 있는 여지를 지니고 있다는 것을 의미한다.

의 신성성 혹은 시의 신성성을 드러내는 것이다. 우리가 사는 사회는 개념화된 도구를 통해 이루어진 세계이다. 이 개념화된 도구를 사용하지 않으면 일상적이고 합리적인 소통이 이루어지지 않는다. 이런 점에서 개념화된 도구는 제도화를 통해 그 존재성을 더욱 공고히 한다. 하지만 이 개념화된 도구와 제도화는 인간의 일상적인 소통을 가능하게 하는 대신 인간의 의식을 억압함으로써 자유와 자율을 통한 신성에 이르는 길을 차단하고 있다. 어떤 세계를 개념화하고 제도화하는 순간 그것으로부터 배제되거나 소외된 세계의 영역은 온전히 그 모습을 드러내지 못하게 된다. 개념화와 제도화가 은폐된 세계를 현존하게 하는 것처럼 보일 수도 있지만 기실은 그것으로 인해 부재하는(은폐되는) 세계가 훨씬 더 크고 많다.

이런 점에서 볼 때 개념화되고 제도화된 도구로는 은폐된 세계를 드러내는 데 한계가 있음을 알 수 있다. 사정이 이러하다면 그 답을 우리는 개념화와 제도화가 아닌 비개념화와 비제도화의 차원에서 찾아야 할 것이다. 이와 관련하여 데리다의 '문학이라는 이름의 이상한 제도'[3]라는 개념은 시사하는 바가 크다. 하나의 제도는 제도이지만 이상한 제도이기 때문에 이 제도는 사회에서 통용되는 일반적인 개념화나 제도화와는 다르며, 이 다름이 개념화와 제도화가 드러내지 못하는 은폐된 세계를 탈은폐시키는 작용을 한다. 문학이라는 이상한 제도, 다시 말하면 이 제도 아닌 제도에 의해 인간 의식의 자유와 자율성이 되살아나고, 이것이 그동안 망각된 채 은폐되어 있던 신성성이라는 존재를 현현케 한다. 문학이라는 이름의 이상한 제도 중에서도 시는 은폐된 신성성의 모습을 가장 온전히 지니고 있는 양식으로 볼 수 있다. 인간의 의식이 자유롭다면

3 | Jacques Derrida, "The Strange Institution Called Literature", *Acts of Literature*, ed. by D. Attridge, Routledge, 1992.

그것은 개념화와 제도화된 도구성의 상태를 벗어나 신성의 영역에 놓여 있을 때라고 할 수 있을 것이다. 인간의 자유로운 의식이 들추어내는 은폐된 세계의 신성하고 낯선 차원은 아름다움이나 숭고함과 통한다는 점에서 그것은 충분히 미학적이다.

2. 가시적인 것과 비가시적인 것의 세계

인간의 의식이 자유롭다는 것은 무엇을 말하는 것일까? 인간의 의식이 세계를 향한다면 그것은 결국 은폐된 세계를 지각하는 것과 관계된다. 인간의 의식이 개념화되고 제도화된 도구적 연관성에 의존한다면 세계는 그 틀 안에서 결정될 것이다. 이런 경우 세계는 주로 가시적인 차원의 현현에 그치거나 평면성의 형태로 드러난다. 하나의 세계가 가시적인 차원으로만 드러난다면 그 이면에 은폐되어 있는 불투명하고 애매모호한 비가시적인 차원은 드러나지 않기 때문에 세계를 온전히 지각할 수 없게 된다. 비가시적인 차원으로 드러나는 불투명하고 모호한 세계야말로 자유로운 의식이 아니면 닿을 수 없는 낯설고 신성한 세계라고 할 수 있다. 가시적인 것만이 진리라고 믿어버리는 경우에는 일정한 도그마와 함께 폭력적인 구도가 만들어진다.

인간은 누구나 세계를 지각하지만 가시적인 것만 보는 사람이 있는가 하면 또 비가시적인 것까지 보는 사람이 있다. 세계는 고정된 것처럼 보이지만 그것은 인간의 의식을 통한 지각 활동에 의해 끊임없이 변화하는 존재이다. 인간의 의식은 세계와 끊임없이 상호교섭하고 있기 때문에 이 과정에서 생성되는 의미는 사람마다 각기 다를 수밖에 없다. 동일한 대상을 지각하고도 그 이면에 은폐된 세계를 온전히 드러내는 경우가 있는 반면에 또 그렇지 못한 경우가 있는 것은 이러한 이유 때문이다.

누구의 눈에는 은폐된 세계가 지각되고 또 누구의 눈에는 그 세계가 지각되지 않는 데에는 의식의 자유로움 여부가 크게 작용한다고 볼 수 있다. 만일 누군가가 개념을 통해 어떤 대상을 지각한다면 그 세계는 개념을 벗어날 수 없다. 한 세계를 드러내는 가장 좋은 방법은 모든 가능성을 열어준 상태에서 그것을 지각하는 것이다. 모든 가능성을 열어 두기 때문에 아무것도 없는 상태에서 세계를 지각하는 것처럼 보일 수 있지만 이때의 상태는 없음을 전제한 없음인 'nothing'이 아니라 있음을 전제한 없음인 '무無'의 상태에 가깝다. 이 무의 상태에서 세계를 지각하면 그 없음 만큼 새롭게 의미들이 생성된다.

개념화된 도구로는 인간의 의식이 어떤 대상에 주의attention를 기울일 수 없다. 인간의 의식이 자유롭게 어떤 대상에 주의를 기울이다 보면 가시적인 차원으로는 보이지 않던 비가시적인 차원이 모습을 드러내게 된다. 이것은 마치 숨은그림찾기와 같다. 얼핏 보면 숨은 그림은 잘 보이지 않는다. 하지만 주의를 기울여서 보면 그림은 모습을 드러낸다. 우리가 흔히 어떤 것에 정신이 팔리면 다른 것은 눈에 들어오지 않는다고 말하는데 이 경우가 바로 주의의 적절한 예이다. 그렇다면 이 주의는 모든 사람들에게 동일한 정도로 나타나는 것일까? 만일 동일하다면 주의를 통한 세계의 탈은폐는 차이를 보이지 않을 것이다. 하지만 주의에는 일정한 차이가 존재하고 그것이 세계의 차이로 드러난다. 주의의 정도가 크고 높기 위해서는 의식이 도구적인 연관성에서 벗어나 무의 상태를 유지해야 한다. 의식이 자유롭지 못하고 도그마나 낡은 고정관념에 사로잡혀 있는 경우 은폐된 세계의 의미를 발견해 낼 수 없다. 가령 〈그림 3〉을 보자. 이 그림을 보고 무엇이 연상되는지 말해보도록 하자. 우선 기대할 수 있는 것은 낡고 익숙한 의식 틀 속에서의 의미화이다. 자신의 눈에 들어오는 것이 '구름 속에서 비치는 빛', '산속으로 난 길', '파도', '주름치마와 다리' 등의 이미지라면 그것은 자유로운 의식이 낳은 낯설고

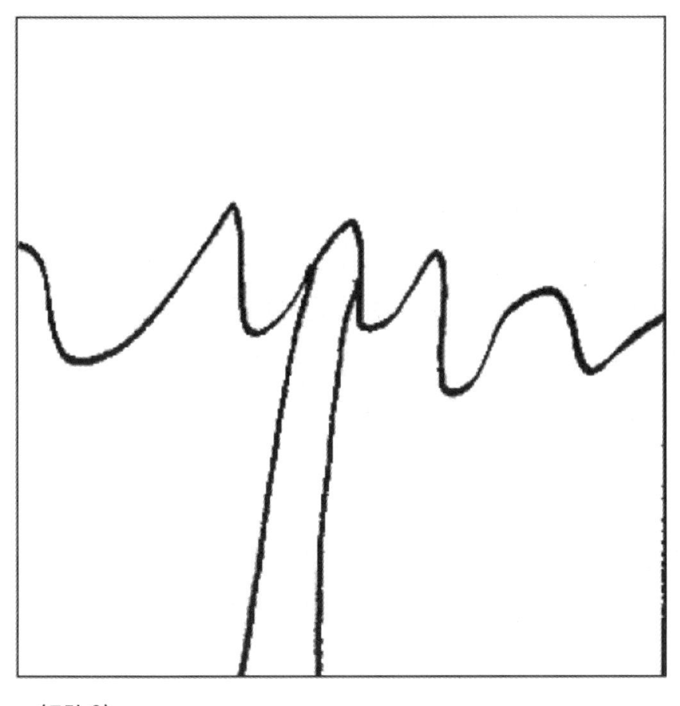

〈그림 3〉

충격적인 작용이라고 할 수 없다. 이러한 연상은 누구나 할 수 있다는 점에서 순수하고 무無적인 상태에서의 주의를 통한 세계의 의미화와는 거리가 멀다. 새롭고 낯선 의식 작용이 아닌 진부하고 낯익은 차원의 의식 작용에 그친 것은 눈에 보이지 않는 세계를 지각하지 못한 데에 가장 큰 원인이 있다. 눈에 보이는 차원만 지각의 대상이 되기 때문에 눈에 보이지 않는 차원의 형상이 의식될 수 없는 것이다.

만일 누군가 이 그림을 보고 '나뭇잎을 뜯어 먹고 있는 기린'을 의식했다면 그는 분명 눈에 보이지 않는 세계를 본 것이다. 그림 속에서 아래로 내리그어진 두 개의 선을 '기린의 목'으로 지각한 것은 나뭇잎 속에 가려 보이지 않는 형상까지 고려한 결과이다. 이 보이지 않는 차원을 보지 못하면 두 개의 선은 '구름', '산', '파도', '주름치마' 등 눈에 보이는 익숙한 차원으로 지각할 수밖에 없다. 보이지 않는 두 개의 선을 지각하게 되면 자연스럽게 주름진 곡선이 '나뭇잎'이라고 지각하게 되는 것이다. 눈에 보이는 차원에서 그친 의식은 평면적인 지각에 머물지만, 눈에 보이지 않은 차원까지 미친 의식은 입체적인 지각을 불러일으킨다. 눈에 보이는 차원 이면에 눈에 보이지 않는 차원까지 겹쳐서 지각되는 경우 은폐된 세계는 온전히 그 존재를 드러낼 수 있게 된다. 이것은 눈에 보이는 것의 형상을 결정하는 것은 눈에 보이지 않는 차원이라는 사실을 말해준다. 눈에 보이지 않는 차원의 투사로 인해 탄생한 형상이 바로 '나뭇잎을 뜯어 먹고 있는 기린' 그림이다.

눈에 보이지 않는 차원은 눈에 보이는 차원보다 훨씬 더 풍부한 상상과 표현의 에너지를 제공한다. 이 그림에서 눈에 보이지 않는 차원이 존재하기 때문에 다양한 상상과 표현이 가능하며, 이런 점에서 이 그림의 눈에 보이지 않는 차원의 형상이 '나뭇잎을 뜯어 먹고 있는 기린'이라고 단정할 수 없다. 이것은 눈에 보이지 않는 차원의 한 형상일 뿐이다. 어쩌면 우리가 이 그림에 은폐된 세계를 온전히 들추어내지 못해서 그렇지 여기에는 '나뭇잎을 뜯어 먹고 있는 기린'보다 더 멋진 형상이 숨어 있는지도 모른다. 그림에 은폐된 형상이 얼마나 멋지냐의 문제는 그것이 탈은폐될 때 그것을 지각하는 사람이 느끼는 '충격'에 의해 결정된다. '나뭇잎을 뜯어 먹고 있는 기린'이 '구름 속에서 비치는 빛', '산속으로 난 길', '파도', '주름치마와 다리' 등의 형상보다 더 충격적이라는 사실은 누구나 인정하는 바이다. 그런데 이때의 충격은 단순한 인상 체험과는 다른 것이다. 사람들이 '나뭇잎을 뜯어 먹고 있는 기린'의 발견에서 충격을 받았다면 그것은 이들이 이 그림에 은폐된 세계나 그 의미에 대해 공감했기 때문이라고 할 수 있다. 비록 그림에서 '나뭇잎을 뜯어 먹고 있는 기린'의 형상을 들추어내지 못한 사람의 경우에도 여기에서 이런 형상을 연상했다는 사실에 대해서는 일정한 충격과 함께 공감을 하게 될 것이다.

어떤 대상에 은폐된 세계의 탈은폐에 대해 충격과 공감을 하게 된다는 것은 그것이 미학의 기본 요건을 갖추고 있다는 것을 의미한다. 미학이란 크게 아름다움에 대한 충격과 공감, 숭고함에 대한 충격과 공감으로 볼 수 있다. 전자는 우리가 일반적으로 말하는 '미美'에 해당하는 것이고, 후자는 '미를 초월한 미'에 해당하는 것이다. 우리는 아름다운 대상(미)을 보거나 숭고한 대상(미를 초월한 미)을 보면 자신도 모르게 주의를 기울이게 되고, 여기에 매혹당하게 된다. 우리가 어떤 시에 주의를 기울이게 되거나 매혹당하는 것도 마찬가지이다. 어떤 시가 눈에 드러나는 차원으로만 존재한다면 우리의 주의를 끌거나 매혹을 불러일으키지 못할 것이다. 이 사실을 통해 우리는 시의 해석 과정에서 중요하게 고려해야 할 사항이 시 자체의 문제와 함께 그 시를 읽어내는 독자의 태도임을 알 수 있다. 특히 시 자체가 눈에 보이지 않는 차원을 은폐하고 있는데도 불구하고 독자가 그것을 제대로 읽어내지(탈은폐) 못한다면 그 시의 미적 가치와 의미는 드러나지 않을 것이다.

3. 소여所與와 지평으로서의 읽기

가시적인 것과 비가시적인 논의의 차원에서 보면 비가시적인 세계를 어떻게 들추어내느냐가 중요하다는 것을 알 수 있다. 이미 '나뭇잎을 뜯어 먹고 있는 기린'의 그림을 통해서도 알 수 있듯이 비가시적인 세계를 탈은폐시키기 위해서는 어떤 개념화된 도구를 사용해서는 안 된다는 것이다. 여기에서 말하는 개념화된 도구는 주로 사유를 통해서 가공된 틀이나 체계를 가리키는 것으로 이렇게 되면 인간의 의식은 간접화될 수밖에 없다. 비가시적인 세계와 만나기 위해서는 인간의 의식 자체가 직접적이어야 한다. 이렇게 사유에 의해서 가공되지 않은 직접적인 의식을 '소여'라고 한다. 우리가 한 편의 시와 만나는 것은 이 소여의 상태에서의 존재론적인 사건이다. 이런 점에서 볼 때 지각이란 '소여들의 질서 잡힌 무리에서 내재적인 의미가 솟아오르는 것을 보는 것'[4]을 의미한다. 만약 이 내재적인 의미가 없으면 어떤 형상을 짓는 것도 불가능하다.

사유가 아니라 지각이 먼저 작용함으로써 하나의 세계가 성립된다는 논리는 세계를 자신의 주관적인 정신의 구조 내에서 새롭게 구성한다는 것이 아니라 세계는 이미 지각장의 형태로 존재하기 때문에 그것을 새롭게 발견한다는 것을 의미한다. 세계는 '나뭇잎을 뜯어 먹고 있는 기린' 그림에서 보듯 그것은 주관적으로 구성된 것이 아니라 이미 거기에 그 개념화된 도구는 주로 사유를 통해서 가공된 틀이나 체계를 가리키는 것으로 이렇게 되면 인간의 의식은 간접화될 수밖에 없다. 이런 점에서 이 그림을 보고 무엇이 연상되는가?라고 묻는 것도 올바른 것이 아니다. 연상 이전에 그것은 이미 지각장의 형태로 존재하기 때문이다. 지각장의 형태로 존재하는 세계를 우리는 발견하는 것이며, 이 발견에 그 그림의 존재성이 내재해 있는 것이다. 발견은 '은폐된 세계의 탈은폐'의 다른 이름이며, 우리의 지각은 자연스럽게 발견과 연결되어 있다. 우리의 시선은 처음부터 '나뭇잎을 뜯어 먹고 있는 기린'을 겨냥하고 있었던 것이다.

우리의 시선이 이런 세계를 드러낸다는 것은 곧 그것이 지각적인 지평성의 산물이라는 것을 의미한다. 지각적인 지평성은 세계를 단절된 상태로 의식하는 것이 아니라 연속적인 흐름으로 의식하는 것을 말한다. 지각의 장에서는 지평적인 의식이 작동할 수밖에 없다. 지평적인 의식의 차원으로 바라보면 세계는 이면의 은폐된 영역까지 모습을 드러낸다. 지각장에서는 눈에 보이지 않는다고 존재하지 않는 것이 아니다. 지각장

4 | 조광제, 『몸의 세계, 세계의 몸』, 이학사, 2007, p. 26.

에서는 어느 한 사람의 시선만이 존재하는 것이 아니라 다른 사람들의 시선이 동시에 주어지기 때문에 눈에 보이지 않는 차원까지도 볼 수 있다. 이것은 기본적으로 현상의 장에서의 지각 작용이 시간과 공간을 초월해서 존재하지 않고 구체적인 시공간 속에서 이루어지기 때문에 가능한 것이다. 이러한 현상의 장에서는 어떤 지각의 대상도 의식 주체와 분리될 수 없고, 그 대상은 늘 의식 주체의 지각 작용 속에서만 존재한다. 이렇게 은폐된 세계에 대한 발견의 단초가 사유가 아니라 지각에 의해 이루어진다는 사실은 시 해석의 실마리가 직접적인 의식에 있음을 말해 준다. 사유에 의해 가공되지 않은 직접적인 의식의 상태로 김수영의 「풀」을 읽는다면 어떤 일이 벌어질까?

> 풀이 눕는다
> 비를 몰아오는 동풍에 나부껴
> 풀은 눕고
> 드디어 울었다
> 날이 흐려서 더 울다가
> 다시 누웠다
>
> 풀이 눕는다
> 바람보다도 더 빨리 눕는다
> 바람보다도 더 빨리 울고
> 바람보다 먼저 일어난다
>
> 날이 흐리고 풀이 눕는다
> 발목까지
> 발밑까지 눕는다

바람보다 늦게 누워도
바람보다 먼저 일어나고
바람보다 늦게 울어도
바람보다 먼저 웃는다
날이 흐리고 풀뿌리가 눕는다

– 김수영, 「풀」, 전문[5]

이 시를 먼저 소여의 직접적인 의식의 상태로 만나지 않고 그것을 사유에 의해 개념화한 의식 상태에서 만난다면 지각장의 구체적인 시공간적 현실은 사라지고 말 것이다. 지각에 의해 드러나는 이 시의 시공간적 현실은 끊임없이 사건이 일어나는 그런 세계이다. 그 사건이란 '눕고', '나부끼고', '울고', '웃고', '일어나는' 등으로 표상되는데 이때 우리가 간과하지 말아야 할 것은 사건의 주체와 대상이 바뀌고 또 이들의 관계 상황이 바뀐다는 사실이다. 처음에는 풀이 홀로 사건의 주체로 등장하지만 곧이어 바람이 등장하여 서로 관계하고, 여기에서 새로운 시공간적 현실 혹은 관계적 상황이 탄생한다.

그런데 이 시의 관계적 상황은 1연에서 2연, 2연에서 3연으로 갈수록 더 확대·심화된다. 3연의 "발목까지", "발밑까지"와 "풀뿌리"는 그것을 구체화하고 있는 시어들이다. 이 시어들의 등장은 시공간적 현실을 눈에 보이는 차원에서 눈에 보이지 않는 차원으로 바꿔놓는다. "눕는다"가 "발목", "발밑"과 만나 그 의미가 더욱 내면 혹은 무의식의 심층 속으로 하강하게 되고, 결국에는 "풀뿌리가 눕는" 것까지 보게 된다. "풀"이 시인의 "발목"과 "발밑까지 눕"게 되고, 시인이 "풀뿌리가 눕는" 것까지 보게 된다는 것은 "풀"이 시인의 내면을 겨냥하고 있다는 것을 의미한다.

5 | 김수영, 『김수영 전집 1』, 민음사, 2002, p. 297.

"풀"이 시인의 내면화라는 지평적인 의식을 드러내게 되면 "풀"의 눕고, 나부끼고, 울고, 웃고, 일어나는 행위들은 그대로 시인의 내면의 행위들로 치환된다. "풀"과 시인 사이에 일어나는 이러한 행위들이 인위적으로 구성되거나 개념화되는 것이 아니라 지평적인 의식의 차원에서 자연스럽게 흘러들어 만들어진 사건들이기 때문에 그만큼 의미의 영역은 넓어질 수밖에 없다.

지각에 의해 드러난 현상들을 종합해 보면 이 시는 시인의 복잡하고 어두운 내면세계를 형상화한 텍스트라고 할 수 있다. 시인의 복잡하고 어두운 내면을 표상하는 "풀"의 눕고, 나부끼고, 울고, 웃고, 일어나는 행위들은 소여들의 질서 잡힌 무리에서 내재적인 의미가 솟아오르는 것에 다름 아니다. 지각에 의한 소여의 덩어리들이 지적인 의식을 통과하면서 콘텍스트와 결합하면 4·19의 실패와 좌절의 의미를 낳게 된다. 4·19 혁명의 실패와 좌절로 인한 복잡하고 어두운 내면의 상태를 그리고 있는 시가 바로 「풀」이 되는 것이다. 「풀」의 읽기를 소여의 덩어리들에 대한 지각으로부터 출발하지 않고 주관적인 의식이나 사유의 차원에서 출발한다면 이러한 의미를 이끌어낼 수 없을 것이다. 우리가 흔히 "풀"을 '민중'으로 치환하여 읽어내는 경우가 있는데 이렇게 되면 "풀"이 지니고 있는 다양한 의미들이 배제되거나 소멸된다. "풀"이 지니는 의미의 다양성을 온전히 드러내기 위해서는 먼저 지각의 차원에서 그것들과 만나야 한다.

「풀」의 생명력은 시인의 "풀"에 대한 지각의 논리에서 비롯될 뿐만 아니라 그것을 지각의 차원에서 읽어내는 독자에 의해서 이루어진다. "풀"이 민중이라는 해석의 이면에 자리하고 있는 투명한 정신 지향의 논리는 지각장에서 이루어지는 다양한 의미들의 희생을 통해 만들어지기 때문에 실체가 없는 추상화나 과도한 도구적인 연관성으로 인한 도그마나 이념화의 위험성이 존재한다. 지각의 현상으로서의 시 텍스트는 이런 추상화와 도그마에 저항하는 속성을 지니며, 그것은 결국 그것을 생산하는데 기본적인 틀을 제공하는 과학이나 테크놀로지와 같은 현대 문명에 대한 반성으로 이어진다. 우리가 살고 있는 '지금, 여기'에서의 상황은 지각장을 위협하는 요소들이 세계의 곳곳에 내재해 있다. 소여의 덩어리들이 가상 실재라는 추상화된 구조에 의해 위협받고 있는 상황에서 그것을 발견하고 그 의미를 해석해 내는 일은 시의 존재 의의이면서 동시에 주체성과 자율성을 토대로 하는 인간의 존재 의의라고 할 수 있다.

4. 발견 혹은 발견하는 자

시는 창조가 아니라 발견의 산물이다. 발견의 묘미는 세계를 종합적이고 총체적으로 보는 데에 있다. 창조라는 말은 존재하는 세계를 고려하지 않은 채 그것을 주관적인 의식 내에서 새롭게 만들어낸다는 의미가 강하다. 이에 비해 발견은 이미 세계는 존재하고 있고 그 은폐된 차원을 지각에 의해 들추어낸다는 점에서 주관적인 의식과 객관적인 대상을 동시에 고려하는 인식 태도이다. 시의 묘미는 바로 이러한 지각을 통한 세계의 발견에 있다. 시인은 은폐된 세계를 탈은폐하는 자라는 점에서 '발견하는 자'이다.

그런데 시인만이 발견하는 자는 아니다. 독자 또한 발견하는 자이다. 발견의 과정에 시인이나 독자가 과도하게 개입하거나 도구적인 연관성을 통해 그것을 드러내려 하면 이 세계는 왜곡되거나 훼손될 수밖에 없다. 시에서 진정한 차원의 발견이란 사유에 앞서 지각에 의한 소여가 전제될 때 가능하다. 사유에 의해 가공되지 않는 직접적인 의식인 소여의 덩어리에서 내재된 의미가 솟아나는데 그것이 바로 발견이다. 개념이나 이념과 같은 도구적인 연관성으로 은폐된 세계를 탈은폐시킬 수 없으며, 지각에 의해 생성되는 다양한 의미를 만날 수 없게 된다. 지각에 의해 솟아나는 내재적인 의미는 시의 토대를 이루는 존재론적인 사건이다. 지각에 의한 내재적인 의미 없이 시는 생명력을 유지할 수 없다.

개인의 과도한 주관에 의해 구성되는 시, 관념이나 이념 같은 도구적인 것을 통해 드러나는 시는 쉽게 우리를 지치게 하고 그것과의 공감을 불가능하게 한다. 어떤 사물이나 세계는 고정되거나 획일화된 형상을 지니고 있지 않다. 그것들을 시인의 지각에 의해 얼마든지 다른 형상을 지닐 수 있다. 시인은 그 형상을 지각을 통해 자연스럽게 들추어내기만 하면 되는 것이다. 어떤 사물이나 세계가 은폐하고 있는 형상이란 누구나 공감할 수 있는 여지를 지니고 있다. 사물이나 세계가 은폐하고 있는 이 형상을 들추어내기 위해서는 소여에 의한 지평의 문맥을 잘 알고 있어야 한다. 소여의 덩어리에서 내재된 의미가 솟아날 때 발견의 묘미 혹은 미적인 충격을 경험하게 되는 것이다. 어쩌면 좋은 시 혹은 아름다운 시란 이것 이상도 또 이하도 아닌지도 모른다.

2. 살chair과 줄탁동시

메를로 퐁티의 위대함은 사유의 중심에 몸을 위치시켰다는 점이다. 이것은 새로운 유물론이면서 서구의 주류적인 담론인 정신 위주의 사유와는 차원을 달리한다. 인간과 세계와의 관계를 정신을 통해 규정하려는 데카르트나 헤겔, 심지어 하이데거와 후설 등의 사유는 퐁티의 시각으로 보면 지독한 관념론에 지나지 않는다. 정신으로는 실재하는 매개의 부재로 인해 세계와의 관계가 성립될 수 없기 때문에 데카르트식의 방법적 회의는 기계론에 불과하다. 하지만 이 사유의 지배력은 실로 대단한 것이어서 서구의 이성 중심주의적인 사유에 대한 비판 의식을 강하게 드러내고 있는 하이데거의 현상학에서도 그것은 그대로 이어지고 있다. 그의 형이상학의 핵심인 '말해질 수 없는 것을 말한다'는 명제 역시 몸이 아니라 정신의 산물이다. 여기에서 말하는 '말해질 수 없는 것'이란 말 이전의 감각의 세계를 의미하지 않는다. 그는 이 말해질 수 없는 것조차 감각이 아닌 말을 통해 드러내려고 한다. '언어는 존재의 집'이라는 그의 유명한 명제 역시 여기에서 비롯된 것이다. 그는 이 말해질 수 없는 것을 말하는 대상을 시에서 찾은 것이다. 그가 자신의 사유의 과정에서 유독 시에 집착하는 이유가 바로 여기에 있다.

하이데거에 비해 퐁티는 이 말해질 수 없는 것을 언어 이전의 감각에서 찾고 있다. 언어가 세계를 고스란히 드러낼 수 있다고 생각하는 것은 일종의 관념에 불과하다. 언어는 세계를 온전히 드러낼 수 없다. 이것이 가능한 것은 신의 영역에서뿐이다. 인간이 신에게 저지른 불경 중의 하나가 바로 언어가 곧 존재라는 절대적인 믿음이라고 할 수 있다. 언어가 곧 존재라는 말보다는 오히려 언어의 한계가 곧 세계의 한계라는 말이 더 설득력이 있어 보인다. 일찍이 니체는 언어가 가지는 이러한 한계를 깨닫고 '언어 직전까지만 가자'고 설파한 적이 있다. 언어 직전의 그 탱탱하고 충만한 세계는 언어가 아니라 감각으로만 경험할 수 있다. 이런 경험이 가능한 것은 몸이 있기 때문이다.

그런데 여기에서 한 가지 짚고 넘어가야 할 것이 있다. 몸은 인간과 세계와의 관계에서 수단이 아니라 그 자체로 목적이라는 점이다. 몸이 없으면 세계를 드러낼 수 있는 방법이 없는 것이다. 몸이 곧 세계이고 세계가 곧 몸인 것이다. 이런 맥락에서 보면 몸을 수단으로 혹은 몸을 매개로 하여 세계를 드러낸다는 말은 올바른 것이 아니다. 몸과 세계는 구분이 안 될 정도로 복잡하게 얽혀 있다. 마치 뫼비우스의 띠처럼 안과 밖의 구분이 불가능하다. 몸과 세계는 하나도 아니고 둘도 아닌 관계로 얽혀 있으며, 몸이 드러내는 감각 하나하나가 곧바로 세계의 모습인 것이다. 몸이 따로 있고 세계가 따로 있는 것이 아니라 이렇게 몸과 세계가 뒤얽혀 있다는 인식은 퐁티만의 사유는 아니다. 가령 동양의 몸에 대한 사유를 잘 드러내고 있는 기철학을 보면 인간의 몸과 우주가 서로 긴밀하게 연결되어 있음을 알 수 있다. 감성적인 힘 중의 하나인 기氣의 원리하에서 몸을 해석하는 장횡거張橫渠와 왕부지王夫之 같은 사람은 몸을 일종의 기의 집이며, 우주적 기가 끊임없이 모였다가 흩어지는 과정에서 나타나는 일시적인 통합체로 간주하고 있다. 이 논리대로라면 인간의 몸은 우주의 몸에 대한 소우주가 아니라 그 자체로 우주인 것이다. 우리가 흔히 인간의 몸을 우주에 대한 소우주라고 하지만 이것은 몸이 드러내는 세계와의 관계를 제대로 이해하지 못한 데서 비롯된 결과라고 할 수 있다.

동양의 기철학에서 이야기하고 있는 '기'란 퐁티식으로 이야기하면 '감각'이 된다. 인간의 몸에 흐르는 기는 그 안에서 다양한 형태로 드러나며, 마찬가지로 감각 역시 몸 안에서 다양한 형태로 드러난다. 몸 안에서 기 혹은 감각은 끊임없이 흐름을 유지하면서 상황에 따라 그 형태와 정도를 달리한다. 이 사실은 인간의 몸이 기 혹은 감각의 주체이면서 동시에 대상이 된다는 것을 의미한다. 몸은 세계를 감각하면서 동시에 세계에 의해서 감각되는 것이다. 감각하고 감각되기 때문에 몸은 안과 밖이 따로 없다. 인간의 몸과 우주 혹은 몸과 세계가 연결되어 있는 방식이 이와 같은 것이다. 가령 우리가 상대방과 악수를 한다고 하자. 이것은 일방적으로 내 손이 상대방의 손을 감각하는 것이 아니다. 내가 상대방의 손을 잡았을 때 내 손은 동시에 상대방에 의해 잡힘을 당하는 것이다. 즉 만지는 것이 만짐을 당하는 것인 세계 혹은 감각하는 것이 감각을 당하는 세계가 바로 몸의 세계인 것이다. 확실히 이것은 인간의 몸이 독립적으로 존재하는 것이 아니라 또 다른 타자와의 관계 속에서 존재한다는 것을 말해준다. 인간의 몸의 변화는 독자적으로 불가능하며 반드시 여기에는 타자, 다시 말하면 또 다른 몸이 존재해야 한다. 인간은 스스로 자신의 몸을 온전히 만지거나 들여다볼 수 없다. 나는 이미 그것을 『몸』의 서문에서 밝힌 바 있다.

그러나 이 모든 체험보다 내게는 소중한 것이 있다. 결혼을 해서 처자를 거느리고 살면서 나는 종종 그네들에게 등을 긁어 달라, 등 좀 밀어 달라고 주문할 때가 많다. 그네들은 내 등을 보고 등짝이

넓고 두껍다느니 어디에 점이 있고 또 어디에 상처 자국이 있다느니 하는 말을 한다. 이것은 내가 알지 못한 사실들이다. 정말이지 나는 한 번도 나의 등을 제대로 본 적이 없다. 아무리 고개를 뒤로 돌려도 등은 보이지 않을 뿐만 아니라 그것을 또한 만져볼 수 없다. 하지만 그네들은 내 몸을 다 볼 수 있다. 빙글빙글 돌아보면서 볼 수도 있고 여기저기를 만질 수도 있다. 이 사실은 나의 몸이 타인에 의해 규정되어질 수 있다는 것을 깨닫게 해 주었다. 내 몸이 온전하게 드러나기 위해서는 타인이 필요한 것이고, 반대로 타인의 몸은 나를 필요로 한다는 사실이다. 나의 몸과 타인의 몸이 상호 소통할 때 진정한 의미의 반성적인 교감 및 정서적인 유대가 이루어질 수 있다는 것이다. 요즘 내 몸 공부의 화두가 바로 이 상호 신체성을 통한 정서적인 공동체(감성적인 공동체)의 성립에 있다.[6]

나의 몸이 타인에 의해 규정되고, 타인의 몸이 나에 의해 규정될 때 상호 신체성이 성립된다는 것은 달리 말하면 인간의 몸이 서로 다른 감각의 치열한 실존의 장이라는 것을 드러내는 것이다. 사람이든 사물이든 이렇게 상호 신체성의 관계 속에서는 감각들 사이의 충돌과 긴장이 또 다른 새로운 몸을 만든다. 결과적으로 언어 이전 감각들 사이의 치열한 충돌과 긴장이 언어 구조를 형성하는 것이라고 할 수 있다. 몸이 서로 주체와 대상이 되어 감각하고 감각되다 보면 세계는 정신을 통한 사유에서처럼 그렇게 투명하지 않다는 것을 알 수 있다. 몸의 감각들이 충돌하는 장에서는 그 감각이 어느 일방에 의해 전면적으로 성립되지 않는다. 감각의 세계에서는 주체와 대상 혹은 주관과 객관을 분리시키기가 불가능하며, 이 둘 사이의 관계는 언제나 행위의 감각적 측면과 운동적 측면이

6 | 졸저, 『몸』, 하늘연못, 2002, pp. 7~8.

동시에 상호작용을 하는 특성을 보여준다.

상호 신체성이 활발하면 감각은 최고의 관능성을 드러낸다. 몸의 감각이 충돌하는 장인 '틈'이나 '구멍'은 그래서 언제나 온갖 관능들이 교차하고 재교차하거나 왕성한 상실과 보충 행위가 이루어진다. 틈이나 구멍의 이러한 특성에 김혜순 시인은 "우리의 몸은 우리로 하여금 상상할 수 없던 것까지 느끼고, 가지라고 명령한다. 열린 입, 생식기, 가슴, 코 등등이 몸을 계속 과정 속에 살도록 눈뜨자마자 몸을 독려하고, 밖으로 밀어낸다. 그러나 몸은 원하는 것을 모두 갖지 못한다. 몸의 수많은 구멍들이 그 불가능한 것 때문에 하루 종일 울부짖는다. 구멍의 비명은 몸의 안팎에 새겨진다"[7]라고 말한 바 있다. 틈이나 구멍을 통해 표상되는 이러한 몸의 관능성은 그것이 단순히 육체적인 것이 아니라 '살chair'에 가깝다고 할 수 있다. 퐁티가 말하는 이 살은 너무 물렁물렁하기 때문에 그것을 지탱하기 위한 어떤 장치들이 필요하지만 여기에 내재해 있는 관능성은 시적 창조의 에너지와 같은 것이라고 할 수 있다.

이처럼 살은 몸의 원형이다. 이 살로 인해 몸은 관능성을 지니게 되고, 그것은 결국 관능적인 언어의 탄생으로 이어질 수밖에 없다. 하지만 이때의 언어는 하이데거가 말하는 그런 존재의 언어가 아니라 감각의 언어를 말하는 것이다. 감각이 토대를 이룬 언어는 존재보다 생성을 속성으로 한다. 이런 점에서 구멍 난 몸은 구멍 난 언어를 생성한다고 할 수 있다. 이 구멍 난 몸이 시의 토대를 이루면 기존의 존재의 언어는 해체될 수밖에 없다. 살이 생성해 낸 구멍 난 언어, 이 언어는 기존의 존재의 언어가 구축한 통사 체계와 구조를 해체하여 불투명하면서도 관능적인 언어의 세계를 새롭게 만들어낸다. 살에 의한 구멍 난 몸 혹은 감각(언어)의 출현으로 인한 통사 체계의 파괴와 해체는 진정한 몸시를

7 | 김혜순, 「불교, 여성, 시의 몸」, 『현대시학』, 1998년 10월호, p. 207.

쓰는 시인들에게 드러나는 공통된 양태이다. 특히 몸에 대한 민감한 자의식과 이것을 통해 실천적인 글쓰기를 행하는 시인들의 경우에 이 통사 체계의 파괴와 해체는 하나의 전략인 동시에 '낯설게 하기'라는 미학성을 성취하는 관건이 되기도 한다.

퐁티의 살의 현상학은 이제 더 이상 존재의 차원에서 논의되어서는 안 된다. 그것은 마치 인간의 몸을 정지시켜 놓거나 해부해 놓고 바라보는 것과 다르지 않다. 몸은 단순히 있다 없다의 문제도 아니고 또한 누군가에 의해서 일방적으로 보여지는 것도 아니다. 몸은 끊임없이 생성되어 가는 것이고 또한 누군가를 보면서 동시에 그 누군가에 의해 보여지는 것이다. 이때의 생성이란 투명하거나 단순한 것이 아니라 불투명하고 미묘한 것이다. 세계는 존재하는 것이 아니라 끊임없이 생성되어 가는 것이라는 인식은 기존의 현상학과는 다른 새로운 현상학이라고 할 수 있다. 퐁티의 몸의 현상학이 생성의 현상학이 될 수 있는 기반이 된 것은 '살', '감각', '기', '구멍' 같은 관능적인 질료들이 지니고 있는 속성 때문이라고 해도 과언이 아니다. 이 질료들은 동서양의 사상이나 철학의 기반이 되는 것들이지만 이들 사이에는 서로 회통할 수 있는 속성이 존재한다.

이것들이 토대가 된 새로운 현상은 정신보다는 몸, 육체보다는 살, 자아론보다는 타자론, 존재보다는 생성, 건조하고 구조화된 이미지보다는 관능 등의 의미를 지니고 있다는 점에서 미래의 인간과 세계에 대한 어떤 전망을 드러내고 있다. 퐁티의 몸의 현상학이 개인주의적인 차원을 넘어 사회나 공동체적인 차원의 논리로 주목받을 수 있는 것도 이러한 이유 때문이라고 할 수 있다. 인간이 사회적이고 공동체적인 존재가 되기 위해서는 반드시 몸이 있어야 한다. 몸이 사람과 사람은 물론 사람과 우주까지도 하나의 사회 혹은 하나의 공동체를 가능하게 해준다면 그것은 분명 언어를 통해 드러날 수밖에 없을 것이다. 가령

저녁 몸속에
새파란 별이 뜬다
회음부에 뜬다
가슴 복판에 배꼽에
뇌 속에서도 뜬다

내가 타죽은
나무가 내 속에 자란다
나는 죽어서
나무 위에
조각달로 뜬다

사랑이여
탄생의 미묘한 때를
알려다오

껍질 깨고 나가리
박차고 나가
우주가 되리
부활하리.

- 김지하, 「啐啄」, 전문[8]

라고 노래한 시를 보자. 몸의 현상학과 관련해서 이 시에서 무엇보다도 먼저 주목되는 것은 "몸속에 새파란 별이 뜬다"라는 대목이다. 시인의

8 | 김지하, 『중심의 괴로움』, 솔, 1994, pp. 18~19.

아름다운 상상력으로만 치부하기에는 그 이면에 숨겨진 의미가 너무 크다. 이 시에서의 몸은 앞서 언급한 것처럼 우주에 대응하는 소우주가 아니다. 여기에서의 몸은 그 자체가 우주이다. 이것을 가능하게 해주는 것은 '기'이다. 우주적인 기가 몸속에 모였다가 흩어지는 이 현상이 이러한 상상을 가능하게 했다고 할 수 있다. 시인이 노래하고 있는 기는 퐁티가 이야기하고 있는 몸의 생성을 가능하게 하는 본성인 살과 다른 것이 아니다. 기 혹은 살이 있고 이 작용으로 인해 몸속에 별이 뜨게 된 것이다.

인간의 몸과 우주는 서로 주체이면서 대상이고 대상이면서 주체인 것이다. 이것은 '몸이 근원적으로 세계에 대해 동질하다'[9]는 것을 의미한다. 만일 몸이 근원적으로 세계에 대해 동질하지 않다면(물론 그런 일은 불가능하다. 이것은 어디까지나 가정에 불과하다) 그것은 몸이 아니라 정신이라고 보아야 할 것이다. 정신이 가지는 이질성을 몸을 매개로 극복하는 것이 아니라 애초에 몸이 아니면 이질성의 극복은 불가능한 것이다. 시인이 몸을 통해 우주와의 동질성을 드러내 보인 것은 이런 점에서 주목에 값한다. 하지만 몸이 우주이고 우주가 곧 몸이라는 것은 몸과 세계가 그렇듯이 타자성이라든가 격렬한 감각적인 관능을 그 안에 지니고 있다. 이것은 "啐啄줄탁"이라는 이 시의 제목을 통해서도 알 수 있는 것이다. "啐啄"은 닭이 알을 깔 때에 알 속의 병아리가 껍질을 깨뜨리고 나오기 위하여 껍질 안에서 쪼는 것("啐")과 어미 닭이 밖에서 쪼아 깨뜨리는 것("啄")이 합쳐진 말이다. 따라서 "啐啄"은 두 가지가 동시에 행해져야 한다는 것을 의미하는 것으로 어떤 일의 시작이 무르익은 상태를 비유한 말이다.

내가 우주가 되기 위해서는 나 혼자만으로는 불가능하며 반드시 여기

9 | 조광제, 「몸 철학으로 본 몸의 미학」, 『신생』, 2004년 여름호, p. 197.

에는 타자라는 존재가 필요한 것이다. 새끼 병아리의 몸이 하나의 몸으로 거듭나기 위해서는 어미 닭의 몸과의 상호 신체성이 전제되어야 한다. 알 속에 갇혀 있는 새끼 병아리와 알 밖에 있는 어미 닭이 입을 맞추는 행위("啐啄")는 몸과 몸이 서로 만지면서 또 만짐을 당하는 혹은 먹으면서 먹히는 아이러니하고 역설적인 소통을 의미한다. 시인은 이것을 "사랑"이라고 명명한다. 시인이 이야기하고 있는 진정한 사랑이란 바로 이러한 상호 신체성을 통한 소통 행위를 말하는 것이다. 시인이 이 시에서 제시하고 있는 바를 달리 말하면 그것은 곧 인간의 몸이 근원적으로 세계에 대해 동질하다는 것이다. "나의 몸속에 별이 뜨는 것"도 그렇고, "내가 타죽은 나무가 내 속에서 자라는 것"도 또한 그렇다. 만일 시인이 이것을 정신의 차원에서 상상하고 표현했다면 그것은 몸을 한낱 정신을 위한 수단이나 매개로 인식한 것이고, 이렇게 되면 나의 몸과 우주 혹은 세계는 이질적인 차원으로 남아 결코 회복할 수 없는 거리를 드러낼 수밖에 없을 것이다.

아직도 많은 사람들은 몸을 사유의 중심에 두고 있지 않다. 이것은 시인들 역시 마찬가지이다. 시인의 중심에 몸이 있고, 이것을 통해 상상하고 표현한 시는 여전히 발견하기가 힘들다. 사실 우리가 사는 '지금, 여기'의 상황을 고려한다면 몸에 대한 민감한 자의식은 필연적이고 지극히 당위적인 현상이라고 할 수 있을 것이다. '지금, 여기'의 인간의 몸은 가상의 이미지 속에 둘러싸여 있다. 실재하는 자연이나 현실 속에 놓인 몸이 아니라 가상의 이미지 속에 놓인 몸이 됨으로써 지금까지 몸과 관련하여 고려의 대상이 되어온 타자라든가 살, 감각, 기, 구멍 같은 관능적인 질료들, 그리고 언어에 대한 사유는 일정한 변화를 맞이하게 되었다고 할 수 있다. 특히 문제는 가상이든 실재든 어느 한쪽을 배제한 채 몸의 현상학을 이야기할 수 없다는 점이다. 디지털 기술의 발달로 가상의 이미지가 폭발적으로 우리의 환경을 지배하게 되면서 몸은 그 거대한 흐름과의 동질성을 유지하게 되기에 이른다. 이것은 몸의 태생적인 환경인 자연과의 동질성과 충돌하면서 이전보다 더 복잡하고 애매모호한 생성의 장으로 몸을 변화시켜 놓았다.

우리는 퐁티가 몸의 현상학에서 제시한 감각 혹은 살의 관능성이 가상 실재의 이미지와 대단히 이질적이라는 사실을 아는 것은 그다지 어렵지 않다. 가상 실재의 이미지는 실재의 감각과 살의 관능성을 지니고 있지 않다. 아무리 가상 실재의 이미지가 몸을 감각화하고 상호 신체성을 드러낸다고 할지라도 실재하는 이미지와는 본질적으로 섞일 수 없는, 좀 더 정확히 말하면 본질적으로 차원을 달리하는 속성을 지니고 있다고 할 수 있다. 이것은 마치 실재하는 세계의 토대가 되는 '기'와 가상 실재의 토대가 되는 '비트bit'가 서로 차원을 달리한다는 사실과 다르지 않다. 이 차이는 단순히 기의 따뜻하고 말랑말랑한 관능과 비트의 차갑고 건조한 이미지 사이의 차이만을 드러내는 것은 아니다. 이 차이란 한마디로 말하면 몸을 바꿀 수 있는 차이이다. 실재에서 가상 실재로 환경이 이동하면서 몸의 현상 자체도 크게 바뀐 것이 사실이다. 이에 대한 논의는 무엇보다도 '자연'이라는 차원에서 이야기할 수 있을 것이다. 퐁티의 몸의 현상학은 그 몸 자체가 자연을 기반으로 하지만 가상 실재에서의 그것은 테크놀로지에 의해 만들어진 유사 자연 혹은 사이비 자연을 기반으로 하여 이루어진다. 디지털 생태계라고 명명할 수 있는 유사 자연에서의 몸은 사이보그화된 몸이라고 할 수 있을 것이다. 사이보그화된 세계에서의 몸이란 '공각기동대의 쿠사나기 소령'의 몸처럼 프로그램되고 코드화된 몸을 의미한다. 가령 시인 이원이

> 14220469103026100151022
>
> 31029402150321100141035
>
> 30223오늘의교통사고사망10

부상107유괴알몸토막310349

31029403120469103012022

3109560보험금노린3044935

59203발목절단자작극103921

31029403120469103012022

개미투자자음독자살0014103

33엘리베이터안고교생살인극

14220469103026100151022

3102탈북9402150꽃제비204

15392049586910295849320

50203046839204962049560

5302아프리카에서종말론신자

924명집단자살20194056239

31029403120469103012022

01죽음은기계처럼정확하다01

10207310349201940392054

눈물이 나오질 않는다

전자상가에 가서

업그레이드해야겠다

감정 칩을

– 이원, 「사이보그 3 – 정비용 데이터 B」, 전문[10]

10 | 이원, 『야후!의 강물에 천 개의 달이 뜬다』, 문학과지성사, 2004, pp. 124~125.

에서 보여주고 있는 것이 바로 사이보그화된 몸의 세계이다. 이 세계에서의 몸의 현상학은 분명 퐁티가 이야기하고 있는 것과는 차이가 있다고 할 수 있다. 몸의 감각이 외부 대상과의 사이에서 자연스럽게 이루어지는 것이 아니라 "업그레이드"라는 말이 표상하듯이 그것은 인위적으로 조작되고 또 통제되는 것이다. 이제 인간의 몸은 이렇게 테크놀로지에 의해 네트화된 거대한 구조 속에서 어떤 대상을 감각(지각)하고 또 그 대상에 의해 자신의 몸이 감각(지각)되는 것이다. 실재의 차원에서 상상할 수 없을 정도로 익명화된 대상에 의해 자신의 몸이 감각되고 또 지각된다고 한다면 이때의 상호 신체성은 과연 어떤 몸의 현상학으로 드러날까?

이 물음에 대한 답은 앞으로 우리에게 주어진 과제라고 할 수 있다. 어떻게 보면 하나의 딜레마 같은 이 물음에 대해 우리가 분명하게 답할 수 있는 것은 그것이 실재든 아니면 가상 실재든 모두 그 몸이 존재가 아니라 생성의 차원에 놓여 있다는 점이다. 기존의 몸의 현상에서처럼 몸을 존재로 놓고 보면 세계의 그 거대한 흐름을 도저히 이해할 수 없을 것이다. 퐁티의 위대함은 이 존재를 생성으로 바꿀 수 있는 이론적인 계기와 토대를 제시하고 있다는 데에 있다. 우리 인류의 삶, 더 나아가 우주 공동체의 삶은 이 거대한 흐름을 몸으로 지각하고 그것을 통해 새로운 미래의 의미를 발견하느냐에 달려 있다고 해도 과언이 아니다. '지금, 여기'에서 퐁티의 몸의 현상학이 갖는 의미가 있다면 그것은 바로 이런 것이 될 것이다. 누구보다도 몸의 감각에 민감하고 여기에 강한 자의식을 가져야 하는 사람은 시인이다. '지금, 여기'에서의 인간의 몸이 실재와 가상 실재가 뒤얽힌 상태로 일정한 긴장을 유지하고 있다면 시인은 그 몸의 감각에 새롭게 관심을 가져야 할 것이다. 시적 상상과 표현의 출발이 감각에 있다는 점을 새삼스럽게 인식할 필요가 있다. 실재 차원에서의 몸의 현상과 가상 실재 차원에서의 몸의 현상과의 충돌과 긴장이 빚어내는 새로운 미학이 탄생해야 할 시점이다. '지금, 여기'에서의 몸은 그 둘을 모두 지니고 있다는 점에서 갈등과 혼돈의 세계를 드러내며, 이것이 상상과 표현의 피로감과 시적 지평의 부재에 빠져 허우적대는 우리 현대시에 새로운 갱생의 길을 제시해 줄 것이다.

3. '그늘' 혹은 상상의 토포필리아Topophilia[11]

이번에 낸 졸저의 제목이 '몸과 그늘의 미학'이다. 이 책을 받아본 사람 중에 나에게 이런 질문을 하는 이가 있었다. '왜 몸의 미학이 아니라 몸과 그늘의 미학이냐?'라는 것이었다. 그래서 내가 그에게 '여기에서 말하는 그늘이 무엇을 말하는 것 같으냐?'고 되물었다. 그는 주저주저하더니 '설마 나무 그늘 같은 것은 아니겠지?' 하는 것이었다. 나는 '맞다'고 했다. 그는 내 대답을 듣더니 '난 또 무슨 특별한 뜻이 있는 줄 알았지' 하는 것이었다. 그의 말을 듣고 말문이 막혀 나는 더 이상 어떤 대답도 할 수 없었다. 나무 그늘의 '그늘'이 정말로 무슨 특별한 뜻이 없는 말일까? 사실 그가 보인 태도처럼 이 물음에 대해 그것을 심각하게 받아들이거나 그 말의 이면에 은폐되어 있는 의미에 대해 고민해 본 사람이 얼마나 될까?

그늘에 대한 사유가 깊지 않다는 것은 그것이 우리 미학의 근간을

11 | 이 글은 『내면의 주름과 상징의 질감』(역락, 2008)에 실린 「'그늘' 그 어떤 경지 — 사유 혹은 상상의 토포필리아(Topophilia)」를 수정·보완한 것이다.

이룬다는 인식에 대한 자각이 거의 전무한 데에서도 나타난다. 그늘은 눈에 보이는 차원으로만 규정지을 수 없는, 눈에 보이지 않는 차원의 웅숭깊음과 숭고함이 내재해 있다. 가령 나무의 그늘이 매력의 대상으로 존재한다면 그것은 단순히 우리의 시각을 자극해서라기보다는 그늘이 지니고 있는 깊이와 크기에 압도당하기 때문이라고 할 수 있다. 그늘이라는 현상이 내포하고 있는 의미의 폭과 깊이는 그것을 세심하게 들여다보지 않으면 발견할 수 없다. 나무의 그늘을 보고 그저 따가운 태양빛을 피할 수 있는 곳이라든가 아니면 그 그늘로 인해 빛이 들지 않는다거나 하는 식으로 단순하게 인식한다면 그늘의 은폐된 의미는 온전히 드러나지 않을 것이다. 먼저 그늘에 대한 사유에서 가장 중요한 것 중의 하나는 그것을 결과가 아닌 과정으로 인식해야 한다는 점이다.

나무의 그늘처럼 하나의 현상으로 드러나는 그늘은 갑자기 만들어진 것이 아니다. 나무가 그늘을 드리우기 위해서는 긴 시간의 과정이 전제되어야 한다. 나무의 그늘은 시간의 주름(나이테)에 비례한다. 그늘의 원형은 본래부터 그늘의 형태를 지니고 있는 것은 아니다. 그늘은 한 알의 작은 씨앗에서 비롯되어 가지와 줄기와 잎과 열매 등으로 영역을 확장해 가면서 존재성을 드러낸다. 여기에서 우리는 이 과정에서 어떤 일 혹은 어떤 사건이 발생하는지를 살펴볼 필요가 있다. 한 그루의 나무가 그늘을 드리우기까지 여기에 관계한 대지의 기운과 하늘의 기운을 떠올려 보라. 해와 달, 비, 눈, 서리, 바람, 이슬, 물, 흙, 공기, 벌레, 사람, 나무, 꽃, 풀, 새, 천둥, 구름 등 이루 헤아릴 수 없을 정도로 많은 것들의 관계를 통해 그늘이 만들어진 것이다. 이런 점에서 그늘의 탄생을 가장 잘 보여주고 있는 시편 중의 하나가 미당의 「국화 옆에서」라고 할 수 있다. 얼핏 보아서는 관계가 있을 것 같지 않은 '소쩍새의 울음'과 '천둥'이 '국화꽃'의 개화와 관계된다는 미당의 통찰이야말로 그늘의 미학의 정수를 노래한 것이라고 해도 결코 과장된 것이 아니다.

그늘이 간단하게 만들어지지 않고 이렇게 우주의 모든 기운이 오랜 시간 작용하여 탄생한다는 사실은 그 그늘의 깊이와 크기를 말해준다. 만일 그늘이 눈, 서리와 비, 바람을 견디지 못하고 쓰러진다거나 햇빛, 흙, 공기, 물 같은 양분을 제대로 섭취하지 못한다면 그늘은 온전히 만들어지지 못할 것이다. 하지만 오랜 시간 이러한 여러 조건과 기운을 잘 견뎌 내거나 활발한 관계를 통해 줄기와 가지를 뻗고 무성한 잎과 열매를 맺는다면 자연스럽게 그늘의 형상이 드러나게 될 것이다. 오랜 시간 동안 온갖 풍상을 견디고 그에 비례해 나이테가 늘어갈수록 그늘은 깊어지고 또 넓어질 것이다. 우리가 그러한 나무의 그늘을 보았을 때 자신도 모르게 그 형상에 끌리는 것은 단순히 겉으로 드러난 모습 때문만이 아니라 그 그늘에 깃든 시간의 장구함, 다시 말하면 날것이 삭힘의 과정을 거치면서 점점 웅숭깊어지고 견고해지면서 지니게 되는 품격과 숭고함 때문이라고 할 수 있다.

하나의 나무가 그늘을 드리운다는 것은 비로소 그 나무가 나무로서의 정체성 혹은 존재성을 지니게 되었다는 것을 의미한다. 나무의 입장에서 생각해 보면 그가 가장 듣고 싶어 하고 또 지니고 싶어 하는 것은 '그늘'이라고 할 수 있을 것이다. '그 나무에는 그늘이 있어'라고 할 때의 그늘은 부정이나 긍정 어느 한 차원에 국한되지 않고 그 모든 것들을 아우르는 의미 지평을 드러낸다. 이런 점에서 그늘은 프로이트의 무의식화된 욕망이나 융의 그림자와는 차원을 달리한다. 흔히 자아의 어두운 면으로 명명되는 그림자의 경우에는 그 내부에 파괴적이고 폭력적인 에너지 덩어리가 응축되어 있어서 그것이 의식의 차원으로 투사되는 경우 이성에 의해 구축된 상징계가 전복될 위험성이 있다. 이에 비해 그늘은 그림자의 상태로 존재하는 세계가 아니라 그것을 넘어선 세계이다. 그늘의 세계는 그림자의 세계가 은폐하고 있는 파괴적이고 폭력적인 덩어리를 일정한 삭임의 과정을 통해 풀어낸 세계라고 할 수 있다.

자아의 내부에 도사리고 있는 어둡고 부정적인 그림자 덩어리를 풀어내지 못하면 타자의 존재를 그 안에 품을 수도 없고 또 아우를 수도 없다. 이 말은 그림자의 상태에서는 결코 그늘을 드리울 수 없다는 것을 의미한다. 그늘이 타자를 품고 아우를 수 있는 데에는 그것이 삭임의 과정을 거쳐 그림자의 덩어리를 풀어냈기 때문이다. 어둡고 부정적인 그림자의 덩어리가 삭임의 풀어내는 과정을 거쳐 탄생한 세계가 바로 그늘인 것이다. 그림자의 상태가 깊어지면 그것은 독이 되고 독이 깊어지면 한이 된다. 우리는 종종 '여자가 한을 품으면 오뉴월에도 서리가 내린다'는 말을 한다. 한이 지니는 관계의 단절에서 오는 섬뜩함을 잘 드러내고 있는 이 말을 통해 우리는 한이 한의 차원에 그치면 새로운 전망이나 기대 지평을 제시하기가 어렵다는 것을 알 수 있다. 한이 한으로 머물지 않고 그것을 삭이고 풀어내는 과정을 통해 세계의 지평은 열리게 되는 것이다. 오뉴월에 서리가 내리면 나무는 더 이상 그늘을 드리울 수 없게 되고 그렇게 되면 그 그늘에 깃들거나 그것과 서로 어울리는 관계 자체가 불가능하게 될 것이다.

오랜 삭임과 풀어냄의 과정을 통해 탄생하는 그늘은 그 웅숭깊음으로 인해 빛나지만 눈부시지 않고 욕망하지 않아도 그것이 이루어지는 어떤 경지를 보여준다. 그 지극한 자연스러운 힘은 일종의 '신명神明'과 같은 것이라고 할 수 있다. 이때의 신은 God라기보다는 우주 혹은 자연을 표상한다. 그늘이 탄생하기까지의 삭임과 풀이는 어느 한 개체의 힘으로 이루어지는 것이 아니라 그 각각의 개체가 관계를 통해 어우러지면서 형성하는 집단적이고 영적인 각성과 반성이 내재된 우주적 활동 과정이다. 이런 맥락에서 우리는 '그늘이 우주를 바꾼다'고 말한다. 그늘의 의미가 여기에까지 미치기 때문에 어떤 존재가 그늘을 가진다는 것은 곧 그 존재의 크기와 깊이가 일정한 경지에 이를만큼 절대적이라는 것을 말한다. 한 그루의 나무가 그늘을 드리운다는 것이 얼마나 웅숭깊고 의미심장한 것인지는 이러한 과정과 맥락을 고려할 때 온전히 이해할 수 있을 것이다. 한 그루 나무를 통해 알아본 그늘이 은폐하고 있는 의미는 다른 존재 대상으로의 확장과 치환이 가능하다.

한 그루의 나무가 드리우고 있는 그늘처럼 인간에 의해 탄생하는 예술의 경우도 일정한 경지에 이른 작품들은 한결같이 이 그늘을 지니고 있다. 이와 관련하여 가장 널리 알려진 예술 양식이 바로 판소리이다. 판소리의 소리꾼에게 최고의 찬사는 '그 사람 소리에 그늘이 있어'라는 말이다. 하지만 이 소리의 그늘은 쉽게 얻어지는 것이 아니다. 소리의 그늘은 온갖 신산고초의 과정, 곧 삭임 혹은 시김새의 과정을 거쳐서 탄생하는 것이다. 이렇게 그늘이 있는 소리는 우주도 감동시킬 정도로 유려하고 오묘한 웅숭깊은 소리라고 할 수 있다. 특히 한의 정서를 삭이고 그것을 풀어내는 과정을 거쳐 최고의 경지에 이르기 때문에 그늘이 깃든 소리는 세계의 평정을 회복한 데서 오는 여유와 품격을 드러낸다. 한이 서리를 맞아 더 이상 진척이 없는 것이 아니라 그것을 넘어 멋스러운 그늘을 드리우는 세계란 단순한 기교나 재주만으로 도달할 수 있는 경지가 아니다. 그것은 온몸으로 밀고 나갈 때 얻어지는 최고의 경지인 것이다. 그늘이 은폐하고 있는 의미가 여기에 있다면 그것은 판소리뿐만 아니라 다른 양식에서도 존재하는 그 무엇이라고 할 수 있다.

판소리의 소리가 몸의 소리라면 춤 혹은 무용 역시 몸으로 표현되는 행위라고 할 수 있고, 시 역시 어느 경지에 이른 작품에는 그늘이 깃들어 있다. 어쩌면 우리 예술가들이 열어야 할 지평이 이 그늘의 세계가 아닌가 한다. 임권택 감독(이청준 원작)의 「서편제」에서 송화와 동호 그리고 오봉이가 진도아리랑을 부르고 춤을 추면서 신명풀이를 하는 장면은 그늘의 한 경지를 보여준다고 할 수 있다. 이들의 한이 한으로 그치는 것이 아니라 신명으로 승화되는 대목에서 우리는 오묘하고 웅숭깊은 삶 혹은 세계의 한 경지를 체험하게 된다. 하지만 이 그늘은 '지금, 여기'에서 너무 쉽게 망각되고 있는 것처럼 느껴진다. 몸의 소리도, 몸의 순정한 몸짓도, 육화된 말과 이미지도 모두 몸 가볍게 부유하는 '지금, 여기'의 상황을 고려해 볼 때 이 그늘이야말로 존재에 대한 어떤 둔중함으로 다가온다. 이런 점에서 문태준 시인이 「그늘의 발달」에서

아버지여, 감나무를 베지 마오
감나무가 너무 웃자라
감나무 그늘이 지붕을 덮는다고
감나무를 베는 아버지여
그늘이 지붕이 되면 어떤가요
눈물을 감출 수는 없어요
우리 집 지붕에는 폐렴 같은 구름
우리 집 식탁에는 매끼 묵은 밥
우리는 그늘을 앓고 먹는
한 몸의 그늘
그늘의 발달
아버지여, 감나무를 베지 마오

– 문태준, 「그늘의 발달」, 부분[12]

라고 한 고백이나 이태수 시인이 「회화나무 그늘」에서

여태 먼 길을 떠돌았으나 내가 걷거나 달려온 길들이 길 밖으로 쓰러져 뒹군다. 다시 가야 할 길도 저 회화나무가 품고 있는지, 이내 놓아줄 건지. 하늘을 끌어당기며 허공 향해 묵묵부답 서 있는 그 그늘

12 | 문태준, 『그늘의 발달』, 문학과지성사, 2008, p. 31.

아래 내 몸도 마음도 붙잡혀 있다.

– 이태수, 「회화나무 그늘」, 부분[13]

라고 한 고백 그리고 허형만 시인이 「그늘이라는 말」에서

그늘이라는 말
참 듣기 좋다

그 깊고 아늑함 속에
들은 귀 천 년 내려놓고

푸른 바람으로나
그대 위에 머물고 싶은

그늘이라는 말
참 듣기 좋다

– 허형만, 「그늘이라는 말」, 전문[14]

라고 한 고백 등은 그늘에 대한 시인의 자의식이 강하게 투영되어 있는 대목이라고 할 수 있다. 그늘에의 이러한 끌림은 지극히 자연스러운 것일 수도 있지만 여기에 이르기 위해서는 「서편제」에서처럼 흙먼지 풀풀 날리는 길을 통과해야 하고 또 김지하의 「황톳길」에서처럼 핏자국 선연한 길을 따라 죽음을 각오하고 걸어야 하는 그야말로 신산고초의

13 | 이태수, 『회화나무 그늘』, 문학과지성사, 2008, p. 25.
14 | 허형만, 『그늘』, 활판공방, 2012, p. 33.

길이 전제된 끌림인 것이다. 한 그루의 나무가 그늘을 드리우듯이, 소리꾼이 그늘이 깃든 소리를 찾아 떠돌듯이, 하나의 온전한 몸짓을 표현하기 위해 춤꾼이 수없이 그것을 반복하고 또 반복하듯이, 시인이 육화된 이미지와 상징을 찾아 불가능해 보이는 언어의 세계에 도전하는 것 등은 이들이 지향해야 할 그 어떤 경지, 다시 말하면 이들의 사유 혹은 상상의 궁극이 그늘의 토포필리아Topophilia에 있다는 것을 의미한다. 시인의 고백처럼 진정한 시인(예술가)이란 '그늘을 앓고 먹는 존재'라고 할 수 있다. 어쩌면 우리는 시인 혹은 시의 그늘에 깃들어 그 오묘하고 웅숭깊은 깊이와 크기에 몸 둘 바를 모르는 그 황홀경의 세계에 빠지고 싶어 하는 것인지도 모른다. 이런 점에서 그늘은 단순한 아름다움을 넘어 숭고와 멋과 같은 또 다른 아름다움의 차원에 닿아 있는 미학의 한 경지를 이르는 말이라고 할 수 있다.

4. 무위無爲와 질박質樸으로서의 도

시와 도가는 문학과 종교라는 구분을 떠나 서로 공유하는 부분이 적지 않다. 이것은 시 양식이 드러내는 세계와 도가가 추구하는 세계 사이의 상동성을 의미한다. 이 둘 사이의 상동성 차원에서 가장 먼저 이야기할 수 있는 것이 있다면 그것은 바로 '메타포'의 문제일 것이다. 시가 다른 문학 양식들과 차이성을 드러내는 지점이 있다면 그것은 메타포의 정도이며, 시만큼 그것을 상상과 표현의 차원에서 잘 보여주고 있는 양식은 없다고 해도 과언이 아니다. 이것은 문학 양식들 중에서 유독 시에서 언어의 문제를 민감하게 다루는 문제와 다르지 않다. 시의 언어는 어떤 사물이나 대상을 직설적으로 드러내기보다는 비유적으로 드러내는 데서 그 존재성을 인정받는다. 만일 어떤 시의 언어가 사물이나 대상을 직설적으로 드러낸다면 그것은 곧 시적 단명을 의미한다. 시의 언어가 지시적인 기능을 넘어 정서적 환기성을 지향해야 한다는 논리가 그것을 잘 말해준다.

이런 점에서 볼 때 시의 언어는 눈에 보이는 가시적인 차원을 넘어 눈에 보이지 않는 비가시적인 차원을 겨냥하고 있으며, 사물이나 대상 등 존재의 이면에 은폐된 모호하고 불투명한 세계를 온전히 드러내는 것(탈은폐)을 겨냥한다. 어떤 개념화되고 투명한 언어가 아닌 모호하고 불투명한 언어로 존재를 탈은폐한다는 것은 기본적으로 어떤 존재가 지니는 세계를 훼손되지 않게 드러낸다는 것을 말한다. 시의 모호하고 불투명한 언어는 그 언어가 하나의 도구적 차원으로 존재하는 것을 경계한다는 것을 말하며, 이것은 곧 시의 언어가 하나의 사물의 차원으로 존재해야 한다는 것을 의미한다. 우리가 흔히 언어의 사물성이라고 할 때 그것이 의미하는 바가 개념화된 도구적 차원의 연관성을 통한 드러냄이 아니라 사물의 은폐 그 자체를 탈은폐하는 드러냄이라면 이때의 언어는 그 사물에 가까울 수밖에 없다는, 언어가 단순한 전달이나 지시의 기능을 넘어 존재 그 자체(하이데거식으로 이야기하면 존재의 집)여야 한다는 사실을 강하게 환기한다.

시의 언어가 낯설어야 하고, 은폐와 상처, 부정과 저항의 속성을 지녀야 하며, 무의미와 비대상의 언어이어야 한다는 시와 관련한 숱한 논의들의 저변에는 언어의 도구적 연관성을 통한 불안과 '은폐된 존재(세계)의 탈은폐'라는 명제가 숨겨져 있는 것이다. 투명하고 개념화된 언어가 겨냥하는 위험은 언제나 존재 혹은 세계를 기호화되고 수치화된 방식으로 드러냄으로써 어떤 불필요하고 잉여적인 것들을 매끄럽게 정리하고 배제하는 것 내에서 자기애적인 안정감과 완전함을 추구한다는 점이다. 이러한 겨냥은 불투명하고 모호한, 존재와 세계의 본성을 망각할 위험성이 강하게 내재해 있다. 투명하고 개념화된 언어로는 존재와 세계의 심연을 제대로 들여다볼 수 없을 뿐만 아니라 그 언어가 세계나 존재의 전부라고 믿어버리는 망각의 어두운 심연을 드러낼 위험성이 있다는 점에서 문제적이라고 할 수 있다. 가령 이러한 언어의 매트릭스가 견고하게 구축된다면 사람들은 그것이 투명하고 개념화된 언어로 이루어진 가상의 세계라는 것을 망각한 채 그 알고리즘 내의 원리와 논리에 따라 언어를 운용하면서 그것을 시라고 착각하게 될 수도 있을 것이다.

언어의 매트릭스화가 '지금, 여기' 디지털 전자문명 시대의 도래와 함께 현실로 인식되면서 시 언어 자체에 대한 깊은 성찰과 운용의 문제에 대한 고민이 깊어지고 있는 것이 사실이다. 감각적인 기호와 이미지의 정지와 단절이 이 디지털 전자문명 시대에 어떻게 가능한지에 대한 깊은 성찰이 없다면 불투명하고 모호한, 그래서 존재와 세계의 본바탕을 온전히 드러내려고 한 시 혹은 시의 언어가 이 견고한 언어의 매트릭스 속으로 뚫고 들어갈 마땅한 방법과 힘을 발견할 수 없을 것이다. 디지털 전자문명 시대의 도래와 함께 이러한 시대의 흐름에 적합한 시의 양식이 무엇인지에 대한 고민의 일환으로 제시된 것이 '멀티포엠'이나 '디카시' 같은 양식들이다. 이 양식들은 기본적으로 기존의 시의 양식이 지니는 불투명하고 모호한, 은폐와 상처 같은 비가시적인 언어와는 태생적인 차이를 드러낼 수밖에 없다. 이 차이가 이 양식들의 한계일 수도 있지만 그것을 공격하다 보면 기술을 기반으로 한 키치적 양식의 대중적인 문화 소비의 차원을 간과하는 우를 범할 위험성이 있다. 이 양식들의 존재 이유와 필요성은 대중문화 소비 주체의 차원에서 결정될 문제이며, 이제 겨우 실험과 가설의 초기 단계인 점을 고려한다면 우리는 이 현상들에 대해 일정한 거리를 두고 지켜볼 필요가 있다.

다시 불투명하고 모호한 그러한 시의 문제로 돌아오면 우리는 그것이 '지금, 여기'에서 과연 어떤 존재 이유와 필요가 있느냐 하는 문제에 대한 고민과 발견이라는 사실을 알게 될 것이다. 한 시대와 세계의 방향과 관련하여 우리가 중요하게 고려해야 할 것이 있다면 그것은 곧 '균형'일 것이다. 내가 늘 강조해 온 것이 바로 그것인데, 가령 에코(자연)와 디지털(문명)의 균형, 정신과 육체의 균형, 내면과 외형의 균형, 이상과 현실의 균형, 이성과 감성의 균형, 형식과 내용의 균형 같은 것들이다. 디지털 전자문명 시대의 인공적인 지능이 만들어낸 체계와 구조 내에서 생산되는 감각과 이미지, 욕구, 감성, 감정, 기호 등과 그것이 내재하고 있는 가벼움, 통속성, 속도, 표피성, 재미, 경쾌함, 쉬움, 부유성, 순간성, 단순함, 상호작용성, 투명성, 파편화, 가상성, 매끈함, 초연결성 등은 그것이 '지금, 여기'에서의 한 현상일 뿐 존재나 세계의 온전한 모습은 결코 아닌 것이다. 존재 혹은 세계의 균형을 고려한다면 그것이 결하고 있는 부분 역시 중요하며, 그것 역시 '지금, 여기'에서 깊은 성찰의 대상이 되어야 한다고 할 수 있다.

디지털 전자문명 시대의 사회·문화 양식이 결하고 있는, 그래서 우리가 망각하고 있는 불투명하고 모호한 언어의 메타포와, 은폐와 상처, 부정성, 저항 등의 의미를 지니고 있는 텍스트가 시인 것이다. 하지만 시 못지않게, 어쩌면 시보다 더 심원하고 광대한 메타포의 언어와 인간의 인위적이고 인공적인 문명에 반하는 자연의 현묘함을 드러내는 텍스트가 있는데 그것이 바로 노자의 『도덕경』과 장자의 『장자』이다. 특히 노자 『도덕경』의 '道可道 非常道, 名可名 非常名'은 그 메타포의 정수를 드러낸 말이다. 노자 존재론의 핵심은 도이며, 그 도는 무엇으로도 규정지을 수 없는, 규정하는 순간 그 도는 도로서의 존재성을 상실하게 되는 그런 도를 말하며, 이것은 명 또한 마찬가지이다. 이것은 도의 크기의 정도가 그것을 헤아릴 수 없을 만큼 크다는 것을 말해주는 것인 동시에 그렇게 크기 때문에 그것을 규정하거나 개념화하면 그 존재성을 온전히 드러낼 수 없을 뿐만 아니라 훼손하게 되어 도가 겨냥하는 어떤 목적(無爲)을 성취할 수 없게 된다. 도의 목적은 이렇게 인위적으로 만든 규정이나 개념을 통해 성취하는 것이 아니라 자연처럼 무위로서의 활동을 통해 성취하는 것이다.

이때 무위 혹은 무는 없는 것을 전제로 한 없음nothing이 아니라 있음을 전제로 한 없음이다. 도를 무라고 하는 것은 그것이 너무 크고 심오하기 때문에 없는 것처럼 느껴지지만 기실 그것은 모든 존재를 발생시키는 모태 혹은 그것의 원적지라고 할 수 있다. 존재하는 모든 것들을 발생시키는 이 너무 크고 늘 텅 비어 있는 것처럼 느껴지는 무의 세계는 그래서 늘 어두컴컴할 수밖에 없다. 이 어두컴컴한 텅 빈 곳에서 만물이 발생한다는 점에서 그것은 '현빈玄牝'으로 비유되는데, 이 어두컴컴한 세계에서 '명名' 다시 말하면 '유有'가 나오는 것이다. 이것을 노자는 '天下萬物生於有有生於無'라고 하였다. 무는 유보다 크고, 모든 유는 무로부터 생겨난다는 인식을 토대로 하고 있음을 알 수 있다. 이것은 '유 이면에는 늘 무가 존재하고 있으며, 유가 존재에 대한 한계에 부딪칠 때 무는 현빈 혹은 여인의 자궁과 음부 같은 무한한 신생의 빈 공간을 제공해 준다는 의미로 확대해석할 수 있다. 따라서 시원은 어디 멀리 있는 것이 아니라 일상과 공존하고 있으며, 그 일상이 유적인 것有物으로 가득 찰 때마다 실체를 드러내는 그런 공간인 것'(이재복, 「시원始原의 존재론—윤대녕론」, 『비만한 이성』)이다.

이렇게 유는 무에서 나오지만 이 둘은 모두 인위적인 것을 거부한 무위를 겨냥하고 있다는 사실을 주목할 필요가 있다. 무위의 강조가 도가를 예禮와 문文을 통한 인위적인 사회 체계와 제도의 구축, 실행을 강조하는 유가와 차별화된 사상을 낳게 하였다고 볼 수 있다. 하지만 이것은 도가의 무위가 아무것도 하지 않는 것을 말하는 것이 아니라 인위적이지 않은, 다시 말하면 자연의 그것처럼 사물의 자연스러운 본성에 따라 행하는 것을 강조한 것이다. 자연의 본성에 따라 행하는 것이 곧 '자유'로운 삶이고, 그것이 바로 '소요유逍遙遊'의 정신인 것이다. 인위로 넘쳐나는 사회일수록 이러한 노장의 사상은 강한 부정성을 띨 수밖에 없다. 인위적인 시대와 사회에 존재하는 틈이나 구멍 같은 것, 이로 인해 그 시대와 사회의 건강하지 않음과 억압성을 성찰하게 하고 반성하게 하는 것으로서의 역할을 지금껏 도가는 수행해 온 것이다. 인위를 강조하다 보면 필연적으로 생겨나는 과도한 욕구나 욕망의 문제를 깊이 있게 성찰하게 하고 또 반성하게 하는 것은 법이나 제도에 앞선 도가의 무욕無慾 혹은 무위적인 삶이라고 할 수 있다.

요즘 일본의 하이쿠라는 시를 관심 있게 보고 있는데, 여기에 바탕을 이루는 사상 중의 하나가 도가라고 생각하였다. 단형이라는 형식에서 오는 절제와 여백도 그러하지만 무위한 자연을 시적 상상의 한 모티프로 삼아 시상을 전개해 가는 것에서 그것을 확인할 수 있었다. 가령 마쓰오 바쇼의

> 장맛비 내려
> 두루미의 다리가
> 짧아졌느냐
>
> 五月雨に鶴の足みじかくなれり[15]

를 보면 시 전체가 무위의 세계를 겨냥하고 있다. "오리의 다리가 짧다고 늘리지 말고, 학의 다리가 길다고 자르지 말라是故鳧脛雖短 續之則憂, 鶴脛雖長斷之則悲"는 장자의 무위의 세계를 하이쿠의 절제되고 압축된 형식을 통해 아름답게 노래하고 있는 시이다. 이 시의 절제와 균제미는 눈에 보이는 현상과 눈에 보이지 않는 본질의 차원을 모두 아우르는 질문을 단형의 형식 내에서 제기하고 있다는 점에서 두드러진다. "두루미의 다리"는 원래 길다. 그런데 "장맛비"가 내리면 그 물속에 서 있는 "두루미의 다리"는 짧게 보이게 된다. 여기에서 원래 "두루미의 다리"는 자연적인 것 혹은 무위가 되고, '장맛비 속의 두루미의 다리'는 눈의 시각을 통해 인위적으로 구성된 하나의 현상일 뿐이다. 이 인위적으로 구성된 현상을

15 | 마쓰오 바쇼, 오석륜 옮김, 『일본 하이쿠 선집』, 책세상, 2012, p. 16.

확대하고 심화시키다 보면 우리는 '두루미의 다리가 원래 긴' 그 무위로서의 자연적인 것을 망각하고 말 것이다. 이 시에서 우리에게 던지는 시인의 질문의 요체가 바로 그것이다. "두루미의 다리"를 짧게 하는 것 혹은 학의 다리를 길다고 자르는 것 등은 인간의 욕구나 욕망이 만들어낸 허상에 불과하지만 그것이 진짜 참된 것이라고 믿어버린다면 진정한 참된 것에 대한 탐색과 성찰은 망각되거나 더 이상 추구의 대상이 되지 않을 것이다.

인위적인 인간의 욕구와 욕망이 무조건적인 비판의 대상이 되어야 한다는 점에 대해서는 이견이 있을 수 있지만 그것이 하나의 성찰과 반성의 대상이 되어야 한다는 점에 대해서는 이견이 있을 수 없을 것이다. 하지만 이 성찰과 반성이 디지털 테크놀로지에 기반한 전자문명의 매끄럽고 표피적인 감각과 이미지의 기세에 눌려 여기에 대한 의식 주체의 자각을 기대하기가 점점 어려워지고 있다는 사실이다. 여기에 대한 대안으로 제시된 '피크노렙시pyknolepsy'라든가 '디지털 단식' 같은 것들은 전자문명 시대의 감각과 욕구에 길들여진 인간의 의식을 바꾸기에는 이론적 토대도 또 역사적 맥락도 제시하지 못할 만큼 일천하고 허약해 보인다. 이것에 비하면 노자와 장자로 대표되는 도가 사상과 그 텍스트들은 이 문명의 패러다임에 저항하고 부정할 어떤 잠재된 이론적 토대와 역사적 맥락을 지니고 있다. 도가의 무와 무위는 기본적으로 '실체substance'를 강조하는 서구의 존재론과는 달리 우주, 자연, 인간 등을 하나의 유기적인 흐름, 다시 말하면 전체적인 생명의 유출 과정으로 보는 동아시아의 '정체공능整體功能'의 존재론에 입각해서 세계를 보기 때문에 그것이 결코 단발적이고 관념적인 선언이나 행동으로 그칠 성질의 것은 아니다.

인간은 몸을 지닌 존재이기 때문에 정체공능적인 존재일 수밖에 없다. 인간은 어떤 사물이나 대상을 실체의 차원에서 분리하거나 분해해서 인지하거나 이해하기에 앞서 그것을 또한 직관적으로 인지하거나 이해하기도 한다. 가령 우리는 어떤 공간을 마주했을 때 직관적으로 그것이 어느 정도의 크기이며 높이가 어느 정도인지 또 어디에 무엇이 놓여 있는지를 인지할 수 있다. 이것은 우리의 몸과 공간이 하나의 전체적인 유출의 과정 속에 놓여 있기 때문이다. 서구에서는 인간의 몸을 해부해서 그 안의 장기를 하나하나 분리하고 분해해서 그것의 구조와 조직을 밝힘으로써 몸을 이해했다면 한국, 중국, 일본 등 동아시아에서는 그것을 해부가 아닌 기와 혈 혹은 경락의 상태를 통해 이해했다고 볼 수 있다. 우리의 한의학이나 중의학에서는 몸을 각각 분리된 실체로 이해한 것이 아니라 그것을 전체 생명의 유출 과정으로 이해한 것이다. 이런 점에서 볼 때 서양은 투명하고 명료한 실체를 드러내는 것(有와 名)을 중심에 놓고 인간, 자연, 우주의 존재를 이해해 왔고, 동아시아에서는 불투명하고 모호한 눈에 보이지 않는 것無까지를 포함해서 인간, 자연, 우주의 존재를 이해해 왔다고 할 수 있다.

김지하 시인이 「無」(『중심의 괴로움』)라는 시에서 '공허함으로 움직인다'고 했을 때, 그 진술은 곧 이러한 맥락에서 나온 것이다. 알게 모르게 우리 시인들의 의식은 이런 도가적이고 혹은 불가적인 존재론 내에서 작동하는 경우가 많다. 백석의 담박澹泊한 풍속의 세계, 천상병의 질박하고 순수한 세계, 김관식의 자연과 인생을 노래한 서정시 속에, 그리고 선적인 시를 쓴 아방가르드 시인인 이승훈의 일상을 노래한 시, 김선우의 불교적 생태 인식을 드러내고 있는 시에서도 도가적인 상상력은 폭넓게 자리하고 있다. 가령 김선우의 「무꽃」을 보자.

집 속에
집만한 것이 들어 있네

여러 날 비운 집에 돌아와 문을 여는데

이상하다, 누군가 놀다간 흔적
옷장을 열어보고 싱크대를 살펴봐도
흐트러진 건 없는데 마음이 떨려
주저앉아 숨 고르다 보았네

무꽃,
버리기 아까워 사발에 담아놓은
무 토막에 사슴뿔처럼 돋아난 꽃대궁

사랑을 나누었구나
스쳐지나지 못한 한소끔의 공기가
너와 머물렀구나
빈집 구석자리에 담겨
상처와 싸우는
무꽃

김선우, 「무꽃」, 전문[16]

이 시에서 시인이 노래하고 있는 세계는 분명 인위적인 것을 넘어 무위의 차원에서 발생한 존재론적인 사건이다. 무는 눈에 보이지 않지만 생명의 전체 유출 차원에서 끊임없이 작동하고 있는 불투명하고 모호한 세계이다. 텅 비어 있는 듯이 보이지만 기로 가득 차 있어 모든 존재들이 분리돼 있지 않고 연결되어 있는 그런 무의 세계에서 생명의 유출로서의 발생론적인 사건은 늘 일어나고 있는 것이다. 눈에 보이는 가시적인

16 | 김선우, 『내 혀가 입속에 갇혀 있길 거부한다면』, 창작과비평사, 2000, p. 24.

차원에서만 본다면 "무 토막"에서 이런 일이 일어날 것이라고는 그 누구도 상상하지 못할 것이다. 하지만 그것을 눈에 보이지 않는 비가시적인 차원까지 확장해서 보면 이야기는 달라진다. "무 토막"에 무의 차원을 흐르는 "공기"가 "머무르"면서 "무꽃"이 핀 것이다. 이러한 일련의 과정은 아름답다. 그렇다면 이 아름다움은 어디에서 기인하는 것일까? 우선 "무 토막"에서 "무꽃"으로의 질적 도약에서 오는 감정(숭고)의 승화를 들 수 있다. 그런데 우리는 여기에서 이 감정의 승화를 가능하게 한 그 발생론적인 조건을 간과해서는 안 된다.

"무 토막"에서 "무꽃"으로의 질적 도약이 가능했던 것은 "무 토막"이 "공기"를 만났기 때문이며, 이 과정에서 "상처"가 발생한 것이다. 시인은 그것을 "상처와 싸우는"으로 표현하고 있다. 이 "상처" 혹은 이 "싸움"이야말로 "무 토막"에서 "무꽃"으로의 질적 도약의 정도를 결정하는 가장 중요한 조건인 것이다. "무꽃"이 아름다운 것은 그 자체로 아름답기 때문인 것이 아니라 이 아름다움이 있기까지의 싸움의 치열함 때문이라고 할 수 있다. 이 사실은 곧 도가에서 말하는 아름다움, 다시 말하면 도가적 차원의 존재론이 겨냥하는 목적이 이렇게 무위(자연)의 차원에서 눈에 보이지도 요란하지도 않은 질박함 속에서 절대적 자유와 초월의 해방감을 느끼는 데에 있다는 것을 말해준다. "무꽃"이 이런 무위의 차원에서 핀 하나의 발생론적인 사건이기 때문에 우리는 더욱 그것에서 존재에 대한 심원함과 함께 그것의 낯설고 신비한 아름다움을 읽어낼 수 있는 것이다.

시와 도가의 관계성에서 출발해 그것이 겨냥하고 있는 목적에 대한 탐색의 과정을 통해 우리는 이 둘이 너무도 많은 부분에서 겹치고 또 스미는 어떤 것을 발견할 수 있었다는 것은 앞으로 논의를 확장해 가야 할 명분과 의무를 주고 있다는 점에서 부담스럽지만 행복하다. 나는 종종 노자의 『도덕경』과 장자의 『장자』를 어떤 시집보다도 시적이라고 말하곤 한다. 이 두 텍스트만큼 불투명하고 모호하며, 난해하지만 매혹적인 텍스트가 이 세상에 또 있을까? 이것들이 겨냥하고 있는 세계는 우리가 시에서 기대하는 세계 혹은 시가 목적으로 하고 있는 세계와 다르지 않은 것이다. 시간이 주어진다면 이 둘 사이의 관계를 깊이 있게 읽어내고 싶다. 시라는 제도화된 형식이나 내용의 차원에서 벗어나 시적 상상력과 표현의 차원에서 이 둘의 언어 운용의 방식이라든가 사물이나 대상을 바라보는 태도, 수사의 기법, 지향하는 가치와 목적, 세계에 대한 전망 등에 대해 세심하게 탐색하고 싶다. 어쩌면 이것은 우리 시의 지평을 모색하는 한 계기로 작용할 수도 있으리라.

5. 시의 의미 지평과 고독의 발견

– 김소월의 「山有花」의 세계

1. 반성과 비반성으로서의 시적 논리

시가 은폐하고 있는 세계를 발견하기 위해서는 일정한 주의가 필요하다. 하지만 그 주의란 언제나 반성적인 의식에 의해서만 발생하는 것은 아니다. 그것은 비반성적인 의식을 통해서도 발생할 수가 있다. 우리의 몸은 반성 이전에 세계를 지각하고 현상의 차원에서 그것을 구조화하고 있기 때문이다. 어떤 세계가 명확하고 투명한 의식의 차원으로 존재하고 있지 않고, 모호하고 불투명한 현상의 차원으로 존재하고 있지만 우리의 몸이 그것에 강렬하게 끌리는 상황이라면 우리는 이미 반성적인 의식에 앞서 그 세계에 은폐된 것을 발견한 것이라고 할 수 있다. 이러한 사실은 어떤 세계의 발견에는 의식을 통한 반성의 과정 못지않게 비반성적인 과정이 작용한다는 것을 의미한다. 가령 어떤 시가 오랫동안 우리에게 매력의 대상으로 존재해 왔다면 여기에는 분명 모호하고 불투명한 비반성적인 끌림, 다시 말하면 은폐된 세계를 표상하고 있는 감각의 덩어리가 일정한 미적 충동을 반복적으로 생산해 왔기 때문이라고 할 수 있다.

반성 이전에 강렬한 몸의 끌림이 있는 경우 그것이 비록 모호하고 불투명하다고 하더라도 이 감각 덩어리에는 인류 보편의 혹은 어떤 보편타당한 감각이나 선험적 진리가 내재해 있는 것이 사실이다. 비반성적인 끌림은 그 자체로 존재하기도 하지만 또 그것은 반성적인 과정을 거쳐 다양한 형태로 변주되기도 한다. 비반성적인 차원에서의 인류 보편의 감각이나 선험적인 진리가 반성적 차원의 해석이나 의미 생산의 과정을 거치면서 그것의 견고함이 가시화되기도 한다. 오랜 시간 동안 매혹적인 지각의 대상으로 존재해 온 시에서 우리가 그것을 발견하는 것은 어렵지 않다. 어쩌면 우리가 말하는 좋은 시나 고전적인 품격을 지닌 시란 이러한 비반성적인 차원의 보편화된 감각이나 선험적인 진리 그리고 반성적인 차원의 해석이나 의미 생산을 전제로 한 것인지도 모른다. 한순간 반짝하고 사라진 시나 모호한 난해성 내지 실체 없는 잠재성으로 존재하는 시에는 이와 같은 전제가 통용되지 않는다.

'좋은 시는 누가 보아도 좋다'라는 논리가 성립하려면 반드시 이러한 조건을 충족시켜야 할 것이다. 비록 이 논리가 해석자의 취향과 관점을 지나치게 단순화하고 있다는 위험성을 지니고 있기는 하지만 좋은 시와 관련하여 어떤 보편타당한 기준을 제시하고 있다는 점에서 의미가 있다. 좋은 시 혹은 고전적인 품격을 지닌 시에 대한 논의는 시만큼이나 오랜 역사를 지니고 있다. 하지만 좋은 시와 시의 고전에 대한 논의를 보편타당한 감각이나 선험적인 진리라는 비반성적인 차원의 해석과 의미 생산이라는 반성적인 차원을 동시에 고려하면서 그것을 은폐된 세계의 발견의 문제로 그 시적 지평을 제시하고 있는 경우는 흔치 않다고 볼 수 있다. 이 관점으로 우리 현대시를 들여다보면 새롭게 이 범주 안으로 편입되는 시가 있을 뿐만 아니라 이미 좋은 시와 시적 고전으로 평가받고 있는 시에 대해 그 해석의 논리와 역사적인 의미를 강화하고 확장하는데 일정한 계기를 제공할 수 있으리라고 본다. 좋은 시가 은폐하고 있는 보편타당한 감각이나 선험적인 진리를 발견하고 여기에 더해 반성적인 차원의 깊이 있는 해석과 생산적인 의미를 드러낸다면 그것은 좋은 시 더 나아가 시 전반에 대한 정체성의 정립과 시적 지평으로서의 좌표 설정에 도움이 될 것이다.

2. 말, 호흡의 선험성과 생명으로서의 시적 지평

좋은 시의 공통된 특성 중 하나는 '말'에 있다. 이 말은 우리가 흔히 이야기하는 시어와는 차이가 있다. 시어에 대해 이야기할 때 우리는 일반적으로 말과 문자를 표현의 차원에서 다룬다. 말이 중심이 된 표현과 문자 중심의 표현을 현대시의 중요한 준거로 삼기도 한다. 말에서 문자로 이동하면서 현대시의 정체성이 정립되어왔다는 논리가 시사의 일반적인 담론이다. 현대의 복잡성을 표현하기에 말은 한계가 있다는 것, 다시 말하면 현대의 복잡성은 문자나 이미지의 복합적인 구조를 통해 온전히 드러난다는 논리가 바로 그것이다. 현대의 이미지즘 운동이나 다다이즘, 구체시 운동 등이 겨냥하고 있는 흐름이 이와 같은 현대시의 역사를 반영하고 있다고 할 수 있다.

하지만 이와는 달리 여기에서 이야기하고 있는 말은 단순한 표현의 수단을 넘어선 것이다. 이때의 말은 표현의 수단이 어떤 것이든 상관없이 인간의 모든 '생각'을 내재하고 있는 것을 의미한다. 표현 수단으로써의 말이나 문자 이전에 인간의 생각을 온전히 반영하고 있는 것으로서의 그 무엇이 바로 말인 것이다. 이런 점에서 이 말은 감각은 물론 인지, 이해, 판단의 과정(사유의 과정thinking process)을 모두 포괄하는 세계라고 할 수 있다. 이 말의 이러한 일련의 과정이 온전히 이루어지면 시의 정체성은 자연스럽게 정립되는 것이다. 시인이 주의를 기울이고 정진해야 할 바가 바로 이 과정이며, 이 과정의 성패가 시의 성패를 결정한다고 해도 과언이 아니다. 시의 표현 수단에 집착하는 것이 시의 정도正道가 아니라 사유의 과정을 포괄하는 말의 세계에 투신하는 것이 정도라는 인식은 좋은 시를 낳는 가장 중요한 방법 중의 하나로 볼 수 있다.

사유의 과정을 온전히 포괄하는 말은 모든 사람들의 보편적이고 선험적인 세계를 내재하고 있을 잠재적인 가능성이 높기 때문에 그만큼 좋은 시나 고전적인 품격을 지닌 시로 자리매김할 가능성이 클 수밖에 없다. 좋은 시는 말 혹은 사유의 과정이 전제될 때 만들어지는 것이다. 이러한 과정 없이 우연히 좋은 시가 되는 경우는 거의 없다고 볼 수 있다. 말 혹은 사유의 과정을 거친 시는 자연스럽게 그것에 걸맞은 표현의 형식을 획득하게 된다. 말 따로 표현 따로가 아니라 말과 표현은 긴밀하게 연결되어 있다. 온전한 사유의 과정을 포괄하는 말과 표현이 만나서 이루어지는 시는 보편타당한 감성이나 선험적인 공통 감각을 공유할 가능성이 높기 때문에 시대의 흐름에 밀려나지 않고 시간의 중심을 가로질러 고전으로 남게 되는 것이다. 좋은 시는 시인이 아닌 일반 대중들도 그것이 은폐하고 있는 세계의 깊이나 아름다움을 공유할 수 있는 잠재적인 능력을 지니고 있다. 시인이 좋은 시를 일반 대중들에게 탈은폐했을 때 그들이 그것에 대해 공감하고 향유하는 것은 바로 이러한 이유 때문이라고 할 수 있다.

좋은 시는 어느 한 개인에 의해 결정되는 것이 아니라 여러 사람에 의해 오랜 시간을 견디는 과정을 통해 탄생하는 것이다. 이런 점에서 시인은 좋은 시를 짓기 위해 보편타당성과 선험성을 은폐하고 있는 말의 발견을 위해 노력해야 한다. 좋은 시에서의 이상적인 말은 군더더기 없는 천의무봉한 상태를 지향한다. 좋은 시가 오랜 시간을 견디면서 매혹의 대상으로 존재할 수 있는 이유가 바로 여기에 있다. 시인은 좋은 시의 은폐된 세계의 정수리에 다가가기 위해 누구나 공감하거나 공유하고 있는 보편타당한 감각이나 의미를 발견해 내야 한다. 시인에 의해 은폐된 세계가 발견되는 순간 모든 이들이 매혹당하고 납득당하는 그것이야말로 미의 본질이라고 할 수 있다. 이 미의 본질은 시의 탄생 시기나 형태, 이념 등의 차원을 넘어 존재한다. 우리가 어떤 시에 매혹당하거나 납득당한다면 거기에는 분명 인류 보편의 선험적인 진리 같은 것이 존재하고 있는 것이다. 만일 시에서 이러한 사실을 발견할 수 없다면 그것은 곧 시의 종말을 의미한다.

우리 현대시 중에 이렇게 문자와 대비되는 말이 아니라 미의 본성을 은폐하고 있는 말로 이루어진 시는 그다지 많지 않다. 우리 현대시의 미적 가치를 이런 맥락에서 이해한다면 논의 대상이 될 만한 시인과 시는 적을 수밖에 없을 것이다. 좋은 시의 판단에 인류 보편의 미적 가치가 배제되고 지엽적이고 단편적인 가치가 과도하게 개입되면서 '누가 보아도 좋은 시'는 하나의 이상으로 인식되기에 이른다. 하지만 누가 보아도 좋은 시가 이상으로만 존재하는 것이 아니라 실제로 존재한다는 사실을 우리는 시사나 일반 역사의 과정을 통해 어렵지 않게 발견할 수 있다. 우리 현대시 혹은 근대시의 역사가 백 년이 넘었고, 이 과정에서 적지 않은 시들이 매혹의 대상으로 존재해 왔다는 것은 그것이 인류 보편의 감성과 선험적인 공통 감각을 전제로 한 좋은 시로서의 조건을 지니고 있다는 것을 의미한다. 우리 현대 시사에서 이 조건을 갖춘 대표적인 시인과 시를 꼽는 일은 어렵지 않다. 단지 이 과정에서 어려움이 있다면 그것은 이들 시인과 이들의 시에 대한 왜곡된 해석과 평가를 어떻게 바로잡느냐 하는 문제일 것이다.

우리 현대 시인 중에 이러한 문제적인 인물로 거론할 수 있는 이가 있다면 그가 바로 김소월일 것이다. 우리에게 소월은 한국적인 전통의 계승자로 알려져 있다. 많은 논자들이 소월에 대해 한국적인 한의 정서의 계승자 혹은 북방의 정서를 대중적 친화력으로 승화시킨 시인으로 평가해 왔다. 이런 평가는 소월을 한국적이고 민족적인 범주 내에 존재하게

함으로써 그의 시인으로서의 정체성을 강하게 규정해 왔다고 볼 수 있다. 소월의 시가 한국적인 전통과 정서를 반영하고 있다는 사실에 대해 부정할 사람은 거의 없을 것이다. 하지만 소월에 대한 이러한 규정이 그의 시 세계를 얼마나 제한적이고 협소하게 인식하게 하는지 그것에 대해 깊이 고민해 본 사람도 거의 없을 것이다. 소월의 시가 고전이 된 데에는 단순히 그것이 한국적인 전통과 정서를 반영하고 있기 때문만은 아니라고 본다. 소월의 시에는 그러한 한국적인 전통과 정서 이외에 또 다른 그 무엇이 존재한다. 그것은 한국적인 전통이나 정서와 겹쳐지는 그 무엇일 수도 있고 또 그것을 넘어서는 것일 수도 있다. 한국적인 전통과 정서를 넘어서는 그 무엇이란 바로 인류 보편의 정서와 선험적인 감각 같은 것이라고 할 수 있다.

이런 점에서 가장 주목해 볼 만한 소월의 시는 「山有花」이다. 이 시는 짧고 명증해 보이지만 내재해 있는 의미와 세계는 깊고 유장悠長하다. 이것은 이 시가 인류 보편의 정서와 선험적인 진리를 내포하고 있기 때문이다. 이 시는 시인이 드러내려는 생각 혹은 말이 육화된 형식을 획득하고 있다. 시인이 생각하는 말이 천의무봉한 형식을 얻게 된 데에는 그 말을 정형화된 문자나 자수로 드러내지 않고 그것을 훼손하지 않은 상태에서 자연스럽게 육화하여 드러내고 있기 때문이다. 「山有花」는 말이 담고 있는 '산에 꽃이 피고 진다'와 '그 꽃이 저만치 혼자 피어 있다'라는 생각을 정형화된 문자나 자수가 아닌 '호흡'을 통해 드러내고 있다. 대체로 이 시의 형식을 7·5조의 율격에 초점을 맞춰 논의해 왔다. 시인의 생각이 7자, 5자의 규칙적인 리듬의 형식으로 드러난다는 것이다. 하지만 이 시의 어디를 보아도 7자, 5자로 이루어진 곳이 없다. 이것은 이 시의 리듬이 7자, 5자라는 눈에 보이는 글자의 자수로 이루어진 것이 아니라 눈에 보이지 않는 어떤 차원 곧 '호흡'의 차원에서 이루어진 것이라는 사실을 의미한다. 7자, 5자를 눈에 보이는 글자의 자수가 아니라 눈에 보이지 않는 호흡의 차원에서 생각하고 말함으로써 이 시는 말과 형식, 내면과 외면 사이가 꿰맨 자국이 없이 자연스럽게 이어지는 천의무봉한 생명력을 지니게 된 것이다.

산에는 꽃 피네
꽃이 피네
갈 봄 여름 없이
꽃이 피네

산에
산에
피는 꽃은
저만치 혼자서 피어 있네

산에서 우는 작은 새여
꽃이 좋아
산에서
사노라네

산에는 꽃 지네
꽃이 지네
갈 봄 여름 없이
꽃이 지네

— 김소월, 「山有花」, 전문[17]

17 | 김소월, 권영민 엮음, 『김소월 시전집』, 문학사상사, 2007, p. 308.

자수로만 본다면 이 시는 6·4, 6·4, 4·4, 6·4, 5·4, 7·4, 6·4, 6·4 등으로 되어 있다. 이 눈에 보이는 자수 그대로는 리듬이 만들어지지 않는다. 하지만 이 자수를 형식논리가 아닌 호흡의 차원에서 실행해 보면 이야기는 달라진다. “산에는 꽃 피네 꽃이 피네”가 아니라 ‘사아네는 꽃 피네 꽃이 피이네’처럼 호흡의 차원에서 다시 읽어보면 그것이 자연스러운 감각을 통해 만들어진다는 것을 알 수 있다. 이 자연스러운 감각은 인간의 몸의 리듬이라는 점에서 그 생래적인 본능성으로 인해 강한 공감력과 함께 대중적인 친화력을 지니게 된다. 호흡에 의한 리듬은 이 시에서 말의 온전한 현현으로 이어지고 있다. 말이 곧 호흡이고 호흡이 곧 말인 세계에서 시는 생명에 다름 아니다. 인간에게 생명만큼 보편타당하고 선험적인 것은 없다. 이런 점에서 생명은 단순한 존재의 개념을 넘어선다. 그것은 존재를 넘어 생성의 속성을 드러낸다. 생성은 고정불변하는 속성과는 거리가 멀다. 생성은 어느 한순간도 고정되어 있지 않고 끊임없이 변화하고 생멸을 멈추지 않는 세계의 한 속성이다.

인간의 호흡이 그러한 생성의 예이다. 「山有花」의 말이 호흡을 기반으로 하고 있다면 그것은 끊임없는 변화와 멈추지 않는 생명의 속성을 지닐 수밖에 없다. 짧고 명료해 보여 더 이상의 변주와 생성이 불가능할 것 같지만 이 시의 말 하나하나를 리듬에 맞춰 읊조리다 보면 어느새 저 깊은 곳에서 둔중한 그 무엇이 치솟아 올라 우리를 신명나게 한다. 이때의 읊조림은 호흡과 같은 리듬이라는 점에서 시니피에보다는 시니피앙에 가깝지만 우리가 시니피에를 이해하고 이 시를 읊조리면 또 다른 변주와 변화를 체험하게 된다. 이 시에서 이러한 역할을 하는 가장 중요한 시니피에 중의 하나가 시의 처음과 끝에 자리하고 있는 “피네”와 “지네”이다. 이 “피네”와 “지네”가 시의 전체 구도를 결정짓는다고 해도 과언이 아니다. 이 두 말의 구도 속에 ‘꽃’, ‘새’, ‘시인’ 등 모든 존재자들이 놓여 있는 것이다. 꽃이 피고 지고 또 피고 지는 이 과정이 자연 혹은 우주의 생성을 의미한다. 우주의 이 생성 과정 역시 하나의 리듬이다. 호흡도 리듬이요, 몸도 리듬이요, 자연과 우주 역시 리듬이다. 그런데 이 각각의 리듬은 다른 것이 아니다. 인간의 호흡과 몸은 우주의 리듬 내에서 생성을 거듭한다.

이러한 사실은 「山有花」의 호흡에 기반한 리듬이 우주의 리듬을 내재하고 있다는 것을 의미한다. 시의 말과 호흡이 시인 개인이나 인간을 넘어 자연이나 우주의 차원에 닿아 있다는 것은 모두가 공유하고 공감할 수 있는 보편타당한 감각이나 정서를 거느리고 있다는 것을 의미할 뿐만 아니라 이미 선험적으로 그것을 내재하고 있다는 것을 말해준다. 이것은 이 시의 특장이면서 동시에 힘이다. 이 시의 말과 호흡은 이성적으로 계산된 것이 아닌 우주의 흐름과 함께하는 자연스러운 생성의 과정 속에 놓여 있다. 생성의 관점에서 이 시의 표제인 "山有花"를 해석하면 '산에 꽃이 있다'가 아니라 '산에 꽃이 피고 진다'가 된다. 전자의 존재 혹은 존재론의 차원을 강하게 환기한다면 후자는 생성 혹은 생성론의 차원을 강하게 환기한다고 할 수 있다. 존재와 존재론은 세계를 인과적이고 필연적으로 해석하려는 태도가 강하고, 생성 혹은 생성론은 세계를 관계적이고 상대적으로 해석하려는 태도가 강하다. 후자의 관점에서 보면 산에 꽃이 피고 지는 것은 새와 시인과의 관계 속에서 상대적으로 이루어지는 과정을 의미한다고 할 수 있다.

3. '저만치'와 무심無心한 고독의 발견

소월의 「山有花」가 생성의 논리를 구현하고 있다면 그것은 궁극적으로 생명의 세계를 겨냥할 수밖에 없다. 우주는 존재자가 아니라 개체 생명으로 이루어진 세계인 것이다. 산에 꽃이 피고 지지만 그 꽃은 절대 전체라는 이름으로 수렴되지 않는 그 무엇이다. 산(자연과 우주의 상징으로서의 산)에 피고 지는 꽃은 어느 것 하나 동일한 색과 모양을 지닌 것이 없다. 산에 피고 지는 꽃이 하나의 생명이라면 그 생명은 이렇게 어느 것 하나 동일성의 논리로 쉽게 재단할 수 없는 특성을 드러낸다. 만일 꽃의 이러한 특성을 무시한 채 그것을 인위적인 틀을 만들어 재단해버린다면 그 꽃의 생명성은 소멸하고 말 것이다. 꽃이 피고 지는 것이 우주의 궁극적인 이치이지만 그 과정에는 개체 생명의 다양한 모습과 사건이 은폐되어 있는 것이다.

산에 피고 지는 꽃을 바라보는 시인의 태도가 이와 같다는 것을 우리는 「山有花」에서 어렵지 않게 발견할 수 있다. 시인은 산에 피고 지는 꽃을 '저만치 혼자서 피어 있는 것'으로 규정하고 있다. 우리 현대시의 초대 아포리아 중의 하나로 인식되고 있는 이 구절이 시인의 생명에 대한 태도를 잘 보여준다는 해석은 거의 찾아볼 수 없다. 많은 이들이 저만치를 거리 개념으로 인식하여 그것을 고독이나 단절로 해석하고 있다. 이러한 해석의 기저에는 존재 혹은 존재론적인 인식이 자리하고 있다고 볼 수 있다. 시 속의 저만치를 존재 혹은 존재론이 아닌 생성 혹은 생성론의 관점으로 인식한다면 그것은 관계성을 전제로 한 고독이나 단절이 된다. 이것은 각각의 개체가 모여 전체가 될 때 그 개체가 소멸하거나 배제되는 것 없이 전체와 어우러지는 생명의 논리와 다르지 않다. 생명의 한 개체가 다른 개체와 정과 반의 논리로 맞서서 소멸이나 배제의 과정을 통해 합에 이르는 변증법적인 논리가 아니라 각자 각자의 모순을 인정하고 그것을 넘어서 화和에 이르는 불연기연不然其然이나 화쟁의 논리인 것이다.

시인은 산에 피는(지는) 꽃을 아예 '저만치 혼자서 피어 있는 것'으로 규정하고 있다. 만일 생성에 의한 관계의 차원을 고려하지 않는다면 그것은 고립이나 분리, 단절로 인한 세계와의 불화로 해석될 공산이 크다. 하지만 저만치 혼자서 피어 있는 꽃은 불화와는 거리가 멀다. 애초에 그 꽃은 각자 각자가 다른 색과 형태를 지닌 채 산(우주)에서 피고 지는 생명이기 때문에 저만치 혼자일 수밖에 없다. 그런데 이 저만치가 나르시시즘적인 황홀이나 배제와 소외에서 비롯되는 불안과 공포를 드러내지 않고 있는 것은 그것이 피고 지고 다시 피고 지는 우주생명의 관계 속에 놓여 있기 때문이다. 이런 점에서 이 시의 저만치는 무심無心에 가까운 의미를 지닌다. 저만치 혼자서 피어 있는 것의 마땅함 혹은 당연함이라고나 할까. 시인은 그렇게 산에 저만치 혼자 피어 있는 꽃이 좋은 것이다. 시인은 자신의 이러한 태도를 '새'에 투사해서 보여주고 있다.

산에
산에
피는 꽃은
저만치 혼자서 피어 있네

산에서 우는 작은 새여
꽃이 좋아
산에서
사노라네

— 김소월, 「山有花」, 부분[18]

새가 산에 사는 이유는 "꽃이 좋"기 때문이다. 그런데 여기에서 우리가 간과하지 말아야 할 것은 그 꽃이 "저만치 혼자서 피어 있"는 꽃이라는 점이다. 시인(새)이 산에 사는 이유는 단순히 꽃이 좋아서가 아니라 "저만

18 | 김소월, 위의 책, p. 308.

치 혼자서 피어 있"는 꽃이 좋아서인 것이다. 시인의 이 논리는 세계를 또 다른 관점으로 보게 한다. "저만치 혼자서 피어 있"는 꽃에서 어두운 그림자를 보느냐 아니면 그것에서 그늘을 보느냐의 문제 같은 것이 바로 그것이다. 꽃에서 어두운 그림자를 본다는 것은 그것이 놓인 상황을 소외와 분리로 인식하기 때문이고, 그것에서 그늘을 본다는 것은 그것이 놓인 상황을 아우름과 어울림으로 인식하기 때문이다. 그늘은 밝음과 어두움이 역설적으로 화해하고 상생하는 장이지 소외와 분리가 이루어지는 장이 아니다. "저만치"에서 어두운 그림자를 본 자는 절대 "꽃이 좋아 산에서 산"다고 말할 수 없다.

그늘의 논리로 보면 꽃이 핌(그렇다)은 그 안에 꽃이 짐(아니다)을 아우르고 있고 반대로 꽃이 짐(그렇다)은 그 안에 꽃이 핌(아니다)을 아우르고 있는 것이다. 꽃이 핌은 그렇다가 될 수도 있고 또 아니다가 될 수도 있다. 꽃이 짐 역시 마찬가지이다. 이렇게 변화하는 과정이 생성 혹은 생성론의 세계이다. 이것에서 저것을 보고 저것에서 이것을 보는, 꽃이 피는 것에서 꽃이 지는 것을 보고 다시 꽃이 지는 것에서 꽃이 피는 것을 보는 이 역설의 과정이 「山有花」에 내재해 있는 논리이다. 변화란, 다시 말하면 생성이란 이렇게 모순된 것을 배제하고 소외시키는 것이 아니라 그것을 아우르는 과정을 통해 성립되는 것이다. 우리가 「山有花」에서 "저만치 혼자서 피어 있"는 꽃을 보고 소외감과 불안감보다는 각자 생명의 편안한 마음과 유유자적한 즐거움을 느끼게 되는 데에는 자연이나 우주의 상생 과정 내에서 그것이 이루어지기 때문이다.

"저만치"나 "혼자", "우는"과 "작은" 등과 같은 말이 자연이나 우주로부터 배제되거나 소외된 상태가 아니라 관계에서 오는 편안한 마음과 유유자적한 즐거움을 드러내는 것이라면 이 말들에 은폐된 고독은 실존에 찌들거나 댄디한 도취도 아닌 무심하게 흘러가는 생성의 과정 내에서 즐기는 생명의 자기 충만 같은 것이다. 시인의 고독이 우주의 관계성 내에서 비롯된 것이라고 한다면 고독의 주체 혹은 생명체는 그 안에 우주를 지니고 있는 것이 된다. "저만치 혼자서 피어 있"는 꽃과 그 "꽃이 좋아" 우는 "작은 새"가 외로워 보이고 또 작아 보이지만 이들은 광대무변한 우주를 품고 있는 생명들이다. 이를테면 꽃이 피고 지는 것과 봄에 강남 갔던 제비가 구만리 하늘을 날아왔다가 가을에 다시 그 하늘을 날아 강남으로 돌아가는 것을 상기해 보라. 이 끊임없는 생성의 과정은 천장지구天長地久의 감각을 드러낸다고 할 수 있다. 하늘과 땅의 장구함 속에서의 고독이란 무심함이 은폐되어 있는 고독일 수밖에 없다.

이러한 우주의 무심한 변화와 생성의 과정에 시인의 감성과 정서를 실으면 어둠과 부정으로 점철된 고통의 차원을 넘어 허허롭고 평안한 고독의 세계가 탄생하게 된다. 그래서 꽃이 피면 함께 웃고 또 꽃이 지면 함께 우는 심성도 만들어지는 것이다. "산에서 우는 작은 새"가 "꽃이 좋아 산에서 사"는 이유도 이와 다르지 않다. "저만치 혼자"라는 말을 너무 존재론적으로만 들여다보면 인간의 차원에 국한된 심리 상태로 그것을 몰아갈 위험성이 있다. 인간의 차원에 국한된 심리만으로는 「山有花」의 세계를 온전히 해명할 수 없다. 인간의 심리는 우주의 무심함을 인과적이고 필연적인 욕망의 상태로 치환하여 이해하려고 하기 때문에 천장지구와 같은 광대무변한 감각을 체득하기가 어려울 수밖에 없다. 이런 맥락에서 보면 꽃이 피고 지는 것과 새가 울고 좋아하는 것이 깊은 관계를 이루면서 어우러지는 크고 넓은 생명의 향연이자 우주의 향연이라고 할 수 있다. 하나의 우주가 산, 꽃, 봄, 여름, 가을, 새 등과 같은 단순하고 명증한 말들에 의해 현현되고 있는 데에는 이것들을 관통하는 우주적 흐름 혹은 리듬이 시간과 공간의 형태로 시 속에서 천의무봉하게 구현되고 있기 때문이다.

4. 갈, 봄, 여름 그리고 시

시인이 "산(우주)"에서 본 것은 무엇일까? 시의 문면에 드러난 바로는 "꽃"과 "새"이다. 하지만 이 시의 "꽃"과 "새"는 단순한 재료가 아닌 질료 차원의 말이 된다. 시인이 "꽃"과 "새"에 은폐된 말을 발견했기 때문이다. 시인이 발견한 말이란 한 마디로 '피고 지는 것'이다. 이 피고 짐은 시간의 흐름 같은 것이지만 여기에서의 그것은 세심하게 주의를 기울여야 드러나는 개체 생명의 고독과 즐거움이다. "산"에 "저만치 혼자서 피어 있"는 꽃과 그 "꽃이 좋아 산에 사"는 "작은 새"에게서 시인이 발견한 것이 바로 개체 생명의 고독과 즐거움인 것이다. 그런데 시인의 이 고독과 즐거움은 시인 개인을 넘어 우주와의 관계 속에서 생성된 것이다. 광대무변한 우주와 그 내에 저만치 혼자 피어 있는 아주 작고 여린 개체 생명의 대비는 역설적인 아름다움을 창출해 내고 있다.

"산"에 피고 지는 여린 "꽃"과 "작은 새"의 모습은 그 "산(우주)"에서 배제되고 소외된 모습이 아니라 그곳에서의 삶을 즐기는 주인의 모습이라고 할 수 있다. "꽃"과 "새"는 "갈 봄 여름 없이" "산"에서의 삶을 즐긴다. "갈 봄 여름"이 강하게 환기하듯 이 즐김에는 밝음과 어둠, 탄생과 소멸의 과정이 존재한다. 이런 점에서 즐김은 부조화의 조화, 무질서의 질서 혹은 그 역으로 해석할 수 있다. 시인이 봄, 여름, 가을이라고 하지 않고 "갈 봄 여름"이라고 한 것이라든가 가을을 "갈", 겨울을 언급하지 않은 것도 이와 무관하지 않다. 눈에 보이는 혹은 표면에 드러난 형식이 아니라 세계의 이면에 은폐되어 있는 말이 중요하다는 것을 잘 보여주고 있는 예라고 할 수 있다. "갈 봄 여름"은 시인이 세계의 이면에 은폐되어 있는 말의 형식을 발견한 것에 다름 아니다. "갈 봄 여름"이라는 말은 무엇보다도 그것이 시인의 몸의 호흡을 통한 리듬의 발견을 드러낸 것이라는 점에서 주목할 만하다. 시인의 이 리듬은 우주적 생명의 리듬이면서 동시에 그의 시의 생명의 리듬이다. 「山有花」의 고전적 품격과 대중적 친화력이 여기에서 비롯된 것이라고 할 수 있다.

우주가 시간과 공간으로 이루어진 세계라는 것을 모르는 사람은 없을 것이다. 하지만 그 시간과 공간을 어떻게 드러내야 그것이 하나의 시가 되는지에 대해서는 잘 알지 못한다. 이것은 우주의 은폐된 세계를 발견하지 못했기 때문이다. 우리는 우주가 관념이나 추상이 아닌 생생한 실재의 형식이라는 것을 이해할 필요가 있다. 이런 점에서 「山有花」는 더없이 좋은 텍스트이다. 우리 스스로 우주에 은폐된 세계를 드러내는 일은 쉽지 않지만 그것을 드러낸 것을 발견하는 일은 어렵지 않게 잘 해낸다. 비록 이성적으로 명증하지는 않더라도 우리는 본능적으로 그것을 감지하고 여기에 놀라움을 표하거나 공감을 표한다. 「山有花」도 이러한 과정을 통해 고전으로서의 품격과 대중적인 친화력을 유지할 수 있었던 것이다. 고전적인 품격과 대중성, 이 모순되어 보이는 두 세계를 화해시키는 일은 결코 쉽지 않다. 소월과 그의 시 특히 「山有花」가 남다른 데가 있다면 그것은 분명 여기에 있다고 할 수 있다. 우리가 발견하든 아니면 발견하지 못하든 "산"에 "꽃"은 피고 또 질 것이고, 그것을 좋아하는 "새"는 "갈 봄 여름 없이" 울 것이다. 그리고 시는 어디 다른 곳이 아닌 바로 그곳에 은폐되어 있을 것이다.

III 해체와 놀이

1. 언술의 파편화와 시의 현대성

1. 시의 서술화 경향과 미학의 가능성

서술시narrative poem가 시학의 한 장르로 규정되는 것에 대해 이의를 달 사람은 없을 것이다. 서술시의 연원이 우리의 고대시가는 물론 서사무가·판소리·서사민요 등의 구비시가로 거슬러 올라간다는 점을 감안한다면 이에 대한 관심의 미미함은 오히려 이상할 정도다. 이것은 '시는 서사가 아니라 서정이라는, 아니 서정이어야 한다'는 사고가 깊이 작용한 결과이다. 이러한 사고는 '시는 잡스러워서는 안 되고 언제나 사무사思無邪의 순수하고 개결한 서정의 세계를 담고 있어야 한다'는 동양의 미학적 전통이 무의식화된 결과라고 할 수 있다. 동양 시의 미학적 전통에서 보면 서술시적인 특성을 드러내는 고대시가나 서사무가·판소리·서사민요 등은 그 잡스러움으로 인해 선택이 아닌 배제의 대상이 될 수밖에 없는 것이다.

시에서의 서술시(서술 혹은 서사)에 대한 배제는 동양뿐만 아니라 서구에서도 별반 다른 것이 아니다. 장르적인 속성을 잘 해석해낸 이론가로 평가받고 있는 바흐찐의 경우를 보자. 바흐찐은 시와 소설의 장르적인 특성을 '언어의 대화성'에 기초해 비교적 명쾌하게 구분하고 있다. 그에 의하면 "시는 언어 고유의 대화성이 예술적으로 활용되는 일이 일어나지 않을 뿐만 아니라 시적 장르에서의 말은 자족적인 것이기 때문에 자신의 경계 너머에 다른 발언들이 있음을 전제할 필요를 느끼지 않는다."[1]는 것이다. 따라서 "시의 세계는 시인이 그 세계의 내부에서 아무리 많은 모순과 갈등을 전개시켜 보인다 해도 항상 단 하나의 절대적 담론의 조명을 받도록 되어 있"으며, "모순과 갈등과 회의는 대상 속에, 관념 속에, 그리고 체험 속에, 요컨대 소재 속에 머물러 있을 뿐, 언어 그 자체 안으로 들어가지 못해 시 속에서는 회의에 대한 담론조차 회의가 불가능한 담론으로 주조된다."[2]는 것이다.

시가 이러하다면 소설은 어떤가? 그에 의하면 "소설은 굴절에 의해서만 작가의 의도를 표현하는, 타인의 언어에 의한 타인의 발언"[3]에 의해 성립되는 장르라는 것이다. 소설에서의 이러한 발언은 "이중음성적 담론이라는 특수한 유형의 담론을 만들어내"며, "이것은 동시에 두 사람의 화자에 봉사하고 서로 다른 두 의도, 즉 이야기하는 인물의 직접적 의도와 작가의 굴절된 의표를 함께 표현해주는 담론"이라는 것이다. 소설의 담론 속에는 항상 "두 개의 음성, 두 개의 의미, 두 개의 표현이 있"기 때문에 시종일관 "두 음성은 대화적인 상호 관련성을 갖"을 수밖에 없다는 것이다. 이 이중음성적 담론은 소설이라는 장르가 단편소설·서정가곡·시·극적 장면 등 예술적인 장르는 물론 일상적·수사적·학문적·종교적 장르 등 비예술적 장르까지 모두 통합할 수 있는 그런 속성을 지니고

1 | 미하일 바흐찐, 전승희 외 옮김, 『장편소설과 민중언어』, 창작과비평사, 1988, p. 94.

2 | 미하일 바흐찐, 위의 책, p. 95.

3 | 미하일 바흐찐, 위의 책, p. 140.

있다는 것을 의미한다.

시와 소설에 대한 바흐찐의 해석을 통해 드러난 사실은 그가 지나치게 시 자체의 완결적이고 자율적인 구조를 강조하고 있다는 점이다. 여기에서의 해석대로라면 그는 시에 관한 한 철저하게 구조주의적인 시각에 머물러 있다. 시가 소설에 비해 좀 더 자기 독백적이고 완결성과 자율성을 가진 장르임에는 분명하지만 그것을 일체의 회의조차도 불가능한 담론의 집적체로 본 것은 지나친 감이 있다. 시의 언어가 완결성과 자율성(바흐찐식으로 표현하면 구심적인 언어)을 넘어 어떤 고정점도 없이 세계를 탈영토화하고 있는 후기구조주의적인 현 상황에서 보면 그의 해석은 후기구조주의와 포스트모던 사상의 큰길을 열어 보인 선구자라는 명성이 무색할 정도다. 흔히 대화주의자로 일컬어지는 그가 시와 소설의 장르를 비교하는 대목에서는 전혀 대화적이지 못하고 이분법적인 독단에 빠져 자기 독백의 단선 논리로 일관하고 있다는 사실은 하나의 아이러니이다.

바흐찐의 해석과는 달리 시와 소설의 언어 사이에는 그다지 큰 차이가 없다. 소설의 언어에 대해 그가 강조한 '언어의 대화성', 다시 말하면 언어의 발화가 가지는 원심적인 속성은 시에서도 드러난다. 시의 언어는 그가 정의한 것처럼 자기 독백적인 것(단일하고 구심적인 속성을 지닌 것)만은 아니다. 자기 독백이란 시에서의 발화를 자기 환원적인 것으로 간주한 데서 얻어진 결과물이지만 시에서의 발화는 어떠한 경우에도 완전하게 발화자에게로 환원되지 않는다. 시에서의 발화는 그것이 아무리 자기 독백적인 것이라고 하더라도 이 독백은 발화 주체만이 들을 수 있는 것이 아니라 언제나 엿듣는 또 다른 대상이 존재할 수밖에 없다. 가령 시 혹은 서술시에서의 발화의 경우, 그 발화의 주체는 실재 시인일 수도, 내포 시인일 수도, 또는 내적(외적) 서술자일 수도 있지만 그 발화는 고스란히 그들에게로 환원되는 것이 아니라 내적(외적) 피서술자, 내포 독자, 또는 실재 독자라는 또 다른 엿듣는 대상과의 대화를 통해 성립되는 것이다.

특히 최근 문학의 독서 행위에서 독자의 중요성을 부각시키고 있는 독자반응비평 혹은 수용미학을 상기해 보면 시의 발화가 자기 독백적이라는 해석이 얼마나 허약한 논리적인 토대 위에 서 있는지 잘 알 수 있을 것이다. "작품과 텍스트의 구분을 비롯, 독자에 의한 텍스트의 능동적인 구성 및 재구성, 독서 행위에서 미확정성의 자리Unbestimmtheitsstelle가 독자에 의해 채워진다는 사실을 넘어 텍스트의 구조가 독자에 의해 새롭게 생성 내지 구체화되고 여기에서 새로운 의미 생산이 이루어진다."[4]는 독자반응비평 이론에서 보면 시에서의 발화는 결코 발화자에게로만 환원될 수 없는 성질의 것임을 알 수 있다. 이 사실은 발화의 주체가 단일하거나 고정된 것이 아니라 복합적이고 유동적이라는 사실을 말해주는 것이다.

시에서의 발화에 대한 바흐찐의 해석은 많은 오류를 내포하고 있다. 이 오류는 그의 시에 대한 무지함에서 비롯된 것이라기보다는 소설에 대한 새로운 서사미학을 정립하려는, 다분히 전략적인 데서 기인한 것이라고 할 수 있다. 서사학은 구모룡이 한국 서술시의 시학을 이야기하면서 적절히 지적해낸 것처럼 "시학에 비해 이렇다 할 만한 전통과 체계화된 미학을 가지고 있지 못하기 때문에 이론의 정체성을 모색하기 위해 서사 범주에서 시를 배제하고, 둘 사이의 인위적인 대립을 지속해"[5]온 것이 사실이다. 선택과 배제의 논리를 통해 자기 증식을 해온 서사학은 바흐찐 이후 채트먼과 구조주의적 이론가들에 와서는 그 허약한 토대를 공고히

4 | 차봉희 편저, 『독자반응비평』, 고려원, 1993, pp. 55~63.

5 | 구모룡, 「현대시학과 서사의 문제」, 『한국서술시의 시학』, 현대시학회편, 태학사, 1998, p. 70.

하기 위해 행위로서의 이야기보다는 서술 구조에 집착하게 된다. 서술 구조에 대한 집착은 서술이 인간의 언어, 행위, 문화 전반에 걸쳐 나타난다는 사실을 은폐하게 되어 결과적으로는 소설에서의 서술성만을 특화하기에 이른다. 이것은 서술 혹은 서술 구조와 관련된 대부분의 논의가 소설에 국한되어 있는 현실을 통해서도 드러나는 바이다.

이런 점에서 서술시에 대한 논의는 그 의미가 크다고 하지 않을 수 없다. 서술이 소설 해석의 전유물이 아니라 시의 은폐된 의미를 들추어내는 하나의 인식론적인 틀이 된다는 것은 그동안 서정성의 틀 안에서 정의되어온 시에 대한 개념의 확장이라고 할 수 있다. 또한 이 사실은 시의 중요한 속성이면서 종종 서사성과 대립적인 것으로 이야기되어온 서정성에 대한 부정 의식을 드러내는 것이라기보다는 오히려 그것에 대한 긍정 의식을 드러내는 것으로 간주할 수 있을 것이다. 이러한 긍정 의식하에서 시의 서정성은 서술성의 측면에서 새롭게 발견될 수도 있고, 서정성과 서사성 사이의 긴장을 통한 새로운 미학을 성립시킬 수도 있는 것이다. 그러나 무엇보다도 중요한 것은 '지금, 여기'에서의 시가 기존의 서정성의 양식으로부터 벗어나 빠르게 서술화되는 경향이 있다는 점이다. 인간의 언어, 행위, 문화 전반이 점점 탈경계화, 탈범주화, 탈영토화되면서 기존의 서정성의 양식으로는 그러한 현상을 형상화하기가 불가능하게 되자 그 대안으로 대두된 것이 서술화되는 경향이라고 할 수 있다. 서술은 그것이 이야기라든가 담론의 양태로 존재하는 것은 무엇이든지 가리지 않고 이론화하고 실천적인 적용을 가능하게 하는 복합적(모순을 포함한)이고 통합적인 코드이다. 따라서 '지금, 여기'에서의 서술시의 경향을 탐색하는 일은 우리 시의 정체성 및 그것의 가능성과 불가능성을 짚어보는 중요한 작업이 될 것이다.

2. 발화 주체의 존재론적 회의와 파편적 내러티브

'지금, 여기'에서 엿보이는 서술시의 경향 중의 하나는 서술 자체가 파편화되고 있다는 점이다. 서술의 파편화는 이미 80년대 이성복이나 황지우의 시에 드러나 있다. 이성복의 「그날」이나 황지우의 「꽃말」을 보면 서술의 흐름 자체가 "인과성을 벗어나 우연성의 지배하에 놓이면서 기존의 전통적인 서술시가 보여주는 통일성, 질서, 조직, 압축"[6]을 철저하게 위반하고 있다. 이 위반이 겨냥하고 있는 것은 기존의 권위적이고 종속적인 존재 형식에 대한 해체이며, 시적 자아와 긴장을 유지하고 있는 세계에 대한 인식론적인 회의이다. 그리고 이러한 인식론적인 회의를 통해 이들은 시적 자아를 둘러싸고 있는 세계의 부조리함을 전경화한다.

부조리한 세계에 맞서 시적 자아가 할 수 있는 것은 부조리를 체계화하고 있는 언어의 구조화에 저항하는 일이다. 부조리한 언어를 다시 언어를 통해 해체하려는 이들의 전략은 정치성을 띨 수밖에 없다. 이 사실은 이들의 서술시가 비록 세계에 대한 위반과 해체를 지향하지만 시적 자아와 세계와의 대립이 포기된다거나 허무주의적인 '덧없음'의 의미로 표상되지 않는다는 것을 의미한다. 이들의 서술시에서는 여전히 세계는 싸움의 대상인 동시에 새롭게 구성되어야 할 그 무엇인 것이다. 이들이 이처럼 '나는 누구인가? 세계의 본질은 무엇인가? 이 세계 내에서 나는 어떻게 존재하며, 또 어떻게 살아내야 하는가?'를 문제 삼는다는 것은 이들이 인식론적인 회의를 통해 세계 구성의 의지를 포기하지 않고 있다는 것을 말해준다. 여기에 이들의 서술시가 가지는 80년대적인 의미가 있다.

그러나 90년대 신세대 시인들을 중심으로 대두된 서술시는 이들과는

6 | 김준오, 「서술시의 서사학」, 『한국서술시의 시학』, 태학사, 1998, p. 42.

다른 의미역을 거느리고 출몰한다. 90년대에 대두된 서술시에서는 이성복이나 황지우가 문제 삼았던 인식론적인 회의가 보이지 않는다. 90년대 서술시에서는 '나는 누구인가? 세계의 본질은 무엇인가? 하는 것보다 나 혹은 세계는 과연 존재하는가?' 하는 것을 더 문제 삼고 있다. 이것은 90년대의 서술시가 존재론적인 회의에 깊이 빠져있다는 것을 의미한다. 그렇다면 90년대에 대두된 서술시는 '왜, 나 혹은 세계에 대한 존재론적인 회의를 문제 삼고 있는 것일까?' 그 의문에 대한 답은 결코 간단하지 않다. 그것은 90년대 서술시에서 보이는 존재론적인 회의가 철학적이면서 동시에 정신분석학적이기 때문이다.

철학과 정신분석학의 넘나듦 혹은 철학과 정신분석학 사이의 이러한 경계 해체는 더 이상 의식의 차원에서 행해지는 자각(철학)만 가지고는 '나' 혹은 '세계'에 대한 존재성을 들추어낼 수 없다는 무의식에 대한 자각과 긴밀하게 연결되어 있는 것으로 볼 수 있다. 80년대에서 90년대로 넘어가면서 우리 시인들의 시적 자아는 현실 그 자체가 곧 재현이 되는 세계를 체험하게 된다. 이것은 현실이 재현의 대상이 되어온 종전의 시적 논리를 위반하는 것이다. 현실 그 자체가 곧 재현이 될 때, 다시 말하면 현실이라는 재현 대상이 상실될 때 시에서 남는 것은 시적 자아의 무의식적인 욕망이다. 시적 자아의 무의식적인 욕망은 발화의 결정력의 문제와 함께 형식상의 불안정(서술시의 파편적인 구조)의 문제를 제기한다.

먼저 서술시에서의 발화의 결정력의 문제는 발화 주체에 대한 정체성의 혼란을 통해 드러난다. 90년대 서술시에서의 발화 주체는 스스로를 의심하고 회의한다. 이 의심과 회의는 발화 주체의 단일성을 거부하는 것이라고 할 수 있다. 90년대 이전까지의 서술시에서도 종종 발화 주체의 단일성이 거부되기는 했지만 어디까지나 그것은 에고를 해체하지 않은 상태에서의 그것의 부정 아니면 '에고'를 중심에 둔 상태에서의 '이드'와 '슈퍼에고'의 통합이라는 아도르노와 프로이트식의 주체 개념의 범주하에서이다. 이것은 비록 단일한 주체에 대한 부정을 내장하고 있는 논리이긴 하지만 '에고 중심주의'와 '주체 중심주의'의 미망에서 벗어난 것이라고는 볼 수 없다. 그러나 90년대에 와서는 이러한 '에고 중심주의'와 '주체 중심주의'는 철저하게 해체되기에 이른다.

> 이승훈 씨는 바바리를 걸치고 흐린 봄날
> 서초동 진흥아파트에 사는 시인 이승훈 씨를
> 찾아간다 가방을 들고 현관에서 벨을 누른다
> 이승훈 씨가 문을 열어준다 그는 작업복을
> 입고 있다 아니 어쩐 일이요? 이승훈 씨가
> 놀라 묻는다 지나가던 길에 들렸지요 그래요?
> 전화라도 하시지 않고 아무튼 들어오시오
> 이승훈 씨는 거실을 지나 그의 방으로 이승훈 씨를
> 안내한다 이승훈 씨는 그의 방에서 시를 쓰던
> 중이었다 이승훈가 말한다 당신이 쓰던 시나
> 봅시다 이승훈 씨는 원고지 뒷장에 샤프펜슬로
> 흐리게 갈겨 쓴 시를 보여준다.
>
> – 이승훈, 「이승훈 씨를 찾아간 이승훈 씨」, 부분[7]

이 텍스트는 우리가 일반적으로 인식하고 있는 서술시의 소통 구조와는 다른 양상을 보여준다. 적어도 일반적인 서술시의 소통 구조하에서라면 '실재 시인 → 내포 시인 → 외적(내적) 서술자 → 이야기 → 외적(내적) 피서술자 → 내포 독자 → 실재 독자'의 구도가 성립되어야 한다. 하지만 이 텍스트에서는 실재 시인, 내포 시인, 외적(내적) 서술자, 이야기 사이의

7 | 이승훈, 『밝은 방』, 고려원, 1995, p. 36.

관계가 애매모호하다. 실재 시인과 내포 시인의 구분이 불가능할 뿐만 아니라 서술자가 이야기의 안에 있는지 밖에 있는지의 구분도 또한 불가능하다. 아울러 이 텍스트의 서술자가 이야기하고 있는 대상이 내적 피서술자가 되는지 아니면 외적 피서술자가 되는지도 명확하게 밝혀지지 않고 있다. 이것은 순전히 "이승훈" 때문이다. 이 텍스트에서는 '실재하는 시인 이승훈'과 '텍스트 내의 이승훈' 사이의 경계가 해체되어 있고, '텍스트 내의 이승훈'은 다시 "서초동 진흥아파트에 사는 이승훈"과 "흐린 봄날 그를 찾아간 이승훈"으로 분열되어 있다.

"이승훈"이 이렇게 분열된 양태를 보인다는 것은 곧 시쓰기의 주체 혹은 발화 주체가 분열되어 있다는 것을 의미한다. 발화 주체의 분열은 이 텍스트에서처럼 서술시 자체의 성립 가능성을 불가능하게 한다기보다는 서술시의 소통 구조 자체를 안정된 체계가 아닌 불안정하고 불확실한 체계로 만들어 그 소통이 어렵다는 사실을 강조하고 있는 것으로 볼 수 있다. 발화 주체가 분열되고 이것이 극단화되면 그 주체는 소멸될 수밖에 없다. 발화 주체의 소멸은 그것이 '없다'는 것을 의미하는 것이 아니라 '너무 많다'는 것을 의미한다. 이 텍스트만 놓고 보아도 발화 주체는 '실재 글을 쓰는 시인 이승훈', '그가 글을 쓸 때 태어나는 텍스트 안의 이승훈', 즉 "서초동 진흥아파트에 사는 이승훈"과 "바바리를 걸치고 흐린 봄날 진흥아파트에 사는 이승훈을 찾아가는 이승훈" 등으로 끊임없이 변주되어 드러난다.

발화 주체의 분열 혹은 소멸이 '없음'이 아니라 '너무 많다'는 것을 의미한다는 사실은 이 서술시의 텍스트에서 행해지고 있는 소통이 끝없는 지연의 과정을 통해 성립된다는 것을 의미한다. 이런 점에서 이 텍스트는 단일하고 총체적인 범주 내에서 규정된 발화 주체에 의해 참조 가능한 세계를 탐색해온 리얼리즘적인 서술시의 소통 구조를 파괴하는 반리얼리즘적인 경향을 보이는 텍스트라고 할 수 있다. 발화 주체와 관련하여 그것이 리얼리즘적인 소통 구조를 가지든 아니면 반리얼리즘적인 소통 구조를 가지든 여기에서 중요한 것은 발화 주체가 처해 있는 상황성에 대한 인식이라고 할 수 있다. 발화 주체의 양태는 그가 처해 있는 상황성에 의해 결정될 수밖에 없다. 이승훈의 시 텍스트에 드러난 발화 주체의 분열 혹은 소멸은 불확실성이 지배하는 세계라는 상황성 하에서 성립된 개념이다. 불확실성이 지배하는 세계에서는 발화 주체가 끊임없이 대상을 변화시키기 때문에 객관세계를 묘사한다는 것이 불가능할 뿐만 아니라 인간이 선험적으로 가지고 있다고 말해지는 사유 능력 자체가 여기에서는 부정된다.

이승훈의 시 텍스트가 보여주는 발화 주체의 분열 혹은 소멸은 이런 점에서 세계를 구성한다거나 구조화를 지향하지 않는다. 발화 주체의 분열 혹은 소멸을 드러내는 텍스트에는 세계 구성에 대한 '덧없음'과 탈구조화된 흐름만이 있을 뿐이다. 그러나 흐름은 흐름이지만 이 흐름의 방향을 읽을 수 있는 코드를 찾을 수는 없다. '흐름들의 탈코드화'라는 흐름만이 텍스트를 관통하고 있는 것이다. '흐름들의 탈코드화'를 드러내는 서술시 텍스트에서는 서술의 소통 구조가 파편적인 양태를 띨 수밖에 없다. 이승훈의 「이승훈 씨를 찾아간 이승훈 씨」는 '흐름들의 탈코드화'라는 서술의 파편화 혹은 파편적인 서술 구조의 발생 원인을 발화 주체의 분열 및 소멸을 통해 잘 보여준 텍스트라고 할 수 있다.

이승훈이 보여준 파편적인 서술 구조는 신세대 시인들에 오면 한층 더 과격하고 구체적인 양태를 드러낸다. 박상순, 송찬호, 김언희 등을 거쳐 성미정, 김소연, 함기석, 서정학 등 이른바 60년대 후반과 70년대 초반에 태어나 우리의 사회·문화 전반에 걸쳐 하나의 지배적인 힘의 양태가 되어버린 '탈코드화의 흐름들'을 온몸으로 체험한 신세대 시인들에 오면 파편적인 서술 구조는 그 자체가 인식론적인 지적 유희를 넘어 구체적인 삶의 한 형식을 환기하기에 이른다.

3. 내러티브의 파편화, 파편화된 세계의 욕망

신세대 시인들이 보여주고 있는 파편적인 서술 혹은 서술의 파편화 경향은 모두 욕망에서 기인한다. 욕망 중에서도 이들이 보여주고 있는 욕망은 앙띠 오이디푸스적인 것에 가깝다. 이 점에서 이들의 욕망은 가족의 구도하에서 성립되는, 그래서 그것이 하나의 구조화에 초기 모델을 제공하는 오이디푸스적인 세계와는 다르다. 오이디푸스의 세계에서는 '아버지'가 존재한다. '아버지'의 살해 욕망을 직접적으로 드러내지 않고 '응축'과 '전치'라는 형식으로 변형해서 드러냄으로써 '어머니'와 '나'라는 '2자적인 세계'에서 벗어나 '어머니', '나', '아버지'라는 '3자적인 세계'가 성립되는 것이다. 이 안정된 기반 위에서 상징적인 체계(문명)는 비로소 체계로서 그 존재성을 부여받게 되는 것이다.

그러나 신세대 시인들의 서술시에서는 '아버지'가 부재한다. 아니 좀 더 정확히 말하면 애초부터 '아버지'라는 존재 자체가 없었다. 김언희가 「아버지, 아버지」라는 시에서 "모든 애비는 의붓애비"라고 한 것처럼 '아버지'는 필연이 아닌 우연에 의해, 가상적으로 만들어진 존재에 지나지 않는다. "모든 애비는 의붓애비"이기 때문에 여기에서는 에고의 정체성이나 사유하는 의식이라는 개념이 그 의미를 가질 수 없다. 애초부터 '아버지'가 배제된 상태에서의 욕망이기 때문에 그 욕망은 욕망으로만 존재할 뿐이다. 욕망은 있되 그 욕망이 어떤 내용을 가지는 것이 아닌 욕망의 세계, 그것을 잘 보여주고 있는 시가 바로 김언희의 「아침마다 그것은」이다. 「아침마다 그것은」은 파편화된 서술 혹은 서술의 파편화를 지향하는 신세대 시인들의 시 중에서 '우산'과 같은 시이다.

1

아침마다 그것은 냄새나는 구두 속에서 태어난다
아침마다 그것은 뱃속을 구긴 신문지로 채운다
아침마다 그것은 그것이 어제 죽인 것을 복도에서 만난다
아침마다 그것들은 서로의 면상에 침을 뱉어 아침 인사를 나눈다

2

날이면 날마다 오는 것이 아닌 것이 날이면 날마다 온다

날이면 날마다 그것 같은 것이 생긴다
그것 같은 것이 그것에게 말한다

너, 집에 가!

3

빌린 칼로 그것이 그것의 목구멍에서 까마귀를 파낸다
빌린 칼로 그것이 그것의 밑구멍에서 까마귀를 파낸다 애인 없는 그것의 더러운 고독 그것이 그것을 흉기처럼 뚫고 나온다 그것은

달래어지지 않는다

4

더러운 해안의 쓰레기들과 함께 떠밀려 다니면서 그것이
있지도 않은 계단을 굴러떨어지면서 그것이,
분필처럼 분질러지면서 그것이,

5

눈 위에 찍힌 토끼 발자국
눈 위에 찍힌 거짓말의 발자국

어디로 가야 할지 모르는 사거리에 그것은 서 있다
새들이 함부로 똥을 싸지르고 가는 표지판처럼
비스듬히 기울어진 채 ……

* 〈너, 집에 가!〉, 박상순, 「빵공장으로 통하는 철도로부터 6년 뒤」에서.

- 김언희, 「아침마다 그것은」, 전문[8]

이 시의 서술은 병렬과 치환, 순열의 기법으로 전개된다. 이러한 기법이 암시하는 것은 인과성과 계기성이 탈락된 상태에서 끊임없이 미끄러져 내리는 욕망의 흐름이다. 욕망이 무차별적으로 탈영토화한다는 점에서 이 욕망은 기계와 다르지 않다. 욕망이 기계라면 그 욕망은 기계처럼 의식이 있을 수 없고, 끊임없이 멈추지 않고 작동할 수밖에 없다. '욕망하는 기계', '기계의 욕망'이 「아침마다 그것은」이 보여주고 있는 세계라면 이 '욕망하는 기계' 혹은 '기계의 욕망'은 바로 이 시에서 말하는 "그것"이

8 | 김언희, 『말라죽은 앵두나무 아래 잠자는 저 여자』, 민음사, 2000, pp. 57~59.

된다. 이 시에서 끊임없이 병렬, 치환, 순열의 기법을 통해 언표화되고 있는 "그것"은 '욕망하는 기계'를 시의 형식을 빌려 표현한 것에 불과하다. '욕망하는 기계'가 바로 "그것"이며, "그것"은 곧 '욕망하는 기계'인 것이다. "그것"을 통해 '욕망하는 기계'의 세계를 적나라하게 들추어내고 있기 때문에 「아침마다 그것은」이 다른 신세대 시인들의 시 세계를 상징적으로 수렴하고 있는 '우산'과 같은 시가 될 수 있었던 것이다.

그러나 "그것"은 이 시가 아니더라도 "그것"에 대한 정신분석학적인 해석만으로도 '욕망하는 기계'의 의미를 도출해낼 수 있다. 정신분석학에서 "그것"은 '이드'로 해석된다. 『앙띠 오이디푸스』에서 들뢰즈와 가따리는 이 "그것"을 기계로 파악된 사물로 간주하고 있다. 『앙띠 오이디푸스』 첫 페이지에 나와 있는 "그것"에 대한 이들의 해석을 옮기면 다음과 같다. "〈그것〉은 어디서나 작동하고 있다. 때로는 멈춤 없이, 때로는 중단되면서 〈그것〉은 숨쉬고, 〈그것〉은 뜨거워지고, 〈그것〉은 먹는다. 〈그것〉은 똥을 누고 성교를 한다. 그것이라고 불러버린 것은 얼마나 큰 잘못인가? 어디서나 그것들은 기계들인데, 결코 은유적으로가 아니다. 연결되고 연접해 있는 기계들의 기계들이다. 한 기관기계器官機械는 한 원천기계源泉機械에 연결되어 있다. 하나는 흐름을 내보내고 다른 하나는 그 흐름을 끊는다. 유방은 젖을 생산하는 기계요, 입은 유방에 연결되어 있는 기계다."[9] "그것"이 정신분석학적으로 이런 의미를 담고 있다면 "그것"이라는 개념을 가지고 '욕망하는 기계'의 세계를 노래하고 있다는 것은 어쩌면 시인이 시를 쓰기 전에 이미 "그것"이 가지는 의미를 알고 있었는지도 모른다.

김언희의 「아침마다 그것은」이 보여주고 있는 인간과 기계의 경계가

9 | 질 들뢰즈·펠릭스 가타리, 최명관 옮김, 『앙띠 오이디푸스』, 민음사, 1994, p. 15.

해체된 '욕망하는 기계'의 세계, 여기에서 기인하는 파편화된 서술의 세계는 박상순, 송찬호, 성미정, 김소연, 함기석, 서정학 등에서도 그대로 드러난다. 다만 무의식 혹은 욕망에 대한 체험 정도와 그것을 언어와 관련시키는 과정에서의 표현 방식과 언어 운용의 묘에 의해 이들의 파편화된 서술 사이에 다소간의 차이가 있다. 앞서 언급한 김언희의 경우는 이들 신세대 시인들 중에서 언어가 가장 탄력적이다. 이것은 그녀가 '적절한 몸'에 의해 철저하게 배제되고 억압받아온 '천박한 몸Abjection'이라는 개념을 앞세워 '상징계'를 전복하려고 하기 때문이다. '상징계'에 저항하고 그것을 해체하려는 전략은 '천박한 몸'을 통해 행해지기 때문에 그 저항의 양태 또한 천박하고 더러우며, 엽기적일 수밖에 없다. 이 천박하고 더러우며, 엽기적인 저항의 양태가 신체 이미지와 성 이미지를 동반한다면 '상징계'를 뚫고 올라오는 그 전복의 힘(무의식 혹은 욕망의 언어)이 고도의 탄력성을 내장하고 있을 것이라고 상상하는 일은 어렵지 않을 것이다.

박상순과 송찬호의 경우에는 김언희의 파편화된 서술시에서 엿볼 수 있는 정도의 언어의 관능성이라든가 탄력성 같은 것을 발견할 수는 없다. 따라서 이들의 시가 다소 건조하고 관념적인 서술의 형태로 드러나는 것이 사실이다. 하지만 이들의 시를 관통하고 있는 서술 역시 김언희의 경우처럼 '흐름들의 탈코드화'를 지향한다. 이것은 이들의 시가 겨냥하고 있는 것이 인과성과 계기성의 파괴·병렬·치환·순열의 기법 활용을 통한 '상징계'에 대한 부정과 해체라는 사실을 의미한다.

> 첫번째 기차가 아버지의 머리를 깨고 지나갔다
> 두번째 기차가 어머니의 배를 가르고 지나갔다
> 세번째 기차가 내 눈동자 속에서 덜컹거렸고
> 할머니의 피묻은 손가락들이 내 반바지 위에

둑둑 떨어지고 있었다

– 박상순, 「빵공장으로 통하는 철도」, 부분[10]

나는 새장을 하나 샀다
그것은 가죽으로 만든 것이다
날뛰는 내 발을 집어넣기 위해 만든 작은 감옥이었던 것

처음 그것은 발에 너무 컸다
한동안 덜그럭거리는 감옥을 끌고 다녀야 했으니
감옥은 작아져야 한다
새가 날 때 구두를 감추듯

(중략)

나는 오늘 새 구두를 샀다
그것은 구름 위에 올려져 있다
내 구두는 아직 물에 젖지 않은 한 척의 배,

한때는 속박이었고 또 한때는 제멋대로였던 삶의 한켠에서
나는 가끔씩 늙고 고집센 내 발을 위로하는 것이다
오래 쓰다 버린 낡은 목욕통 같은 구두를 벗고
새의 육체 속에 발을 집어넣어보는 것이다

– 송찬호, 「구두」, 부분[11]

10 | 박상순, 『6은 나무 7은 돌고래』, 민음사, 2009, p. 15.
11 | 송찬호, 『10년 동안의 빈 의자』, 문학과지성사, 1995, pp. 22~23.

박상순의 「빵공장으로 통하는 철도」와 송찬호의 「구두」에 드러난 '흐름들의 탈코드화' 전략은 다소 차이가 있다. 박상순이 내세우고 있는 전략은 하나의 시니피앙에 여러 개의 시니피에를 결합시키는 것이다. "기차"라는 하나의 시니피앙에 "아버지의 머리를 깨고 지나간 것", "어머니의 배를 가르고 지나간 것", "내 눈동자 속에서 덜컹거린 것", "할머니의 피묻은 손가락" 등이 환유적으로 결합됨으로써 언어의 혼란, 다시 말하면 '흐름들의 탈코드화'가 이루어져 서술의 소통 구조가 해체되기에 이른다. 박상순의 시가 환유적인 전략을 내세웠다면 송찬호는 은유에 의한 동일시의 전략을 구사하고 있다. 이 시를 보면 "새장-가죽-감옥-구두-한 척의 배" 등 일상에서는 서로 대립되고 인접성의 원리에 의해 환유적으로 결합되어 있는 낱말들이 여기에서는 철저하게 유사성의 원리에 입각해 은유적으로 결합되어 있다. 낱말들 사이의 은유적인 동일시가 가능한 세계는 '아버지의 법'에 의해 언어적인 질서가 체계화된 '상징계'가 아니라 '어머니'와 '나'의 동일시의 욕망만이 존재하는 '상상계'이다. 따라서 송찬호의 「구두」는 '상상계적인 것'의 '상징계로의 투사' 혹은 '상상계적인 것에 의한 상징계의 전복'을 실현하고 있는 텍스트라고 할 수 있다.

박상순과 송찬호가 보여준 '흐름들의 탈코드화' 전략을 통한 서술의 소통 구조의 해체는 김소연과 성미정의 시에서도 드러난다. 박상순과 송찬호의 서술이 다소 건조하고 관념적인 데에 비해 이들의 서술은 섬세하고 구체적인 감성을 동반하고 있기 때문에 파편화된 서술이 가질 수 있는 아름다움의 한 경지를 보여주고 있다.

> 나는 벼룩을 사랑하였고 벼룩을 사랑하는 지네의 지저분한 다리들을 사랑하였다 나는 푸른곰팡이가 피어난 밥을 맛있게 먹어댔고 쓰레

기통에 버려진, 깨진 달걀과 놀아났다 나는 남들이 피우다 버린 꽁초를 주워 사랑을 속삭였고 징그러운 비단뱀이 버리고 간 허물을 껴안고 환하게 웃었다 나는 말라죽은 화분의 누런 잎과 간통하였고, 나는 텅 비어 있는 액자를 모셔놓고, 오! 나의 사랑이여, 헤프게 헤프게 고백을 하였다

- 김소연, 「극에 달하다」, 부분[12]

꽃씨를 사러 종묘상에 갔다 종묘상의 오래된 주인은 꽃씨를 주며 속삭였다 이건 매우 아름답고 향기로운 꽃입니다 꽃씨를 심기 위해서는 육체 속에 햇빛이 잘 드는 창문을 내는 일이 가장 중요합니다 너의 육체에 창문을 내기 위해 너의 육체를 살펴보았다 육체의 손상이 적으면서 창문을 내기 쉬운 곳은 찾기 힘들었다 창문을 내기위해서는 약간의 손상이 필요했기 때문이다 나는 밤이 새도록 너의 온몸을 샅샅이 헤맸다 그 다음날에는 너의 모든 구멍을 살펴보았다 창문이 되기에는 너무 그늘진 구멍을 읽고 난 후 나는 꽃씨 심는 것을 보류하기로 했다 그리곤 종묘상의 오래된 주인에게 찾아가 이 매우 아름답고도 향기로운 꽃을 피울 만한 창문을 내지 못했음을 고백했다 새로운 꽃씨를 부탁했다 종묘상의 오래된 주인은 상점 안의 모든 씨앗을 둘러본 후 내게 줄 것은 이제 없다고 했다 그 밤 나는 아무것도 줄 수 없으므로 행복한 나를 너의 육체 모든 구멍 속에 심었다 얼마 후 나는 너를 데리고 종묘상의 오래된 주인을 찾아갔다 종묘상의 오래된 주인은 내가 키운 육체의 깊고 어두운 창문에 대해서 몹시 감탄하는 눈치였다 창문과 종묘상의 모든 씨앗을 교환하자고 했다 나는 창문과 종묘상의 오래된 주인을 교환하기를 원했다 거래가 이루어진 뒤 종묘상의 오래

12 | 김소연, 『극에 달하다』, 문학과지성사, 1996, p. 15.

된 주인은 내 육체 속에 심어졌다 도망칠 수 없는 어린 씨앗이 되었다

– 성미정, 「심는다」, 전문[13]

김소연의 「극에 달하다」는 하나의 시니피앙에 여러 개의 시니피에를 결합시킨 박상순과는 달리 하나의 시니피에에 여러 개의 시니피앙을 결합시켜 '흐름들의 탈코드화'를 실현하고 있다. "사랑"이라는 시니피에를 "벼룩", "지네", "곰팡이 난 밥", "깨진 달걀", "버려진 꽁초", "뱀의 허물", "누런 잎", "텅 빈 액자" 등 여러 개의 시니피앙과 결합함으로써 상징계적인 가치인 "사랑"을 해체하고 있다. 특히 "사랑"이라는 시니피에와 결합하는 시니피앙들이 모두 비천한 존재들이라는 점에서 해체는 더욱 강렬하게 드러난다. 상징계에서 고귀하고 고상하며 숭고한 그 무엇인 "사랑"을 한순간에 가장 비천하고 속된 것으로 뒤집어버리는 시인의 전략은 미적인 충격을 주기에 충분하다.

이러한 미적 충격은 성미정의 「심는다」에서도 잘 드러난다. 이 시의 아름다움은 이승훈 교수가 잘 포착해 낸 것처럼 그것은 바로 '미로 같은 세계에 대한 시인의 탐색'[14]에 있다. 시인이 보여주고 있는 '탈코드화된 흐름'의 견지에서 보면 세계는 미로 같은 그 무엇일 수밖에 없다. 이 미로 같은 세계를 시인은 "종묘상 주인"과 "나" 사이에 "꽃씨"를 두고 벌어지는 일련의 동화 같은 사건을 통해 보여주고 있다. 이 동화 속에서는 상징적인 질서의 세계에서 통용되는 모든 것들이 무화되거나 해체된다. 그 단적인 예가 "종묘상의 오래된 주인이 내 육체 속에 심어지"고, 그 "주인"이 다시 "어린 씨앗"이 되는 사건이다. "종묘상의 주인"은 "너의 육체" 속에 "꽃씨를 심는" 것을 방해하는 감시자(아버지의 법)이다. 이

13 | 성미정, 『대머리와의 사랑』, 세계사, 1997, pp. 17~18.

14 | 이승훈, 『한국현대시의 이해』, 집문당, 1999, p. 83.

감시자가 "내 육체 속에 심어졌다"는 것은 '상징계적'인 세계가 해체되었다는 것을 말해준다. 상징계의 감시자가 사라진 세계, "나"를 감시하던 상징계적인 존재가 "나"에 의해 전복되고 해체되어 오히려 "내 육체 속"에서 "어린 씨앗이 되"는 그런 역설의 세계는 동화 속에서나 가능한 아름다운 세계(동화가 아름다운 것은 그것이 상징계적인 '응시'로부터 자유롭기 때문이다)라고 할 수 있다.

성미정의 파편화된 서술이 아름다운 동화의 세계를 환기한다면 함기석의 경우는 그것이 환상의 세계를 환기한다. 환상 중에서도 그의 환상이 환기하는 것은 우울하고 끔찍한 세계이다.

> 우울한 날 거울도 보아요 그럼 나는 보이지 않고 백색의 피로 뒤덮인 놀이터만 보여요 담장 가득 죽은 뱀과 인간의 창자가 널려있는 정오의 놀이터가 보여요 하늘 한복판에서 태양은 피를 토하며 비명하고 흰구름 하나 외눈박이 소년과 시소를 타요 구름은 자꾸만 장송곡을 부르고 소년은 무서워 하며 울어요 그럼 나는 얼른 거울 속으로 뛰어들어가요 소년을 안고 장난감 가게로 달려가요 아름다운 눈알을 선물해요 숨쉬는 상자를 선물해요 사과를 넣고 주문을 외면 염소가 걸어나오는 착한 상자를 선물해요 벽돌을 집어넣으면 비행기가 날아오르는 한 줌의 모래를 집어넣으면 수천 마리 잠자리떼가 날아오르는
>
> - 함기석, 「우울이 환상을 낳아요」, 부분[15]

이러한 우울하고 끔찍한 환상을 가능하게 한 것은 '거울 밖의 나'와 '거울 속의 소년' 사이의 분열이다. '거울 속의 소년'은 '거울 밖의 나'의 이미지에 다름 아니다. 만일 '거울 속의 소년', 다시 말하면 '거울 속의

15 | 함기석, 『국어선생은 달팽이』, 세계사, 1998, pp. 54~55.

나'는 '거울 밖의 나'의 이미지에 불과하다고 인식해버리면 '거울 밖의 나'가 "거울 속으로 뛰어들어가"지도 않았을 것이고, "사과를 넣고 주문을 외면 염소가 걸어 나오는 착한 상자", "벽돌"과 "모래를 집어넣으면" "날아오르는" "비행기"와 "잠자리떼"같은 환상도 불가능했을 것이다. '거울 밖의 나'가 '거울 속의 나'와 만난다는 것은 일종의 '상상계적인 동일시'이다. 이 동일시를 통해 시인은 상징계에서는 도저히 성립될 수 없는 환상을 만들어내고 있는 것이다. 시인의 이 상상계적인 동일시가 강하면 강할수록 이 시 텍스트는 서술 자체가 더욱 파편화되고 환상도 그만큼 놀이의 속성을 강하게 지니게 될 것이다.

함기석이 "거울"이라는 질료를 통해 파편화된 서술의 양태를 드러낸다면 서정학은 의도적인 지연과 단절의 어법을 통해 그것을 드러내고 있다.

> (중략) 웬일일까 넌 달려가고 날 가로질러 달려가고 웬일일까 바라보니 자판기 하나 서 있는데 이 뜨거운 사막 따뜻한 커피를 팔길래 웬일일까 별일도 다 있구나 한탄하고 있는데 뜨거운 태양 바라보며 신세가 기구하기도 하지 울고 있는데 너는 웬일일까 주머니를 뒤져도 동전은 하나도 없고 웬일일까 지폐만 그득그득 하길래 웬일일까 너 어디서 났냐고 물어보니 웬일일까 사막에 모래 한 톨 없이 지폐로만 좌악 깔려 있는데 웬일일까 난 보지 못하고 웬일일까 넌 동전이 없어서 기절하고 이제 해가지고초생달이뜨고 나는 너를 업고 걷기 시작한다
>
> - 서정학, 「오아시스」, 부분[16]

의도적인 지연과 단절의 어법으로 인해 서술 행위의 주체는 물론 서술 내용의 주체 역시 모호하다. 서술의 소통 구조가 철저하게 파괴되고

16 | 서정학, 『모험의 왕과 코코넛의 귀족들』, 문학과지성사, 1998, p. 15.

해체됨으로써 남는 것은 그야말로 "오아시스" 같은 막막함이다. 탈코드화된 상태로 끊임없이 반복되고 있는 "웬일일까"가 환기하는 것은 세계에 대한 판단 정지와 불투명함이다. 따라서 "웬일일까"의 반복적인 형식으로 드러나는 이 시 텍스트의 서술 구조의 파괴와 해체는 곧 소통이 불가능한 세계에 대한 시인의 미적 반응이라고 할 수 있다. 이 사실은 그의 시 텍스트가 단순히 유희를 위한 유희가 아니라 세계에 대한 고통스런 체험의 결과로 얻어진 그 나름의 진정성을 획득하고 있는 텍스트라는 것을 말해준다.

4. 파편적 언술 구조와 우리 시의 현대성

시의 구조가 사회의 구조를 미적으로 반영한다는 사실을 염두에 둔다면 우리 시가 점점 서술화되고 파편화되리라는 예상을 하는 것은 어렵지 않다. 70년대나 80년대만 하더라도 파편화된 서술의 양태가 주로 몇몇 시인들을 중심으로 전개되어온 것이 사실이지만 90년대 이후에는 그것이 집단적인 양태로 드러나고 있다. 문화, 특히 멀티미디어를 기반으로 한 대중문화가 우리 삶의 새로운 '심급' 단위가 된 현실을 고려한다면 90년대 이후 우리 시가 드러내고 있는 변화의 징후들은 필연적인 것으로 볼 수 있다. 우리 시사에서 볼 때 종종 전위적이고 실험적인 징후가 연속성을 띠지 못하고 단발적이고 일시적인 유행으로 그친 경우가 많다. 그러나 90년대 이후 신세대 시인들이 보여주고 있는 이러한 징후들은 현재는 물론 미래의 우리 시의 존재 형식에 현재태 혹은 잠재태로 작용하게 될 것이다.

미래의 우리 시가 파편화된 서술 구조의 양태로 드러나리라는 전망은 분열을 숙명처럼 잉태하고 있는 현대성의 견지에서 보면 우리 시의 현대성 자체가 미완의 기획으로 남아 있다는 것을 의미한다. 어쩌면 이것은 영원히 미완의 기획으로 남을 수밖에 없을 것이다. 분열된 것을 통합한다는 것은 '지금, 여기'에서의 상황을 고려해 볼 때 거의 불가능하다. 분열의 통합(이성적인 계몽의 기획을 통한 통합)이 아니라 분열을 분열로 수용하는 것이 필요하리라고 본다. 분열을 분열로 인정하고 수용하는 것 그것이 진정한 의미에서의 해체 아닌가? 이런 점에서 우리 시가 점점 서술화되고 그 구조 자체가 파편화되고 있는 사실을 인정하려고 하지 않는다거나 그것을 무조건적으로 부정하고 비판하는 것은 우리 시의 생산적인 논의에 도움이 되지 않는다. 비록 신세대 시인들이 보여주고 있는 파편적인 서술 자체가 긍정적인 면 못지않게 부정적인 면(반성적인 형식의 부재, 인위적이고 조작된 기계론적인 반미학, 파토스적인 감성의 결핍)을 가지고 있는 것은 사실이지만 그것을 어떤 가치도 없는 무용한 것으로 몰아가는 것은 크게 잘못된 일이다. 우리 시의 현대성은 '지금, 여기'에서 신세대 시인들이 보여주고 있는 '흐름들의 탈코드화' 전략에 대한 성찰과 그것의 구체적인 양태인 시 텍스트의 파편화된 서술 구조 속에서 찾아야 할 것이다.

2. 선禪의 원리와 리좀적 상상력[17]

1. 선과 시

고려 중엽 지눌의 선사상의 대두로 선과 시의 문제는 선시의 형태로 그 모습을 드러내기에 이른다. 지눌의 법맥을 잇는 혜심에 의해 한국 선시는 이전의 불교시와 차별화되는 하나의 형식을 얻게 된다. 이 말은 선의 심오함이 비로소 하나의 형식을 얻게 되었다는 것을 의미한다. 선의 심오함은 '불립문자不立文字'나 '염화미소拈華微笑'로 이야기되어 왔지만 그것은 어디까지나 진리에 도달하기 위한 몸을 통한 깨달음을 강조하기 위해서라고 할 수 있다. 선은 문자로 드러날 때 그 심오함이 훼손될 수 있다. 따라서 선의 심오함을 드러낼 어떤 형식이 필요하고, 그것이 바로 시 혹은 시의 언어인 것이다. 이런 점에서 선과 시는 하나도 아니고 또 둘도 아닌 것不一而不二이다.

17 | 이 글은 『한국 현대시의 미와 숭고』(소명출판, 2012)에 실린 「한국 현대시와 선」을 수정 보완한 것이다.

선과 시의 이러한 관계는 우선 선시의 목적이 시의 형식을 원용한 선적인 깨달음에서 기인하지만 보다 자세히 들여다보면 그것은 선과 시가 가지는 오묘한 형식과 그 세계에서 기인한다고 할 수 있다. 선과 시의 오묘함에 대한 논의는 대부분 선시의 특성을 해명하는 과정을 통해 드러난다. 이 사실은 선과 시 각각의 양식에 대한 비교와 차이를 정치하게 분석하고, 이를 바탕으로 선시의 특성을 해명하는 과정을 밟아간다기보다는 이미 통합된 선시라는 양식을 대상으로 하기 때문에 그 오묘함에 대한 보다 구체적인 해명이 제대로 이루어지고 있지 않다는 것을 의미한다. 선시의 특성에 대한 논의는 주로 선 일반에 대한 이해의 차원에서 이루어짐에 따라 시 혹은 시어에 대한 이해는 부차적으로 간주되어 상식적인 수준을 넘어서지 못하고 있다.

선과 시의 차이와 관련하여 가장 널리 이야기되고 있는 것은 선은 '지성' 혹은 '통각의 세계'이고 시는 '감성의 세계'[18]라는 사실이다. 선의 궁극적인 목적이 깨달음에 있고 시는 아름다움에 있다는 점을 고려한다면 이러한 구분은 지극히 상식적이고 보편타당한 규정이라고 할 수 있다. 선과 시에 대한 이러한 규정과 동일한 맥락이긴 하지만 그것을 좀 더 세분화한 것이 바로 '깨달음의 언어', '직관直觀의 언어', '삼매三昧의 언어', '평상심平常心의 언어', '활구活句와 사구死句'[19]와 같은 규정이다. 선시의 언어적 특성이 각각의 단어 속에 잘 드러나 있다. 선의 궁극이 깨달음에 있고, 이 경지에 도달하기 위해 직관과 삼매 그리고 평상심이 하나의 방법적인 차원에서 필요한 것이다. 활구란 언어를 통한 깨달음(참선)의 현현이라고 할 수 있다. 선시가 이러한 과정을 통해 구현되는 세계라는

18 | 김준열, 『禪의 要諦』, 법보원, 1964, pp. 14~15, 자명, 「禪文學의 世界」, 『韓國佛教學』17권, 1992, p. 376.

19 | 자명, 위의 글, pp. 378~379.

것은 그것이 시 일반과는 차별화되는 지점이 존재한다는 것을 의미한다.

그러나 이러한 규정으로는 그 차별화되는 지점이 무엇인지 제대로 알 수 없다. 여기에는 '무엇을'에 대한 것은 존재하지만 '어떻게'에 대한 것이 존재하지 않는다. 만일 '직관' 혹은 '삼매'의 언어가 선시의 언어가 되어야 한다면 어떻게 그것이 언어의 운용 과정을 통해 드러나는지에 대한 이야기가 있어야 한다. 단순히 언어의 특성에 대한 논의에서 한 걸음 더 나아간 것이 바로 그 언어가 가지는 내적 논리에 관한 논의이다. 선시의 언어가 가지는 내적 논리는 대개 '역논리逆論理'와 '비논리非論理'[20]로 드러난다. 선시의 언어가 목적으로 하는 깨달음의 세계가 '역논리'와 '비논리'를 통해 드러난다는 것은 하나의 모순이면서 동시에 역설의 의미를 지닌다고 할 수 있다. 이 모순과 역설은 선시를 이해하는데 핵심적인 논리라고 할 수 있다. 송준영은 이것을 '선시의 반상합도反常合道', '선시의 무한실상無限實相', '선시의 초월은유'로 세분화하여 살펴보고 있다.

그는 반상합도를 '정상과 비정상이 융통하고 회감하여 수승된 다른 세계로 나아가는 것'이며, 이것을 수사학적으로 규정하면 'A와 A가 아닌 요소(즉 Ā)가 서로 상치하고 대립하는 듯하나, 보다 큰 차원에서는 서로 아우르는 것, 즉 A=Ā의 상태를 의미한다'[21]고 말한다. 이것은 극과 극은 통한다는 반대일치의 논리와 다른 것이 아니다. 수사학적인 차원에서 본다면 반상합도는 현대시에서의 역설Paradox의 논리를 포괄한다고 할 수 있다. 이러한 반상합도의 논리는 서로 상치하고 대립하는 비동일성에서 그것을 융화하고 아우르는 동일성을 발견하려는 것이라고 할 수 있다. 동일성과 비동일성의 사유는 시에서 은유, 즉 치환은유와 병치은유의

20 | 김운학, 『佛敎文學의 理論』, 일지사, 1981, p. 96.

21 | 송준영, 「선시와 아방가르드 시에 나타난 모순어법 고찰」, 『만해축전(상)』, 백담사만해마을, 2008, pp. 283~284.

형식으로 드러난다. 하지만 반상합도의 논리는 이 두 은유를 모두 벗어나는 그런 은유라고 할 수 있다. 그는 이것을 '초월은유'[22]라고 명명한다. 치환과 병치 양변을 융합하면서 동시에 초월하는 비유 상태가 바로 초월은유인 것이다. 은유가 어떤 외적인 대상과의 관계성 속에서 비롯되는 것이라면 초월은유는 그것이 끊긴 상태에서 마음을 직시하여 여기에서의 어떤 깨달음을 그대로 드러낸 것을 의미한다.

이러한 은유나 상징을 초월한 '절대 현재의 진실불허眞實不虛한 세계'는 인드라망처럼 중중무진화엄법계를 이루고, 이것이 바로 송준영이 말하는 '선시의 무한실상無限實相'의 세계이다. 그는 이 세계의 구도를 '쌍차雙遮'와 '쌍조雙照'의 논리를 통해 드러낸다. 쌍차란 "시/비·자/타·미/추-즉 A/Ā인 양변적인 견해를 '막는다', '없앤다'는 의미이고 쌍조란 "이항 대립적인 견해를 회감 융통하는 곧 A=Ā의 의미"를 말한다. 그는 이것을 하나의 도표로 제시한다.

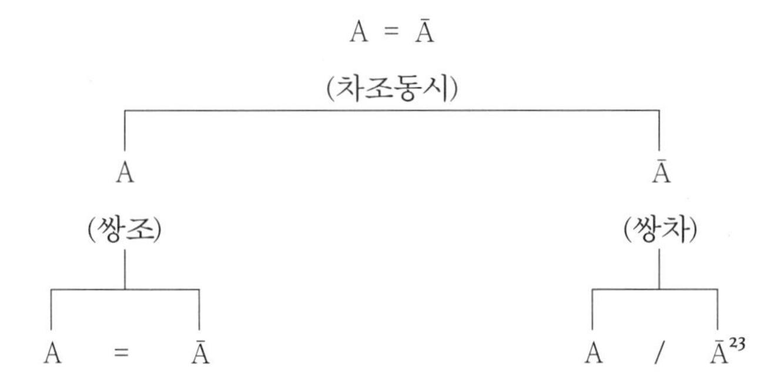

이 인드라망 구도에서 중요한 것은 동일성과 비동일성의 문제가 서로 분리되어 존재하는 것이 아니라 그것을 아우르는 또 다른 구도(A=Ā 차조동시)가 존재한다는 사실이다. 이 구도의 궁극은 차조동시에 있다.

22 | 송준영, 위의 글, p. 295.

23 | 송준영, 위의 글, p. 302.

쌍차쌍조란 중도中道의 원리를 드러낸 것으로 이것을 쉽게 풀이하면 이런 것이다. 양변을 버리고 나니(쌍차) 양변이 융합(쌍조)하지 않을 수 없고, 양변이 융합(쌍조)하려고 하니 양변을 버리지(쌍차) 않을 수 없다는, 다시 말하면 구름이 흩어지면 해가 드러나고, 해가 드러나면 구름이 흩어진다는 원리이다. 이런 점에서 차조동시는 있음有과 없음無의 존재 원리로 해명할 수 있다. 유무의 원리대로 하면 차조동시는 서로 모순되는 있음과 없음을 모두 버리면 그것이 있는 것도 아니고 없는 것도 아닌 즉 비유비무非有非無의 상태가 된다는 것을 의미한다.

불교에서는 논의의 형식 및 사물의 존재 방식을 크게 유有, 무無, 역유역무亦有亦無, 비유비무非有非無 이렇게 4구의 범주로 구분하고 있다. 제1구인 유는 균질적, 보편적, 관습적, 현상적, 자기 동일적인 존재의 양태를 드러내며, 2구인 무는 실체, 보편, 자기동일성 부정, 역설 등의 존재 양태를 드러내고, 3구인 역유역무는 종합을 드러내는 것이지만 이것은 헤겔의 변증법적인 종합과는 차이가 있다. 있으면서 없다는 것은 어느 한쪽의 배제를 통한 종합이 아니라 그 둘 다를 포괄하는 긍정의 존재 방식을 의미한다. 4구인 비유비무는 즉물적, 직관적으로 존재하는 불가지론적인 세계를 의미한다.[24] 있음도 부정하고 없음도 부정한다는 것은 극단적인 회의주의로 보일 수도 있지만 여기에서의 그것은 초월성을 띤다고 할 수 있다. 이런 점에서 비유비무는 현상적인 존재의 유무나 생멸의 문제를 넘어 해탈의 경지까지 그 의미가 닿아 있다고 할 수 있다.

선의 심원함이 비유비무의 논리에까지 이른다는 것은 존재의 문제와 관련하여 그것이 단순히 '있음이나 없음 그리고 있음과 없음 사이를 넘어 없음과 없음 사이의 문제'[25]를 다루고 있다는 것을 말해준다. 이

24 | 무르띠, 김성철 옮김, 『불교의 중심철학』, 경서원, 1995, pp. 250~251 참조.
25 | 이승훈, 앞의 책, p. 295.

문제는 없음을 있다고 전제하고 논의를 전개하는 차원을 넘어 그것이 없다는 것을 전제하고 전개되는 선적 차원의 논리를 반영하고 있는 것으로 볼 수 있다. 없음도 없다는 논리는 존재의 실체 자체를 부정한다는 것으로 모든 존재는 인연의 관계성으로 이루어진다는 의미를 내포하고 있다. 실체가 아니라 인연으로 이루어지기 때문에 모든 존재는 무상할 수밖에 없는 것이다. 일체의 존재는 무자성無自性이라는 공空의 논리가 여기에서 탄생하는 것이다. 이러한 무자성이 무심無心으로 이어져 선시의 세계를 이룰 때 뛰어난 선취미가 성립된다.

이처럼 선시는 선적인 세계의 깊이를 내재하기 때문에 일반 시와 같으면서 다르다고 할 수 있다. 이것은 선적 어법과 시적 어법 사이에 차이가 존재한다는 것을 의미한다. 시적 어법과 선적 어법은 모두 발언 행위를 지향한다. 하지만 전자는 '미적 기능을 수용하지만 후자는 그것을 부정'하며, 전자는 '언표 내적 효력을 상실하지만 후자는 그것을 발생'하고, 전자는 '유희적 창조를 지향한다는 점에서 자율적이고 자기 지시적이지만 후자는 그것을 부정'[26]한다. 선적 어법의 이러한 특성은 혜심 이후 하나의 양식으로 이어져 온 '선시'의 경우에도 그것이 오롯이 드러나지 않고 있다. 고려나 조선 시대의 선시뿐만 아니라 현대의 경우에도 선적인 세계를 드러내고 있는 시에서도 미적 기능이나 언어 내적 효력의 상실 그리고 자율적이고 자기 지시적인 어법이 드러나고 있기 때문이다. 이런 점에서 보면 선시에서는 선적 어법과 시적 어법이 동시에 드러난다고 할 수 있다.

26 | 이승훈, 「시적 어법과 선적 어법」, 『한국언어문화』 제24집, 한국언어문화학회, 2003, p. 365.

2. 역설과 깨달음

우리 현대시의 경우 선의 흐름은 생래적으로 습득된 면이 없지 않다. 선 사상이 우리의 사고나 행위 속에 오랜 전통적인 양식으로 자리하면서 자연스럽게 그것을 체득하고 그것이 시적으로 발현되기에 이른다. 하지만 선의 생래적인 습득은 일정한 한계를 노정할 수밖에 없다. 선이 오랜 기간의 수행 과정을 통해 깨달음을 얻음으로써 도달할 수 있는 경지라면 그것은 단순한 생래적인 차원과는 거리가 있다고 할 수 있다. 참선과 명상이라는 오랜 수행 과정을 거쳐야 하나의 도 혹은 진리에 이를 수 있는 것이다. 선의 궁극이 깨달음에 있다는 사실이 이것을 잘 말해준다. 이런 점에서 선은 단순한 관념도 언어유희도 아닌 몸을 통한 깨달음의 산물이라고 할 수 있다. 몸을 통한 깨달음은 언어를 통해 드러나며 이때의 언어는 '깨달음의 언어'가 되는 것이다.

그런데 여기에서 한 가지 흥미로운 것은 깨달음의 언어가 역논리逆論理와 비논리非論理를 통해 드러난다는 점이다. 이 사실은 깨달음의 언어가 역설의 의미를 내재하고 있다는 것을 말한다. 선이 구현하는 깨달음의 언어는 언어를 통해 드러나지만 그것을 초월하는 역설의 의미를 내재하고 있는 것이다. 선의 궁극은 언어에 있는 것이 아니라 그것을 넘어선 도나 진리에 있으며, 언어는 그것에 이르기 위한 수단에 지나지 않는다. 선의 궁극인 깨달음의 언어를 시 속에 구현한 우리의 근현대 시인은 손으로 꼽을 정도다. 선이 드러내는 역논리와 비논리를 수사적인 차원에서 구사한 시인들은 많지만 그것을 깨달음의 언어로 구현하고 있는 시인은 거의 없다고 할 수 있다. 이러한 역설의 논리를 통한 깨달음의 언어를 시 속에 구현하고 있는 시인으로는 한용운, 조지훈, 서정주, 고은, 김지하 등을 들 수 있다. 이들은 모두 선사禪師이거나 아니면 선사의 경험이 있거나 선에 심취해 선사상이나 논리를 공부한 시인들이다. 이 점이 이들로 하여금 선이 구현하는 깨달음의 언어를 자신의 시 세계의 일부 혹은 전부로 수용하여 선의 미학을 성립하도록 한 것이라고 할 수 있다.

그러나 선적인 깨달음에는 정도란 있을 수 없다. 깨달음의 길은 각기 다르며 어느 것이 궁극에 이르는 정도라고 말할 수 없다. 이것은 시인들이 겨냥하는 궁극이 진리의 깨달음에 있다는 점에서는 동일하지만 그것에 이르는 과정에는 차이가 있다는 것을 의미한다. 이 차이는 소중한 것이며, 이것이 곧 각각의 시인들의 선미를 결정한다고 할 수 있다. 각각의 시인들이 보여주는 이러한 깨달음은 '하나이면서 여럿이고 여럿이면서 하나'인 선적인 논리와 다른 것이 아니다. 선미의 차이는 선사들의 선시에서도 중요한 문제가 될 수 있는 것으로 이들의 선시는 그 나름의 미적 체계를 지니고 있음에도 불구하고 다양성의 측면에서는 일정한 한계를 드러내고 있는 것이 사실이다. 선의 세계의 깊이와 형식적인 새로움을 동시에 추구하기가 쉽지 않다는 것을 잘 말해주는 대목이라고 할 수 있다. 선사들의 선시에 대한 미학적인 불안은 그대로 시인들의 선시에도 적용될 수 있다. 우리 시인들 중에 이러한 미학적인 불안으로부터 벗어난 존재가 바로 한용운, 조지훈, 김지하이다.

먼저 한용운은 한국 현대시가 성취한 선미의 세계를 가장 잘 보여주고 있는 시인이다. 이것은 그가 단순히 선사이면서 시인이라는 사실 때문만은 아니다. 그의 시가 선과 시의 탁월한 융합이라는 사실을 드러낸다면 이것은 그가 선사와 시인의 경계에 놓여 있으면서 끊임없이 두 세계를 추처럼 진동하고 있다는 것을 의미한다. 선사와 시인 사이의 긴장은 그의 시의 선적 논리인 역설이 '침묵'이나 '알 수 없어요' 같은 선과 시 모두에 상호침투적인 표상을 통해 제기되고 있다는 사실에서도 잘 드러난다. 침묵이란 그의 시 전체를 관통하는 화두이다. 침묵이란 존재하면서 부재하는 것이다. 침묵의 주체는 존재하지만 말이 없기 때문에 그는 부재하는 것이다. 그의 시에서의 침묵의 주체는 '님'이다. 님이 존재하면서 부재하다는 것은 님이 있는 것도 아니고 없는 것도 아닌 '非有非無'의 상태를 의미한다. 이런 점에서 볼 때 "침묵은 비유非有이기도 하면서 비무非無이기도 한 비유비무非有非無의 중도의 세계를 상징화한 언어"[27]인 것이다.

그러나 이처럼 님의 존재가 비유비무라는 것을 깨닫는 것은 오랜 수행의 과정을 거쳐야 이루어질 수 있는 것이다. 『님의 침묵』에서 시적 주체가 하나의 깨달음을 얻는 것은 오랜 인간적인 고뇌와 고통을 감내하고 그것을 넘어서는 과정을 거치고 난 이후의 일이다. 그렇다면 어떻게 시적 주체가 인간적인 고뇌와 고통을 넘어 님에 대한 비유비무의 깨달음을 얻을 수 있을까?

> 님은갓슴니다 아아 사랑하는나의님은 갓슴니다
>
> 푸른산빗을깨치고 단풍나무숩을향하야난 적은길을 거러서 참어떨치고 갓슴니다
>
> 黃金의꽃가티 굿고빗나든 옛盟誓는 차디찬띄끌이되야서 한숨의 微風에 나러갓슴니다
>
> 날카로은 첫「키쓰」의追憶은 나의運命의指針을 돌너노코 뒤ㅅ거름처서 사러젓슴니다
>
> 나는 향긔로은 님의말소리에 귀먹고 꼿다은 님의얼골에 눈머럿슴니다
>
> 사랑도 사람의일이라 맛날때에 미리 써날것을 염녀하고경계하지 아니한것은아니지만 리별은 뜻밧긔일이되고 놀난가슴은 새로은슯음에 터짐니다

27 | 현광석, 「선시의 미학적 대칭점 — 조지훈, 한용운의 시를 중심으로」, 『한국학보』 29권 4호, 일지사, 2003. 11, p. 170.

그러나 리별을 쓸데없는 눈물의源泉을만들고 마는것은 스스로 사랑을깨치는것인줄 아는까닭에 것잡을수업는 슯음의힘을 옴겨서 새希望의 정수박이에 드러부엇습니다

우리는 맛날때에 써날것을염녀하는것과가티 써날때에 다시맛날것을 믿습니다

아아 님은갓지마는 나는 님을보내지 아니하얏습니다

제곡조를못이기는 사랑의노래는 님의沈默을 휩싸고돕니다[28]

– 한용운, 「님의沈默」, 전문

시적 주체의 고뇌와 고통은 사람과의 관계 속에서 발생한다. 사람과의 관계가 좋으면 기쁨이, 좋지 않으면 슬픔이 발생하는 것은 누구나 다 알고 있는 인간사의 상식이다. 여기에서의 문제는 사람과의 관계란 좋을 수도 또 나쁠 수도 있다는 것이고, 이것은 곧 사람과의 관계를 새롭게 정립함으로써 그러한 반복되는 고뇌와 고통으로부터 벗어날 수 있다는 것을 말해준다. 사람과의 관계에서 비롯되는 고뇌와 고통은 사람이라는 존재를 무자성無自性 즉 공空의 논리로 보지 않고 자성自性의 논리로 보기 때문이다. 자성이 없기 때문에 모든 존재는 있음과 없음, 같음과 다름이라는 구분과 차별로부터 벗어날 수 있는 것이다. 자성은 집착이며 무자성은 그것으로부터 벗어난 무한 자유이다.

사람의 일로부터 빚어진 "슬픔의 힘을 옮겨서 새 希望의 정수박이에 드러붓"는 행위는 무자성에 대한 깨달음이 있기에 가능한 일이다. 모든 존재는 공하며 인연으로 말미암아 생겨난 것이기 때문에 이별을 슬퍼할 이유가 없다. 님과의 이별은 이별이 아니라 또 다른 만남을 위한 과정인 것이다. 이별은 있는 것도 아니고 또 없는 것도 아닌 것이다. 시적 주체가

28 | 한용운, 『한용운』, 문학세계사, 1996, pp. 15~16.

깨달은 이러한 비유비무의 세계가 바로 사랑이며, 그것이 "님의 침묵을 휩싸고 도"는 것이다. 이것은 님이 처해 있는 현 상황이 어렵다고 해서 그것을 슬퍼할 일이 아니라는 것을 의미한다. 님은 무한실상의 세계에 놓여 있기 때문에 슬픔의 대상으로만 존재하지 않는다. 슬픔과 기쁨을 넘어선, 무자성의 세계로 존재하는 것이다. 이 세계에서는 침묵만이 그 존재성을 드러낸다고 할 수 있다.

이처럼 침묵이 님의 존재를 더 강렬하게 환기한다는 것은 분명 아름다운 역설이다. 이 역설은 서양의 있음과 없음의 논리로는 해명할 수 없는 것으로 여기에는 역설을 넘어서는 어떤 논리가 작동한다고 할 수 있다. 그것은 단순한 모순이나 역설의 통합 논리가 아니라 서로 다른 존재를 융합하면서 동시에 그것을 초월하는 비논리의 논리라고 할 수 있다. 이러한 연기법緣起法으로 생성된 것이 '침묵'이며, '근원을 알 수 없는 노래'(「알 수 없어요」)인 것이다. 연기법으로 생성된 아름다운 무한실상의 세계는 "바람도 없는 공중에서 수직의 파문을 일으키며 떨어지는 나뭇잎", "고요한 하늘을 스치는 알 수 없는 향기", "기름이 되는 타고 남은 재"(「알 수 없어요」) 등에서도 고스란히 드러난다. 모든 존재들이 서로 관계를 통해 무한히 생성되고 그 속에서 하나의 우주적인 깨달음을 얻는다는 것은 선이 궁극적으로 지향하는 미적 세계라고 할 수 있다.

한용운의 시가 드러내는 연기에 의한 선미의 세계는 조지훈의 시에서도 드러난다. 연기라는 존재의 인드라망으로 인해 드러나는 선적인 모순과 역설은 그 존재의 파격성과 확장성에서 미학으로서의 가능성을 내장하고 있는 것이 사실이다. 전혀 이질적이고 낯선 존재가 연기법에 의해 관계를 맺게 되면 틈이나 구멍이 생기고, 그것은 곧 은폐된 세계의 탈은폐로 이어진다.

아무리 깨어지고 부서진들 하나 모래알이야 되지 않겠읍니까. 石塔

을 어루만질 때 손끝에 묻는 그 가루같이 슬프게 보드라운 가루가 되어도 한이 없겠습니다.

촛불처럼 불길에 녹은 가슴이 굳어서 바위가 되던 날 우리는 그 차운 비바람에 떨어져 나온 分身이올시다. 宇宙의 한 알 모래 자꾸 작아져도 나는 끝내 그의 모습이올시다.

고향은 없읍니다. 기다리는 임이 있읍니다. 지극한 소망에 불이 붙어 이몸이 영영 사라져 버리는 날이래도 임은 언제나 만나 뵈올 날이 있어야 하옵니다. 이렇게 거리에 바려져 있는 것도 임의 소식을 아는 이의 발밑에라도 밟히고 싶은 뜻이옵니다.

나는 자꾸 작아지옵니다. 커다란 바위덩이가 꽃잎으로 바람에 날리는 날을 보십시오. 저 푸른 하늘가에 피어 있는 꽃잎들도 몇 萬年을 닦아 온 조약돌의 化身이올시다. 이렇게 내가 아무렇게나 바려져 있는 것도 스스로 움직이는 生命이 되고자 함이올시다.

출렁이는 波濤속에 감기는 바위 내 어머니 품에 안겨 내 太初의 모습을 幻想하는 조개가 되겠읍니다. 아 — 나는 조약돌 나는 꽃이팔 그리고 또 나는 꽃조개.

- 조지훈, 「念願」, 전문[29]

이 시를 지배하고 있는 상상의 원천은 연기법이다. 연기법 하에서 "나"라는 존재는 무한실상이다. "나"라는 존재의 동일성은 성립하지 않는

29 | 조지훈, 『趙芝薰全集』, 일지사, 1973, pp. 130~131.

다. "나"는 다른 존재와의 관계성 속에서만 의미를 지닌다. "나"는 "宇宙의 한 알 모래"이다. "나"와 "모래"는 일상의 논리로 보면 전혀 관계를 발견할 수 없다. 하지만 연기의 무한 시공 속에서 보면 사정은 달라진다. 마치 "몇만 년을 거쳐 꽃잎들이 조약돌의 화신"이 되듯이 나는 "모래"가 되기도 하고 "바위"와 "조약돌" 그리고 "꽃이팔"과 "꽃조개"가 되기도 한다. 시적 주체는 나의 이러한 연기법을 통한 일련의 무한실상을 "스스로 움직이는 생명이 되고자 함"으로 명명하고 있다. 이것은 연기를 스스로 움직이는 생명으로 표상한 것에 다름 아니다.

스스로 움직이는 생명은 고립이나 분리를 의미하는 것이 아니라 무한한 관계성을 통한 '역동적 유출radiation'[30]을 의미한다. 이 생명에는 시작도 끝도 없으며, 본질도 근원도 없고, 부분도 전체도 없는 것이다. 시작이 끝이고 끝이 시작이며, 부분이 전체이고 전체가 부분인 것이다. 또한 본질도 근원도 없기 때문에 존재 자체의 자성도 없는 것이다. 본질이다 근원이다 하는 것은 우주의 역동적 유출을 깨닫지 못한 인간의 관념이 만들어낸 허상에 불과한 것이다. 시적 주체의 '고향이 없다'는 고백은 자신의 존재가 이러한 연기를 통해 스스로 움직이는 무한실상의 생명으로서 표상된다는 것을 말해준다. 나라는 존재란 이렇게 무한실상의 생명으로만 표상되기 때문에 사실상 그것을 온전히 이해한다는 것은 불가능하다고 할 수 있다. 만해가 우주의 이 움직이는 무한실상의 생명의 바다를 향해 '알 수 없다'고 고백한 것이야말로 역설적으로 그 존재의 세계를 깨달은 자의 일성이라고 할 수 있다. 지훈이 스스로 움직이는 생명이 되고자 하는 것 역시 그 우주의 알 수 없음에 대한 다른 표현이라고 할 수 있다. 스스로 움직이는 생명의 모습을 지훈은 "출렁이는 파도

30 | 정형근, 「梵我 自我의 合一 — 조지훈의 禪詩에 대한 한 해석」, 『만해학보』 7호, 만해사상실천선양회, 2004. 3, p. 132.

속에 감기는 바위 내 어머니 품에 안겨 내 태초의 모습을 환상하는 조개가 되겠습니다."라는 고백을 통해 역동적으로 표출하고 있다.

온갖 모순과 역설을 내재하고 있는 연기법은 선미禪味를 불러일으키는 상상력의 원천이라고 해도 과언이 아니다. 서로 반대되는 것의 일치反常合道라는 선적인 논리는 무한 심층의 감각을 탈은폐하는 행위라는 점에서 필연적으로 그것은 자아의 격렬한 깨달음을 동반한다. 김지하는 이러한 깨달음의 과정을 『애린』을 통해 우리에게 보여준다. 선가의 십우송十牛頌을 연상시키는 시집의 전체 구도를 통해서도 알 수 있듯이 '애린'은 시적 주체의 깨달음의 과정을 표상하는 존재이다. 결국 시적 주체는 자신이 애타게 찾아 헤맨 애린의 존재가 '내 안의 무궁한 우주생명'[31]임을 깨닫는다. 애린의 존재에 대한 이러한 규정은 곧 나에 대한 규정이라고 할 수 있다. 내 안에 무궁한 우주생명이 존재한다는 사실은 나라는 존재가 우주와의 관계 속에서 새롭게 정립된다는 것을 의미한다. 이 사실은 나 자신이 곧 우주라는 것에 다름 아니다. 나와 우주는 둘이 아니기 때문不二에 무궁한 우주의 모든 총체적인 시공간의 역동적 유출이 내 안에서 이루어지는 것이다.

저녁 몸속에
새파란 별이 뜬다
회음부에 뜬다
가슴 복판에 배꼽에
뇌 속에서도 뜬다

내가 타죽은

31 | 김지하, 「자서」, 『애린·1』, 솔, 1995, p. 5.

나무가 내 속에 자란다
나는 죽어서
나무 위에
조각달로 뜬다

사랑이여
탄생의 미묘한 때를
알려다오

껍질 깨고 나가리
박차고 나가
우주가 되리
부활하리.

– 김지하, 「啐啄」, 전문[32]

시적 주체의 깨달음의 진경은 나의 몸이 소우주가 아니라 우주 그 자체라는 사실에 있다. 우리 인간의 몸을 소우주라고 하는 것은 오래된 인습으로 굳어진 것이다. 시적 주체는 몸속에 별이 뜬다고 노래함으로써 그러한 인습을 해체한다. 나의 몸이 곧 우주라는 것, 그리고 그것은 관념이 아니라 생명이라는 구체적인 실상을 통해 생생하게 드러난다는 것을 시적 주체는 우리에게 말하고 있는 것이다. 시적 주체의 생명관은 좁게는 '회음부' 중심주의로부터 넓게는 연기론으로부터 비롯된 것이라고 할 수 있다. 시적 주체는 우주라는 무한실상의 세계가 생명을 잉태하는 회음부와 그것의 구체적인 유출 방식인 연기론을 통해 표출된다는 것을

32 | 김지하, 『중심의 괴로움』, 솔, 1995, pp. 18~19.

깨달은 것이다. 나 혹은 나의 몸에 대한 시적 주체의 깨달음은 단순히 개인의 차원에 머물러 있는 것이 아니라 인류, 더 크게는 우주의 인식과 존재론적인 사유에 닿아 있다고 할 수 있다. 시적 주체의 깨달음은 그것이 근대 이후 온갖 모순과 불안으로 점철되어온 인류 문명사에 대한 반성과 전망을 동시에 내장하고 있다는 점에서 주목에 값한다고 할 수 있다. 시인에게 이러한 깨달음은 '흰그늘의 미학'으로 표상되며, 여기에는 '그늘이 세상을 바꾼다'는 시인 특유의 시대를 읽는 감각과 정신이 자리하고 있다.

3. 견성見性과 평상심平常心

선시의 궁극이 우주 삼라만상의 도에 대한 깨달음에 있다면 그 방법으로 제시할 수 있는 것 중의 하나가 바로 '견성성불見性成佛'이다. 견성성불은 교외별전敎外別傳, 불립문자不立文字, 직지인심直旨人心과 함께 선종의 4대 종지宗旨이다. 흔히 '직지인심 견성성불直旨人心 見性成佛'이라고 말해진다. 이 문맥대로라면 성불, 다시 말하면 깨달음을 얻기 위해서는 본래의 마음을 보아야 한다는 것이다. 인간은 본래부터 불성(본래의 마음)을 가지고 있기 때문에 그것을 깨우치는 일이 무엇보다도 중요하다고 할 수 있다. 일체의 외부적인 것을 멀리하고 마음 안에서 도를 구하면 누구나 불성을 이룰 수 있다는 것이 바로 선의 궁극인 것이다. 이런 맥락에서 볼 때 견성성불에서의 '견성'은 단순한 시각적인 감각을 통한 보기를 의미하는 것이 아니다. 여기에서의 견성은 본래의 마음을 꿰뚫어 보는 직관의 상태를 의미한다고 할 수 있다.

하지만 본래의 마음을 꿰뚫어 본다는 것은 쉬운 일이 아니다. 그것이 가능하려면 견성의 주체가 중도를 유지해야 하고, 언어나 문자로부터 떠나야 하며 그것이 일상의 차원에서 평상심을 유지해야 한다. 이러한 일련의 과정은 사실 깨달음의 과정과 다른 것이 아니다. 이 과정 중 어느 하나만 없어도 깨달음은 이루어지지 않는다. 견성의 주체가 표피적인 욕망에 집착한다든가 혹은 언어나 문자를 통한 개념화를 지향한다든가 아니면 시비와 구분과 구별이 하나의 일상의 덕목으로 굳어지면 깨달음을 얻을 수 없다. 깨달음을 얻는 과정은 이렇게 중도, 불립문자, 평상심 같은 덕목들을 필요로 하지만 기실 그것은 모두 마음으로 수렴된다고 할 수 있다.

마음은 '온갖 존재의 근본이며 온갖 존재는 모두 마음이 만들어내는 것'이다. 하지만 '마음의 만듦은 조작이 아니라 물들음'[33]이다. 이 말은 우주 삼라만상이 마음에 의해 틀지어지는 것이 아니라 하나의 형태로 드러난다는 것을 의미한다. 이 마음이 곧 도이자 진리인 것이다. 이런 점에서 보면 진리는 지극히 평범한 사고와 행위가 살아 숨 쉬는 세계 속에 존재한다고 할 수 있다. 진리는 '새삼스럽게 배우거나 수행을 통해 얻어지는 것이 아니라 이미 사람들의 생활 속에 자명한 것으로 존재하고 있는 것'[34]이다. 이것은 진리가 평범한 생활 방식 곧 평상심으로 표상된다는 것平常心是道을 의미한다.

평상심이 곧 도라는 이러한 선의 원리는 주로 자연에 대한 견성을 통해 드러난다. 견성의 주체가 볼 때 자연은 자신의 본래 마음을 드러내는데 더없이 좋은 대상인 것이다. 그것은 자연이 언제나 중도와 직관과 평상심으로 표상되기 때문이다. 이런 점에서 자연과 본래 마음은 다르지 않다고 할 수 있다. 견성의 주체는 "자연을 시적 대상으로 삼아 자연에서

33 | 야나기다 세이잔, 추만호·안영길 옮김, 『선의 사상과 역사』, 민족사, 1989, p. 125.

34 | 야나기다 세이잔, 위의 글, p. 127.

드러나는 진여眞如의 법, 즉 자연법이自然法爾를 드러냄으로써 마음의 본체를 형상화"[35]한다. 하지만 여기에서 말하는 자연은 실재하는 물리적 대상이 아니라 그것이 지니는 속성을 의미한다고 할 수 있다. 견성의 주체가 볼 때 진여의 법, 즉 자연법이의 속성을 지닌 우주 만물은 모두 자신의 마음의 본체를 형상화하는 대상이 되는 것이다. 우리의 눈을 통해 드러나는 자연은 밖으로 드러난 차원에 불과하지만, 그것은 자연이 지니는 본래적인 속성의 유출이라는 점에서 많은 시인들의 주목의 대상이 되어 온 것이다.

이처럼 자연은 우리 시인들의 견성성불의 대상으로 존재해 왔지만 그것이 보다 빛을 발하는 경우는 자연법이의 속성을 인간과 인간의 삶 속에서 발견하는 것이다. 인간의 '성性'은 욕망에 가려 드러나지 않는다. 이때 인간의 욕망은 곧 자성自性에서 비롯된다. 이 자성을 무자성으로 바꾸어야 비로소 자연법이의 상태에 이를 수 있다. 이것은 보통 참선을 통해서 도달할 수 있는 것이지만 이미 그 자체로 무자성을 드러내는 경우도 존재한다. 본래적인 자아의 모습을 하고 있는 존재가 바로 그것인데 일반적으로 그 이미지는 '아이'와 닮아 있다. 이 경우 아이의 모습은 꾸밈도 조작도 분별도 없는 자연 그대로의 천진무구함을 그대로 드러낸다. 아이의 마음은 어디에도 머무르지 않으며, 마디 허공처럼 어디로든지 두루두루 통한다고 할 수 있다. 이 아이의 마음이야말로 '부처에 의해 깨달아진 眞如法身'[36]과 다른 것이 아니다. 조지훈은 「古寺 1」에서 이러한 진여법신의 세계를 아름답게 형상화하고 있다.

木魚를 두드리다

35 | 현광석, 앞의 글, p. 166.
36 | 야나기다 세이잔, 앞의 글, p. 110.

졸음에 겨워

고오운 상좌아이도
잠이 들었다.

부처님은 말이 없이
웃으시는데

西域 萬里ㅅ 길
눈부신 노을 아래

모란이 진다.

– 조지훈, 「古寺 1」, 전문[37]

이 시의 초점은 단연 "상좌아이"로 모아진다. "목어를 두드리다 졸음에 겨워 잠이 든 상좌아이"는 영락없는 아기부처의 모습이다. 누구나 다 부처의 모습을 지니고 있지만 그것이 온전히 드러나는 경우는 드물다. 그것은 부처의 현현을 인간의 온갖 욕구나 욕망이 가로막기 때문이다. 부처의 본래 모습의 현현이 불가능하다는 것은 인간의 본래 마음으로서의 성을 볼 수 없다不見性는 것을 의미한다. 하지만 상좌아이는 그의 '성性' 다시 말하면 자연법이의 속성이 그대로 드러나 있다. 이런 점에서 상좌아이는 인간의 본래 마음으로서의 성의 본체를 표상하고 있다고 할 수 있다. 상좌아이는 이미 그 자체로 견성성불의 존재이기 때문에 '부처님'과 염화미소의 소통이 가능한 것이다. 이러한 소통은 일견 절연으로 비칠

37 | 조지훈, 『청록집』, 현암사, 1968, pp. 66~67.

수 있지만 기실 그것은 무한실상의 연기를 가능하게 하는 본래적인 성의 모습을 지니고 있다고 할 수 있다. "西域 萬里ㅅ 길 / 눈부신 노을 아래 / 모란이 지"는 것과 "고오운 상좌아이의 잠" 사이에는 불이의 관계가 성립되는 것이다.

"상좌아이"의 천진무구한 성이 이렇게 연기 속에 놓여 있다는 것은 그것이 자성이 아니라 무자성이라는 것을 의미한다. 자성은 다른 존재와의 연기적인 관계를 불가능하게 한다. 자성이 있으면 공空이 불가능하다. 공이나 허虛해야 우주 만물 간에 틈이 존재하고, 그 틈 사이로 모든 관계들이 이루어지는 것이다. 이것이 무無의 세계인 것이다. 무의 세계에서는 '공허하므로 움직인다'[38]는 명제가 하나의 진리로 성립된다. 이런 점에서 無는 '없음을 전제로 한 없음'인 nothing이 아니라 '있음을 전제로 한 없음'이다.[39] 연기가 절연 혹은 단절과 비약으로 보이는 이유도 그것이 공이나 허와 같은 무의 세계의 존재태를 지니고 있기 때문이다.

이처럼 「古寺 1」에 드러나는 "상좌아이"의 무자성은 시적 주체에게 견성이나 관조의 대상이 된다. 이 사실은 시적 주체와 "상좌아이"가 등가로 놓일 수 없다는 것을 의미한다. 시적 주체는 "상좌아이"처럼 그 존재 자체가 무자성이라는 것과는 거리가 있다. 견성이나 관조의 태도를 통해 무자성을 유지하려고 하지만 시적 주체에게 그것은 깨달음이라는 과정을 거쳐야 가능한 일이다. 깨달음은 참선의 과정을 통해 이루어지거나 아니면 "상좌아이"처럼 이미 선험적으로 주어지는 경우도 있다. 「古寺 1」에서와는 달리 시적 주체가 "상좌아이"의 무자성과 등가를 이루는 예를 우리는 천상병에게서 발견할 수 있다. "상좌아이"처럼 천상병 시에

38 | 김지하, 「無」, 『중심의 괴로움』, 솔, 1994, p. 75.

39 | 이재복, 「동양적 존재의 숲— 윤대녕론」, 『소설과 사상』, 1996년 겨울호, p. 208.

서의 "나" 역시 "고오운" 존재이다. 그의 시에 드러나는 시적 주체의 그 "고오운" 모습은 영락없이 천진무구한 "상좌아이"의 모습 그대로다.

친구가 멀리서 와,
재미있는 얘기를 하면,
나는 킬킬 웃어 제낀다

그때 나는 기쁜 것이다.
기쁨이란 뭐냐? 라고요?
허나 난 웃을 뿐.

기쁨이 크면 웃을 따름,
꼬치꼬치 캐묻지 말아라.
그저 웃음으로 마음이 찬다.

아주 좋은 일이 있을 때,
생색이 나고 활기가 나고
하늘마저 다정한 누님 같다.

– 천상병, 「기쁨」, 전문[40]

"木魚를 두드리다 졸음에 겨워" 자는 "상좌아이"처럼 시적 주체인 "나" 역시 "재미있는 얘기"가 나오면 "그저 킬킬 웃어 제낀"다. 시적 주체의 웃음은 억지웃음이 아니라 자연스럽게 생겨난 웃음이다. 여기에는 분별지가 개입할 여지가 없다. 시적 주체에게 기쁨이 무엇이냐는 물음 자체가

40 | 천상병, 『천상병 전집』, 평민사, 1996, p. 157.

의미가 없는 것이다. 이 물음에 대한 시적 주체의 대답은 웃음뿐이다. 그 웃음은 '마음'과 통하며, 이때의 마음은 시적 주체의 본래의 마음性이다. 시적 주체는 본래의 마음을 어떤 목적도 없이 그대로 드러내고 있는 것이다. 시적 주체의 이러한 마음은 "하늘마저 다정한 누님 같다"고 말하게 한다. 하늘이 인간과 거리가 있는 숭고나 숭배의 대상이 아니라 그 거리가 해체된 "다정한 누님"이라는 시적 주체의 말은 의도되지 않는 도저함, 다시 말하면 평상심으로서의 도의 경지를 일컫는 것이다.

본래 도란 그것을 도라고 말하는 순간 이미 도가 아닌 것이다. 도는 꾸밈이 없고 분별이 없는 자연스러운 과정 속에서 구현된다는 점에서 그것은 평상심으로 수렴되며, 그것을 잘 드러내는 존재의 장이 일상이라고 할 수 있다. 다른 어떤 존재의 장보다 일상에서 평상심을 유지하기가 어려운 것이 사실이다. 일상에서는 평상심을 위협하는 온갖 욕구와 욕망이 도사리고 있기 때문이다. 일상에서 평상심을 유지하면 시적 주체처럼 그것은 존재 그 자체가 기쁨인 것이다. 꾸밈이나 조작이 없기에 평상심의 언어는 수사적인 현란함보다는 평범함을 지향한다. 시와 일상의 경계가 해체되어 '지금 우리가 실제로 행동하고, 쉬기도 하고, 앉기도 하고, 눕기도 하면서, 물건을 대하고, 사람들과 접하는 것이 모두 진리의 생활'[41]이며 그것이 모두 시가 되는 것이다.

시와 일상의 경계 해체는 언어의 평범함은 물론 시의 형태의 평이함으로 이어진다. 언어의 조탁과 운문적인 형식에 대한 강박관념이 사라지고 무념, 무상의 지극히 일상적인 문법이 만들어진다. 이승훈의 「모두가 예술이다」는 이것이 시적인 진술인지 아니면 일상적인 진술인지 분간이 안 될 정도로 둘 사이의 경계가 해체되어 드러난다.

---

41 | 야나기다 세이잔, 앞의 글, p. 125.

용인공원 식당 창가에 앉아 맥주를 마신다. 앞에는 정민 교수 옆에는 오세영. 유리창엔 봄날 오후 햇살이 비친다. 탁자엔 두부, 말린 무조림, 콩나물무침, 멸치조림. 갑자기 가느다란 멸치가 말하네. "생각해 봐! 생각해 봐!" 도대체 무슨 생각을 하라는 건지 원! 멸치 안주로 맥주 마실 때 "이 형은 목월 선생님 사랑을 그렇게 받았지만 생전에 보답을 못 한 것 같아." 종이컵에 하얀 막걸리 따라 마시며 오세영이 말한다. "원래 사랑받는 아들 따로 있고 효자 아들 따로 있는 거야." 그때 내가 한 말이다. 양말 벗고 햇살에 발을 말리고 싶은 봄날.

"이군이가? 훈이가?" 대학 시절 깊은 밤 원효로 목월 선생님 찾아가면 작은 방에 엎드려 원고 쓰시다 말고 "와? 무슨 일이고?" 물으셨지, 난 그저 말없이 선생님 앞에 앉아 있었다. 아마 추위와 불안과 망상에 쫓기고 있었을 거다. 대학 시절 처음 찾아가 인사를 드리고 나올 때 "엄마야! 이군 김치 좀 주게, 이군 자취한다." 사모님을 엄마라 부르시고 사모님은 하얀 비닐봉지에 매운 경상도 김치를 담아주셨다. 오늘 밤에도 선생님 찾아가 꾸벅 인사드리면 "이군이가? 훈이가? 와? 무슨 일이고?" 그러실 것만 같다.

- 이승훈, 「모두가 예술이다」, 전문[42]

시에 드러난 진술이 기존의 시적인 정의를 해체하고 있다. 시에서의 진술은 사이비 진술이어야 한다는 정의가 여기에서는 통용되지 않는다. 이 시에 드러난 진술은 사이비 진술이 아닌 아주 평범하고 평이한 일상적인 진술이다. 무슨 특별한 내용도 없고, 그것을 은폐하거나 비유적으로 드러내기 위한 아이러니나 패러독스, 상징이나 이미지도 없다. 구체적이

42 | 이승훈, 『화두』, 책만드는집, 2010, pp. 16~17.

고 일상적인 지명이나 인명이 그대로 드러나고, 시 속의 인물들이 나누는 대화도 일상에서의 그것과 다르지 않다. 평상시에 보고 듣고 느끼는 것을 자연스럽게 발설하고 있는 것이다. 이 시의 언술은 시적인 언어와 형식을 통해 어떤 진리를 말하려고 하지 않는다. 이 시의 언술에는 목적도 의미도 내재해 있지 않다. "모두가 예술이다"라는 시인의 언술처럼 모든 것이 진리가 되는 평범한 마음의 세계를 일상 속에서 구현하고 있는 것이다.

시인의 이러한 언술은 일상에서 평상심을 유지하지 않으면 결코 말해질 수 없는 것이다. 일상에서 평상심을 유지하면 그곳이 곧 견성성불의 세계인 것이다. 진정한 선 혹은 선시는 바로 일상의 장에서 구현되는 것이다. 평범하게 살아가는 방식이 진리라는 '平常心是道'는 일상 속의 선을 말하고 있는 것에 다름 아니다. 진리는 우리가 '새삼스럽게 배우거나 수행하는 것이 아니라 이미 사람들의 생활 속에 자명한 것'[43]으로 존재하는 것이다. 일상생활 속의 진리는 특별히 의식되지 않는다. 너무나 평범하고 평이하기 때문에 우리는 그것이 진리임을 알지 못하는 것이다. 바로 여기에 일상 속에 내재한 진리의 묘미가 있다. 선이나 선시의 지향점을 이렇게 평범하게 살아가는 일상의 방식이 진리라는 평상심시도平常心是道에서 구하는 것은 선이 관념이 아닌 일상적인 실천의 산물이라는 것을 잘 말해준다.

4. 아방가르드와 선

한국 현대시에서 선의 문제가 새롭게 부상하게 된 계기를 제공한 것은

43 | 야나기다 세이잔, 위의 글, p. 126.

아방가르드와의 비교를 통해서이다. 아방가르드에서의 시적 논리가 선적인 논리와 유사하다는 인식이 널리 확산되면서 이 둘 사이의 비교 연구가 활발하게 이루어지기에 이른다. 선에 대한 관심은 서구의 가장 전위적인 예술론인 아방가르드에 대한 비판적인 성찰과 반성적인 거리를 겨냥하면서 그것이 가지는 한계와 전망을 가늠하게 하는 계기를 제공한다. 아방가르드 예술의 궁극은 기존의 예술을 전복하고 해체하여 점점 고갈되어가는 예술의 상상력과 아이디어에 생명을 불어넣는 일이다. 하지만 기존 예술의 전복과 해체는 '직선적인 시간 내에서만 가능한 일'이다. 이 말은 직선적인 시간이 의미를 상실해버린 지금 이 시대에는 기존 예술의 전복과 해체가 무의미하다는 것을 의미한다. 지금 이 시대의 예술은 '부정 능력을 상실하였기 때문'에 '부정은 더 이상 창조가 아니라 의례적인 반복'으로 전락하고, 우리는 지금 '현대 예술의 아이디어의 종말을 살고 있는 것'[44]이다.

아방가르드의 부정 정신의 상실과 아이디어의 종말에 대한 불안은 자연히 그것을 넘어설 수 있는 어떤 대안을 모색하게 한다. 현대시에서 아방가르드의 한계는 주로 언어와 시적 대상에 대한 인식을 통해 표출된다. 아방가르드 시인에게 언어는 자신의 존재성을 드러내는데 필수불가결한 것이다. 하지만 아방가르드 시인에게 언어는 전복하고 해체해야 할 대상이면서 동시에 새로운 생성과 창조의 대상이라는 점에서 그것은 양면성을 드러낸다. 기존의 언어에 대한 전복과 해체는 단순히 언어에 대한 회의를 넘어 그것의 존재 자체를 부정해버리는 극단적인 인식에까지 이른다. 모든 것을 언어의 차원에서 규정하려는 구조주의적인 인식을 거부하고 그것을 넘어서는 새로운 후기구조주의적인 인식을 드러낸다.

44 | 옥타비오 파스, 윤호병 옮김, 『낭만주의에서 아방-가르드까지의 현대시론』, 현대미학사, 1995, pp. 179~180.

이것은 아방가르드 시인들이 '언어의 영점화'를 추구한다는 것을 의미한다. 언어의 영점화는 언어를 존재의 집으로 보는 것이 아니라 어떠한 의미도 누빔점도 없이 끊임없이 미끄러져 내리는 텅 빈 기호로 간주한다는 것을 말한다.

이러한 언어의 영점화는 필연적으로 시적 대상에 대한 인식으로 이어질 수밖에 없다. 시적 대상을 상정한다는 것은 이미 그 안에 대상과 관련된 형상을 틀 짓는다型는 것을 의미한다. 이 형상이 언어를 통해 드러나면 그 언어는 일정한 구조화된 체계 속에서 기능하게 된다. 언어의 구조화된 체계는 이항 대립적인 차이 속에서 의미를 생산하고 세계를 규정한다. 시적 대상의 상정이 이러한 결과로 이어진다는 것은 언어의 해체를 위해서는 대상을 배제해야 한다는 것을 말한다. 시적 대상을 배제하면 남는 것은 언어 그 자체이며, 이때의 언어는 대상으로부터 자유로워지고 해방된 지위와 위치를 부여받는다. 대상으로부터 해방된 언어란 '나'라는 주체가 하나의 객체로서의 동일성을 상실한 것을 말하며, 그것은 곧 자아가 없다는 것에 다름 아니다.[45]

아방가르드 시인의 이러한 태도는 선의 논리와 밀접한 관계를 가진다. 선의 논리 역시 언어를 절대화하지 않는다. 선종의 4대 종지 중의 하나인 불립문자不立文字가 말해주듯이 언어는 진리에 이르기 위한 수단에 불과하다. 선가에서는 침묵 혹은 묵언수행이나 모순어법 같은 논리를 통해 언어의 초월을 강조하고 있다. 선어의 특성으로 이야기되는 '반상합도反常合道', '무한실상無限實相', '초월은유超越隱喩'[46] 등의 표현 형태가 바로 그것이다. 언어의 초월은 우주 만물의 존재를 고유한 자성을 지닌 하나의 대상으로 상정하면 이루어지지 않는다. 우주 만물의 존재는 무자성이라는 연기

45 | 이승훈, 「비대상(非對象)」, 『한국현대대표시론』, 태학사, 2000, pp. 197~212.
46 | 송준영, 앞의 글, p. 282.

緣起의 그물망으로 이루어져 있으며, 그것은 결코 단순한 동일성의 언어나 비유적인 언어로는 드러나지 않는다. 연기의 세계에서는 시적 주체의 마음이 중요한 것이다. 마음을 바로 보면 불성을 얻을 수 있다는 '직지인심 견성성불直旨人心 見性成佛'의 선적 논리는 이분법적인 구분과 구별의 해체를 지향하는 아방가르드적인 시의 논리를 연상시킨다.

아방가르드와 선은 여러 면에서 서로 유사성을 드러내기 때문에 적지 않은 사람들로부터 관심의 대상이 되어 온 것이 사실이다. 그중에서도 한국의 대표적인 아방가르드 시인으로 평가받고 있는 김춘수의 경우는 특별히 주목에 값한다. 한국의 현대 시인 중에 김춘수만큼 시의 존재 문제에 깊이 있게 천착한 이도 드물 것이다. 그는 '존재의 덧없음을 통해 말의 새로움을 발견'한다. 말은 '의미를 넘어서려고 할 때 스스로 부서지고 거기에 구멍이 뚫려 허무의 빛깔'을 내게 되는데 이것이 바로 '무의미'이다. 이런 점에서 볼 때 그가 말하는 무의미 시에는 '일정한 세계관'도, '대상에 대한 통일된 전망'을 의미하는 '이미지'도 없다고 할 수 있다.[47] 존재에 대한 덧없음 혹은 대상에 대한 회의를 통해 무의미 시의 경지를 개척한 그의 아방가르드 정신이 최종적으로 도달하려 한 것은 '허무라는 글자를 의식하지 않는 상태인 교외별전敎外別傳'의 세계이다.

그가 언급한 교외별전은 선종의 4대 종지 중의 하나이다. 교외별전이라는 말속에 담긴 시인의 의도는 '존재의 초월'로 규정할 수 있다. 류순태는 그의 이러한 초월을 1) 언어 전이에 의한 존재론적인 초월, 2) 절대적 심상에 의한 심미적 초월, 3) 대상 파괴에 의한 선적 초월 등으로 보고 있다.[48] 이 중에서 특히 주목의 대상이 되는 것은 3)이다. 그것은 아방가르

47 | 김춘수, 「의미에서 무의미까지」, 『김춘수 시론전집 I』, 현대문학, 2004, p. 537.

48 | 류순태, 「戰後 모더니즘 詩論에 나타난 '禪的 超越' 연구」, 『만해학보』 7호, 만해사상실천선양회, 2004. 3, pp. 173~196 참조.

드와 선에 대한 상세한 언급을 3)에서 하고 있기 때문이다. 3)의 내용은 김춘수의 시론인 「의미와 무의미」를 대상으로 하고 있다. 류순태는 김춘수의 무의미시론이 지향하는 바를 "염원이라는 것의 빛깔로 인식되는 무의 소용돌이로서의 리듬"이라고 전제한 뒤, 김춘수의 시적 초월은 "대상도 존재하지 않고, 그리하여 대상을 대하는 시인도 존재하지 않는 상태에서 이루어지는 것"[49]이라고 결론을 내린다. 하지만 그는 "대상이 해체되었을 때의 세계를 주체와 객체 사이의 구별이 사라진 세계"라고 하는 것에 대해 회의를 드러내 보인다. 이런 관점에서 그는 "비대상은 주체와 객체가 구별을 포용하면서 불이의 세계로 나아가려는 선적인 초월과는 어느 정도 거리가 있는 것은 아닐까?"[50]라고 조심스럽게 김춘수의 시적 초월을 조망한다.

그의 이러한 조망은 아방가르드와 선의 유사성은 물론 그 차이성을 드러낸 것이다. 선은 즉리양변卽離兩邊이다. 양변을 모두 떠나 중도를 지향하는 것이 바로 선이다. 이에 비해 김춘수의 시적 초월은 어느 한 변(대상)의 배제를 통해 이루어지기 때문에 즉리양변의 논리와는 차이가 있다. 즉리양변은 양변 모두의 배제가 아니라 그것을 모두 포괄하는 중도의 논리인 것이다. 여기에서 공空이 나오고 또 허虛가 나오는 것이다. 김춘수가 존재에 대한 덧없음, 곧 허무를 이야기했지만 그것은 깨달음의 세계를 지향하는 것이 아니라 미적이고 유희적인 세계를 지향한다고 할 수 있다. 그가 직접 대상의 소멸을 통해 탄생하는 무의미시의 예로 든 「처용단장 제2부 5」가 그것을 잘 말해준다.

불러다오.

49 | 류순태, 위의 글, p. 189.
50 | 류순태, 위의 글, p. 193.

멕시코는 어디 있는가,

사바다는 사바다, 멕시코는 어디 있는가,

사바다의 누이는 어디 있는가,

말더듬이 일자무식 사바다는 사바다,

멕시코는 어디 있는가,

사바다의 누이는 어디 있는가,

불러다오.

멕시코 옥수수는 어디 있는가.

-김춘수, 「처용단장 제2부 5」, 전문[51]

이 시에는 의미도 없고, 시적 대상도 또 자아도 없다. 여기에는 끝없이 반복되는 무의미한 리듬만이 존재할 뿐이다. 의미의 진공은 곧 허무의 세계를 드러내는 것이며, 그것은 어떤 깨달음으로 귀결되지 않는다. 그것은 '영원한 허무의 빛깔'을 띤다. 하지만 여기에서의 허무는 깨달음이 아니라 유희의 의미를 지닌다. 유희로서의 허무는 시인의 "말의 긴장된 장난 말고 우리에게 또 남아 있는 행위가 있을까?"[52]라는 고백 속에 잘 드러나 있다. 시인은 자신이 추구하는 비대상이나 무의미시의 궁극을 '말의 긴장된 장난'에 지나지 않는다고 봄으로써 미학주의자다운 입장을 견지하고 있다. 그가 겨냥하는 말의 긴장된 장난은 말을 통한 추상의 형식을 드러낸다. 내용이나 의미가 부재한 추상의 형식은 그 자체로 미적 세계를 반영한다. 그에게 있어서 말의 긴장된 장난은 어떤 실천적인 수행을 전제로 하지 않는다. 시쓰기가 실천적인 수행을 담보하려면 일상과 시의 경계가 해체되어야 한다. 일상이 곧 시가 되는 경지란 말의

51 | 김춘수, 『김춘수 시전집』, 현대문학, 2004, pp. 554~555.

52 | 김춘수, 위의 책, p. 539.

긴장된 장난의 세계가 아니라 그 긴장된 장난이 무화된 평상심의 세계라고 할 수 있다.

그러나 아방가르드와 선은 코드code의 차원에서는 다른 것이 아니다. 이와 관련하여 이승훈은 "시적 코드와 선적 코드는 선시를 예외로 하면 같은 것도 아니고 그렇다고 다른 것도 아니"[53]라고 말한다. 비록 "선시를 예외로 하면"이라는 단서를 달긴 했지만 그는 아방가르드와 선 사이의 유사성에 대해 깊은 관심을 드러낸다. 그는 아방가르드 시와 선 모두 "시적 코드를 위반하고 그것에 혼란을 주고 있다"고 본다. 그런 맥락에서 전위적이고 실험적인 아방가르드 시는 "선에 접근한다"[54]고 말한다. 선의 궁극이 깨달음에 있고 아방가르드 시의 궁극이 미적 유희에 있지만 그것은 모두 제도적이고 인위적인 틀이나 상투적인 인습으로부터 벗어나 자유와 해방을 지향한다는 점에서는 다르지 않다고 할 수 있다. 선에서의 자유와 해방은 마음과 그것의 실천적 수행을 통해서 얻어질 수 있는 것이고, 아방가르드 시에서의 자유와 해방은 철저한 자기 부정과 파괴를 통해 얻어질 수 있는 것이다. 다소 차이가 있어 보이지만 이 둘은 모두 자유와 해방을 위해서는 먼저 자기 자신을 탈각해야 한다는 공통점을 지닌다고 할 수 있다.

자기 자신에 대한 탈각은 망아忘我가 전제되어야 하며, 망아는 에고나 주체 중심의 미학에서 벗어나 새로운 융합, 회통, 만남을 기반으로 하는 미학을 성립시킨다. 아방가르드와 선이 서로 융합·회통하면서 성립되는 이러한 미학은 동양과 서양, 미학과 현실, 이론과 실천, 예술과 일상 사이의 경계를 해체하여 인식과 존재의 차원에서 보다 심오한 기대 지평을 그 안에 내재하고 있다고 할 수 있다. 아방가르드의 절망이 기술

53 | 이승훈, 『선과 기호학』, 한양대 출판부, 2005, p. 175.

54 | 이승훈, 위의 책, p. 161.

복제와 근대적인 양식에 대한 고갈 의식의 확산으로 인해 깊어지면서 새로운 미적 형식에 대한 탐색과 실천의 과정이 커다란 관심의 대상으로 떠오른 것이 사실이다. 흔히 '포스트모던' 혹은 '해체'라는 이름으로 전위적이고 실험적인 미학이 그 대안으로 부상하고는 있지만 그것이 드러내는 불확실하고 표피적인 세계는 불안을 심화시킬 뿐이다. 이런 맥락에서 볼 때 실존적인 깨달음 다시 말하면 해탈을 궁극으로 하는 선과 아방가르드의 만남은 하나의 존재론적인 사건이라고 해도 무방하다. 결국 아방가르드와 선은 불이의 관계를 유지하면서 현대시가 봉착한 실존의 위기를 넘어서는 어떤 가능성으로 존재한다고 할 수 있다.

3. 그로테스크 혹은 맨얼굴의 페르소나persona

– 황병승의 『여장남자 시코쿠』를 중심으로

1. 여장남자 시코쿠의 불안

황병승의 시는 그로테스크하다. 이것은 기본적으로 세계와의 부조화에서 비롯된다. 그의 시에 드러나는 세계는 질서와 조화와 안정을 통한 아름다움도 그것을 넘어서는 어떤 숭고함도 드러나지 않는다. 그의 시에는 기묘(기괴)하고 어둡고 끈적끈적한 불안과 공포가 애매모호하고 지루하게 늘어져 있다. 그의 이 애매모호하고 지루한 세계를 뚫고 들어가서 시의 흐름과 호흡한다는 것은 지독한 고문이며, 그 끝은 환상을 넘어 환멸이다. 그리고 이러한 환멸의 끝에서 우리는 시적 자아에 대해 증폭된 의문을 스스로에게 던진다.

우선 "여장남자 시코쿠"(『여장남자 시코쿠』)를 보자. "여장남자"는 성 정체성의 혼란을 표상한다. 외양은 남자인데 의식이나 취향은 여자인 "여장남자"의 성 정체성은 일종의 모순이자 아이러니이다. 한 몸 안에서 모순된 것들이 화해 불가능한 상태로 충돌하면서 세계는 일그러지고 소외의 양태를 띠게 된다. "여장남자"는 성 정체성의 차원에서 보통 남자와는 다른 모습일 뿐 자연스러운 것임에도 불구하고 다수에 의해 비정상적이고 자연스럽지 못한 것으로 인식되는 것이 사실이다. 특히 남성과 여성의 성 정체성을 구조화하고 제도화한 문명이나 문화 속에서는 더욱 그렇다.

인류 문명은 금기의 역사이다. 이 역사에서 "여장남자"는 문명의 적이 된다. 문명은 동일성의 사유와 구조적 실천을 통해서 발전해 왔다. 이런 맥락에서 보면 비동일성의 속성을 지닌 여장남자는 그 문명에 난 구멍이나 얼룩과 같은 것이 된다. 구멍이나 얼룩이 크면 클수록 문명은 그만큼 위협에 직면하게 된다. 자기보존을 위해 문명은 구멍이나 얼룩을 억압하고 은폐한다. 문명과 여기에 난 구멍이나 얼룩의 완충 형태로 존재하는 것이 바로 은유와 상징이다. 구멍과 얼룩의 보다 직접적이고 생경한 드러남에서 비롯되는 불안을 은유와 상징은 완화하고 감소시키는 역할을 한다. "여장남자"에서 "여장"은 이러한 은유와 상징에 대한 한 표상이다.

문명 속에서 남자의 여성성이 자연스럽게 받아들여진다면 굳이 "여장"을 할 필요가 없다. "여장"이라는 말속에는 이미 문명이 행사하는 권력에 대한 변형과 변장의 의미가 내포되어 있다. "여장"이라는 것을 전제해야만 문명으로부터 배제되지 않고 그 스스로의 존재성을 유지할 수 있는 것이다. "여장"은 문명 세계 속에서의 일종의 보호막과 같은 것이다. 맨얼굴이 아니라 가면일 때 존재성을 인정받는다는 것은 분명 모순이고 부조리한 것이다. 이러한 아이러니가 하나의 공공연한 보편성으로 인정되고 여기에 대해 침묵하거나 복종하는 태도를 보이는 것은 우스꽝스러운 것이라고 할 수 있다. 실제로 보아도 "여장남자"는 우스꽝스럽다. 그것이 진정성을 얻으려면 "여장", 다시 말하면 가면을 벗어야 한다. 여기에는 용기가 필요하다. 성적 소수자들이 자신의 성 정체성을 드러내는 행위인 '커밍아웃Comming Out'을 상기해 보라. 그것이 왜 하나의 선언이 되어야만 하는지를 이해한다면 여기에서 말하는 용기의 의미를 깨닫게 될 것이다.

2. 커밍아웃

"여장남자"인 시적 자아에게 커밍아웃은 여전히 트라우마의 다른 이름이다. 그는 자신의 존재에 대해 심한 자의식을 느낀다.

나의 진짜는 뒤통순가 봐요
당신은 나의 뒤에서 보다 진실해지죠
당신을 더 많이 알고 싶은 나는
얼굴을 맨바닥에 갈아버리고
뒤로 걸을까 봐요

나의 또 다른 진짜는 항문이에요
그러나 당신은 나의 항문이 도무지 혐오스럽고
당신을 더 많이 알고 싶은 나는
입술을 뜯어버리고
아껴줘요, 하며 빠끔빠끔 항문으로 말할까 봐요

- 황병승, 「커밍아웃」, 부분[55]

타인에 의해 보여지는 자신의 존재에 대한 혐오가 강하게 드러나 있다. 이것은 일차적으로 자신의 존재에 대한 분노이다. 하지만 그 분노는

55 | 황병승, 『여장남자 시코쿠』, 랜덤하우스코리아, 2005, p. 18.

자신보다 타인을 향하고 있다고 할 수 있다. 시적 자아는 자신의 "진짜는 뒤통수"나 "항문"이라고 말한다. 이 말속에는 자신에 대한 냉소가 아닌 진정성이 배어 있다. 자신에게 "뒤통수"나 "항문"은 진짜이고 진실인 것이다. 그런데 타인에게 그것은 가짜이고 거짓된 것으로 인식된다.

앞이나 뒤, 입이나 항문 중에서 진짜로 인식되는 것은 후자가 아니라 전자이다. 이 각각의 항은 편차가 아니라 격차로 인식되는 것이다. 전자가 중심이고 후자가 주변이면 후자는 어쩔 수 없이 전자의 논리에 의해 그 의미가 규정될 수밖에 없다. 뒤나 항문을 진짜로 인정하지 않는 세계에서 그것도 진짜라고 말할 수 있는 용기는 소수자로서 감내해야 하는 숙명 같은 것이다. 이것은 "뒤로 걷"고 "항문으로 말하"는 것으로 '앞으로 걷'고 '입으로 말하'는 데에 익숙한, 그것을 정상적인 것으로 인식하고 있는 사람들에게는 비정상적이고 기괴한 것으로 보일 수 있다.

그러나 "여장남자"의 변장이나 "커밍아웃"에서의 이러한 그로테스크함은 단순한 기묘함이나 기괴함을 말하는 것은 아니다. 그것은 기묘함이나 기괴함보다 좀 더 공격적이고 좀 더 위험스럽다고 할 수 있다. "여장남자"나 "커밍아웃"을 통해 우리가 체험하는 것은 아주 야릇하고 색다른 차원의 느낌 정도가 아니라 마음을 혼란시키고 흔드는 정서적인 충동이라고 할 수 있다. "여장남자"와 "커밍아웃"이 이런 충동을 불러일으키는 것은 그것이 관조적인 대상으로서만 존재하는 것이 아니라 보다 실질적인 참여의 대상으로서 존재하기 때문이다. 또한 그것은 우리와 멀리 떨어져 있는 세계에 있지 않고 바로 여기 우리 안에 있기 때문이다. "여장남자"와 "커밍아웃"은 우리가 배제하고 은폐한 그러나 소멸한 것이 아닌 바로 우리 문명의 구멍이고 얼룩인 것이다.

"여장남자"와 "커밍아웃"을 보면서 시적 자아는 문명의 이면에 도사리고 있는 문명의 야만 혹은 야만의 문명을 보는 것이다. 문명의 야만성이 강하게 드러날수록 그것이 가지는 허약성으로 인해 불안은 더욱 고조된다. 자신의 치부와 약점이 드러날 때 그것을 관조하고 대상화하기에 앞서 불안이라는 정서적인 동요가 일어나는 것은 어쩌면 당연한 것이라고 할 수 있다. 일정한 거리를 두고 외면하고 싶어도 무의식의 심층에서는 그 거리를 무화시키는 강한 충동이 무섭게 들끓고 있는 것이다. "여장남자"와 "커밍아웃"이 단순한 기묘함이나 기괴함을 넘어 그로테스크함을 강하게 드러낸다면 그 이유는 바로 여기에 있다고 할 수 있다.

그의 시에서의 그로테스크함은 기본적으로 문명의 불안에 비례한다. 어쩌면 인류의 역사는 이러한 불안의 역사라고 할 수 있다. 인류의 불안이 "여장남자"나 "커밍아웃"처럼 성 정체성을 통해 드러나기도 하지만 그것이 가장 잘 드러나는 것은 성과 죽음의 변주를 통해서이다. 성과 죽음은 문명을 일순간에 집어삼킬 수 있는 위험한 존재들이다. 문명은 성을 적절히 통제하고 관리하면서 발달해 왔지만 그것이 수위를 넘었을 때에는 일순간에 모든 것들을 황폐하게 하는 독으로 작용해 온 것이 사실이다. 죽음은 문명이 넘어설 수 없는 것으로 그것을 관리하고 통제하는 데에는 한계가 있다. 죽음은 니힐리즘으로 연결되면서 문명의 의미 자체를 무화시킬 수 있다.

문명의 과도한 억압이나 통제 속에서 성이나 죽음이 강렬하게 분출될 때에는 그것들이 심하게 뒤틀린다. 가령

> 늙은 나무들은 포기를 모르고 맹렬히 타올랐다
> 힙합 소년 j는 달콤한 가게의 구석방에서 창녀 셋과 뒤엉킨 채 숯불구이가 되었고
> 이소룡 청년은 차력사인 아버지를 때려눕히고 아비요! 교성을 지르며
> 늙은 남자의 항문에 쌍절곤을 쑤셔 박았다
> 죽음도 삶도 아닌 세계, 붉은 해초들이 피어오르는 환각 속에서

미스터 정키는 끝없이 헤엄쳐 나갔고
태양남자, 언덕 위에 누워 46억 년 만의 휴식처럼
*에로틱파괴어린*빌리지의 겨울을 내려다보았다

누가 만든 불일까, 잘 탄다

저팔계 여자는 순돈육 자지를 달고 불 속을 걸었다
- 황병승, 「에로틱파괴어린빌리지의 겨울」, 부분[56]

에서 "소년"과 "창녀", "아들"과 "아버지", "여자"와 "남자" 혹은 '인간'과 '동물' 사이의 위치 전도와 경계 해체를 통해 드러나는 성과 죽음은 몹시 뒤틀려 있다. 이 세계야말로 "에로틱 파괴어린" 가학의 세계인 것이다. 마치 카니발을 연상시키는 혼란과 혼돈이 있고, 그것은 그로테스크함이라는 풍경을 낳는다.

성과 죽음의 그로테스크한 변주는 실재The Real의 드러남이다. 상징의 질서가 전복되면서 드러나는 저 실재의 세계는 현실의 논리로 인식할 수 없는 "죽음도 삶도 아닌 세계, 붉은 해초들이 피어오르는 환각"의 세계이다. 경계나 환각은 현실의 논리로 인식할 수 없지만 현실과 전혀 무관한 세계를 의미하는 것은 아니다. 실재의 경계나 환각은 현실의 뒤틀린 세계를 반영하는 것으로 여기에는 늘 그 뒤틀린 만큼의 전복의 에너지가 은폐되어 있다. 견고한 현실, 다시 말하면 견고한 상징계의 질서를 교란하고 해체하는 힘은 현실을 벗어난 세계로부터 비롯되는 것이 아니라 바로 그 현실의 모순이나 부조리로부터 비롯된다고 할 수 있다.

56 | 황병승, 위의 책, p. 96.

이런 점에서 볼 때 현실에 난 구멍은 역설적으로 그 현실을 지속 가능하게 하는 힘이라고 할 수 있다. 구멍을 통해 현실의 모순과 부조리함이 실체를 드러내게 되고 그것이 하나의 틈으로 작용한다고 할 수 있다. 구멍을 통해 드러나는 환상이나 환각이 없으면 현실이 가지는 병적인 징후를 치유할 수 있는 존재론적인 차원의 가능성이 성립될 수 없기 때문이다. 환상이나 환각을 현실 원칙에 입각해 그것을 억압하거나 은폐하면 현실은 징후적인 세계를 온전하게 드러내지 않을 것이다. 징후적인 세계란 그 징후를 징후로써 바라볼 때 스스로의 존재성을 환상이나 환각의 형태로 드러내는 것이다.

3. 변장의 수사학 혹은 언어의 카니발

성과 죽음의 그로테스크한 환상이나 환각은 현실을 전복하는 힘인 동시에 그것을 또한 갱신하는 힘이라고 할 수 있다. 성과 죽음의 그로테스크함은 인간이 가지는 생래적인 본능이다. 인간이 어머니의 자궁을 열고 세상으로 나올 때 이미 그는 성과 죽음의 그로테스크함 속에 놓이게 되는 것이다. 아버지에 의해 어머니에 대한 욕망을 숨기고 그것을 변장 혹은 변형시킬 수밖에 없기 때문이다. 하지만 변장이나 변형에 의해 욕망은 온전히 숨겨지지 않는다. 인간은 본능적으로 금기를 깨려는 욕망을 가지고 있다.

> 해질 무렵 어머니가 엽총을 들고 돌아왔다 겁에 질린 아버지가 기다란 꼬리를 끌며 구석을 옮겨 다닐 때마다 미역 비린내가 코를 찔렀다 총을 가진 여자가 두려워 나는 이름도 얻지 못한 아이를 옷장 속에 처넣고 제길 제길 붉은 발자국들을 지웠다 어머니 어서 한 방

갈겨버리지 그래요 달도 꽉 찼는데 노란 방을 흔들며 나는 그렇게 떠들어대고 있었다 아버지가 지그재그로 날뛰었다 입 닥쳐 다음은 네 차례야 총구를 겨누고 있던 어머니가 소리치자 옷장 속에서 더벅머리의 벌거숭이 사내아이가 뛰쳐나왔다 놀란 어머니가 휘청거리며 방아쇠를 당기고 창문이 날아가고 화약 연기 속으로 부리나케 달아나는 아버지 우물쭈물하는 어머니에게서 총을 빼앗아 든 사내아이가 개머리판을 휘둘러대었다 이 에미 애비도 없는 자식 어머니가 방문을 박차고 아버지를 뒤쫓는 어둠 속 달이 기울고 있었다

– 황병승, 「벤치 스텝핑Bench Stepping」, 부분[57]

가족 로망스의 일장 활극이 리얼하게 전개되고 있는 시편이다. 이 활극의 주인공은 나와 아버지, 어머니 그리고 사내아이이다. 이때 나는 남자가 아니라 여자이다. 가족 로망스의 구도가 어머니에 대한 욕망이 아니라 아버지에 대한 욕망으로 이루어진다는 것을 의미한다. 나의 아버지에 대한 욕망의 산물이 바로 사내아이이다. 어머니의 분노의 실체가 여기에 있다. 나는 아버지에 대한 욕망을 숨기고 그것을 변장이나 변형을 통해 상징화한다는 일련의 금기를 위반하고 있다. 상징화가 가능하기 위해서는 근친상간의 욕망에 대한 금기가 지켜져야 한다. 하지만 그 금기는 나에 의해 깨진다. 금기를 어긴 나의 행위는 상징계 안에서는 처벌의 대상이 된다. 그것의 구체적인 징표가 '이름을 얻지 못한 아이'이다. 이름은 상징계로의 편입을 의미하는 일종의 징표이다.

상징계의 질서를 위반함으로써 가족 로망스는 안정되고 평화로운 풍경이 아닌 일장 활극이라는 불안정하고 무질서한 풍경을 연출하기에 이른다. 시에서 아버지에 대한 욕망은 "옷장 안에서 뛰쳐나온 사내아이"

57 | 황병승, 위의 책, pp. 78~79.

의 이미지로 제시된다. 마치 커밍아웃을 연상하게 하는 "사내아이"의 행위는 가족이라는 상징적 질서의 구도를 해체하는 강력한 동인으로 작용하고 있다. 상징계 안에서 이름을 얻지 못한 "사내아이"는 배제와 소외에서 오는 공포와 불안에 시달릴 수밖에 없다. 상징계 안에서 이름을 얻지 못한 "사내아이"는 제도와 구조에 순응하기보다는 그것이 가지는 모순과 부조리에 저항하려 할 것이다. 이 과정에서 "사내아이"는 정상적인 것이 아닌 비정상적인 것을 부각시킬 것이다. 비정상적인 것이 정상적인 것을 압도해버리면 세계는 그만큼 그로테스크한 특성을 띨 수밖에 없다.

상징계에서의 억압은 남성보다는 여성에게 더 크게 작용할 여지가 높다. 상징계란 아버지의 법에 의해 작동되는 남성적인 세계이기 때문이다. 「벤치 스텝핑Bench Stepping」이나 「시코쿠 만자이漫才」에서의 여성의 뒤틀린 욕망의 표출은 남성과 여성의 성 정체성을 여장남자라는 그로테스크한 이미지로 드러내는 것과 같은 맥락으로 이것은 상징계에서 배제되고 소외당한 자신의 존재성을 회복하려는 일종의 커밍아웃이라고 할 수 있다. 시 속의 여성 화자가 궁극적으로 겨냥하고 있는 것은 상징계의 질서를 해체하여 자신의 정체성을 새롭게 정립하는 것이다. 「시코쿠 만자이漫才」에서 시적 화자는

> (중략) 나는 페르나에 가요 … 페르나? … 페르나, 시계도 달력도 없고 아름다운 오빠들의 춤과 음악이 계속되는 … 거기 쌍둥이 빌딩 사이 주름치마 같은 돌계단을 따라 올라본 적 있나요? … 커다란 빌딩들이 쬐끄만 벌레 정도로 보일 때쯤 거기 페르나가 있어요 …
> 그곳에 도착하면 아저씨께 근사한 엽서를 보내드리지요 … 페르나, 처음 듣는 얘기로군 헌데 그곳엔 왜 가려는 게냐? … 울기 싫어서요 … 울기 싫어서? … 잠꼬대하기 싫어서요 … 잠꼬대? … 잠꼬대, 밤마

다 검은 노트를 펼치는 일 잊을 수 없는 페이지를 열고… 붉게 번진 입술의 오빠를 오빠 곁에서 들끓는 개들을 개들을 때려잡는 아버지를 … 나무 위에서 덤불 속에서 뜨문뜨문 읽어내는 일 싫어요 페르나에선 잠들지 않고 아무도 울지 않죠… 아저씨도 함께 갈래요? … 페르나? … 페르나… 나는 아파서 못가…

- 황병승, 「시코쿠 만자이漫才 — 페르나 편篇」, 부분[58]

라고 노래하고 있다. 나는 여성 화자이고, "페르나에 가"기를 욕망한다. "페르나"는 "시계도 달력도 없"고, "잠꼬대" 같은 것도 없는 세계이다. "시계"와 "달력"은 상징계의 효율성을 합리적이고 체계적으로 극대화하는 기제로 여기에 함몰되어 버리면 자신의 정체성을 찾을 수 없게 된다. 커밍아웃하듯 상징계 속으로 몸을 던진 다음 다시 그것을 넘어서는 또 다른 커밍아웃을 하는 일련의 과정이 전제될 때 정체성은 성립될 수 있는 것이다.

시적 화자는 억압이 없는 "페르나"의 세계를 꿈꾼다. 하지만 이것은 온전히 실현될 수 있는 성질의 것이 아니다. 억압이 없는, 다시 말하면 무의식이 없는 세계는 거의 불가능에 가까우며, 실제로 그것이 이루어진다고 하더라도 시적 화자가 꿈꾸는 이상적인 세계가 될 수 없을 것이다. "잠꼬대"가 없고, "잠들지 않고 아무도 울지 않"는 세계는 감각의 현현에서 오는 긴장과 이완의 즐거움이 부재하기 때문에 오히려 끔찍한 악몽이 될 수 있다. 이런 점에서 "너는 페르나 따위가 정말 있을 거라고 생각하니?"에 드러난 "페르나"에 대한 "아저씨"의 회의는 단순한 남성 중심주의적인 발언으로만 볼 수 없는 의미심장함이 내재해 있다고 할 수 있다.

이러한 사실은 그로테스크의 진정함이 이상적이거나 공상적인 것에

58 | 황병승, 위의 책, pp. 82~83.

있지 않고 우리의 당면 현실과의 관계 속에 있다는 것을 의미한다. 그로테스크함이 순간적인 기묘함의 차원에 있지 않고 현실과의 관계 속에 있기 때문에 끊임없이 우리의 삶의 양식과 문화적인 구조를 추동하는 문제적인 개념으로 존재할 수 있는 것이다. 만일 그로테스크에 대해 우리가 삐딱한 시선을 가지고 있다면 그것은 지극히 정상적이고 건강한 것만을 좇는 이성에 의해 이루어진 문명의 병적 징후를 드러내는 것이라고 할 수 있다. 그로테스크의 삐딱함은 병적 징후를 징후로 드러냄으로써 오히려 건강함과 정상적인 것을 추구하는 미적 전략으로 볼 수 있다.

4. 맨얼굴의 페르소나persona

황병승의 시가 드러내고 있는 퀴어queer의 세계는 우리 시대의 문명이나 문화가 내재한 징후를 징후로써 보여준 것이라고 할 수 있다. 그로테스크는 자연 속에서도 발견할 수 있는 세계이지만 그것이 본격적으로 하나의 양식으로 인식되기 시작한 것은 문명이나 문화가 복잡해지고 불투명한 전망을 쏟아낸 근대 이후라고 할 수 있다. 이 사실은 그로테스크함이 문명이나 문화, 특히 문화에 의해 인지되고 이해되는 근대 혹은 탈근대적인 사유와 상상의 양식이라는 것을 말해준다. 문화적인 감수성이 없다면 그 속에 은폐된 성이나 죽음을 통해 변주되는 그로테스크함의 세계를 제대로 드러낼 수 없다. 자연과는 달리 근대 이후의 문화는 실재와 가상이 뒤섞이면서 불투명하고 애매모호한 전망을 끊임없이 생산해 온 것이 사실이다.

전망의 불투명함 혹은 전망의 부재로 표상되는 시대에 그 문화가 내재한 복합한 징후를 징후로 드러냄으로써 시의 양식은 자연의 언어가 가지는 리듬이나 구조를 상실하기에 이른다. "여장남자 시코쿠"의 그로테스크함 속에 내재한 반자연적인 리듬이나 구조가 생래적으로 자연에 길들여진 우리를 거북하게 하고 또한 당혹스럽게 한다. 자연으로부터 멀어짐으로써 근대 이후 우리는 불안에 시달려 왔다. 그 불안은 고스란히 문화적 표상으로 존재하면서 시인들의 사유와 상상에 절대적인 지배소로 작용해 왔다. 특히 신세대의 새로움을 표방한 젊은 시인들의 경우 불안이 내재된 문화적 표상은 그 자체가 곧 시적 언어가 된다. 자연으로부터 점점 멀어지는 '지금, 여기'의 문화는 총체성의 좌표 상실로 인해 불투명하고 혼돈에 가득 찬 세계로 끊임없이 미끄러져 내릴 수밖에 없다. 그 불안에 대한 대안으로 다시 자연의 회복을 꿈꾸고 그것을 미래의 이상으로 제시한다. 하지만 그런 이상에 대한 열망이 불안을 사라지게 하는 것은 아니다. 불안이 견고하다면 그것을 즐기는 것도 그것을 넘어서는 한 방법이 될 것이다. "여장남자 시코쿠"의 미적 전략이 여기에 있다면 그의 시에서의 그로테스크함은 카니발리즘적인 특성을 지닌다고 할 수 있다. 이런 점에서 "여장남자 시코쿠"의 그로테스크함 이면에는 '지금. 여기' 우리 문명이나 문화의 맨얼굴이 은폐되어 있는 것이다. "여장남자 시코쿠"가 가지는 그로테스크한 매력이 바로 여기에 있다.

4. 아이덴티티, 놀이 그리고 21세기

– 박상순의 『*Love Adagio*』를 중심으로

1. 아이덴티티는 너무 20세기적이야

박상순의 『*Love Adagio*』라는 시집 제목이 매력적이다. 이 시인에게 의미 해석이 부질없다는 것을 알면서도 왠지 이 말을 한번 풀어보고 싶은 충동을 느낀다. "Love Adagio", 이 말이 시집의 표제라는 점에서 그것은 시인의 시적 태도 아닐까? "Love Adagio" 이 말을 "Adagio"를 "Love"하는 의미로 읽으면 어떨까? '천천히 매우 느린 것을 사랑한다 혹은 사랑하라'. 어떤 맥락도 없이 이 말을 접하면 그것은 뜬금없는, 그래서 아주 난해한 아포리즘 같은 것으로 들릴 것이다.

그러나 시 속의 다음과 같은 말,

> 아이덴티티는 너무 20세기적이야. 난 움직여. 움직이고 있다구.
>
> – 박상순, 「가수 김윤아」, 부분[59]

59 | 박상순, 『*Love Adagio*』, 민음사, 2004, p. 13.

를 접하면 이야기는 달라질 수 있다. 이 말은 독백적이다. 그런데 이 독백은 격한 형태를 띠고 있다. "난 움직여. 움직이고 있다구"에 함축된 의미가 바로 그것이다. 이 독백의 격함은 "아이덴티티"와 "움직임"이 서로 대립하면서 성립된 것으로 여기에는 시인의 강한 반성적인 태도가 함축되어 있다고 할 수 있다.

이 독백에서 시인이 강하게 부정하고 있는 것은 "아이덴티티"이다. 이것은 자기동일성에 대한 부정이다. 자기동일성은 에고 중심주의적인 것으로 이것은 곧 20세기적인 것이다. 에고 중심주의는 막강한 힘으로 20세기를 지배해 왔다. 하지만 그것이 오인의 구조를 가지고 있다는 인식은 이미 19세기에 있어 왔다. 단일한 '나'의 존재를 부정하면서 그것을 '에고', '슈퍼에고', '이드'로 인식한 프로이트가 바로 그 장본인이다.

그러나 프로이트 역시 '에고' 중심주의를 온전히 넘어서지 못했다. 그는 단일한 '나'의 존재를 부정했지만 '에고'를 중심으로 '슈퍼 에고'와 '이드'를 통합하는 한계를 노정하기에 이른다. 프로이트의 이러한 한계는 후기구조주의자인 라캉과 크리스테바에 의해 극복된다. 이들은 모두 고정되고 단일한 아이덴티티를 부정하고 있다. 이들이 겨냥하고 있는 아이덴티티는 끊임없이 고정화를 거부하는 복합적인 속성을 지닌다. 나는 내가 생각하지 않는 곳에서 존재하고, 또한 나는 내가 존재하지 않는 곳에서 생각하는 불완전하고 결핍된 존재이다. 이것은 나 자신이 채워지지 않는 구멍을 가진 존재라는 것을 의미한다.

구멍난 존재는 그 구멍을 채우기 위해 끊임없이 무엇인가를 욕망한다. 하지만 그 욕망은 신기루 같은 것이다. 그러기에 욕망은 기계처럼 작동한다. 모든 것을 탈영토화하는 욕망하는 기계의 상상력, 이것은 분명 20세기적인 것은 아니다. 어떤 목적도 없는 무한한 움직임만이 생산성을 담보하는 이 욕망하는 기계의 상상력은 '지금, 여기'의 실존의 한 풍경이다.

이런 점에서 볼 때 "아이덴티티는 너무 20세기적이야. 난 움직여. 움직이고 있다구"라는 말은 '지금, 여기'에 대한 시인의 강한 자의식과 함께 반성적인 형식을 드러낸다고 할 수 있다.

그동안 시인이 추구해온 시쓰기의 맥락에서 보면 이러한 태도는 그것이 타자를 향한 발언이 아니라 스스로에게 던지는 자기 성찰적인 발언임을 알 수 있다. 그의 시는 『6은 나무 7은 돌고래』와 『마라나, 포르노 만화의 여주인공』을 통해 알 수 있듯이 아이덴티티가 인식의 지배적인 구조로 자리하고 있는 20세기적인 것과는 차이가 있다. 이 시집의 시들은 하나같이 아이덴티티의 부정에서 비롯되는 시쓰기 주체의 움직임(욕망)을 보여주고 있다.

그의 시의 이 움직임은 균형 잡히고 안정된 언어 구조가 아름다움이라고 믿어온 보수적인 우리 시에 일정한 충격을 던지면서 신선한 파문을 불러일으킨 것이 사실이다. 하지만 기존의 것을 전복하고 해체하는 일은 단발적인 실험 행위로 그칠 위험성이 높다. 그것이 매너리즘에 빠지면, 그것은 보수적인 시가 드러내는 위험성보다 더 큰 불안을 내포할 수 있기 때문이다. 여기에 대한 자의식이 일급의 감수성을 지닌 그에게 하나의 불안 요인으로 작용하리라고 보는 것은 어렵지 않다. 그 자의식의 어두운 그림자를 우리는 『*Love Adagio*』에서 엿볼 수 있다.

이런 맥락에서 보면 『*Love Adagio*』는 시인의 시쓰기에 대한 반성적인 의미를 담고 있는 시편이라고 할 수 있다. 'Love Adagio'를 'Adagio'를 'Love'하는 의미로 읽으려는 의도가 여기에 있다. '천천히 매우 느린 것을 사랑한다 혹은 사랑하라'는 것은 지금까지 행한 자신의 시쓰기에 대해 '천천히 매우 느리게' 그것을 성찰하려는 시인의 태도가 반영된 것으로 볼 수 있다. 그것의 자의식적인 독백이 바로 "아이덴티티는 너무 20세기적이야. 난 움직여. 움직이고 있다구"이다.

이 독백이야말로 그의 시쓰기를 관통하는 정언명제이다. 이 명제는

20세기적인 아이덴티티를 가로지르는 해체적인 움직임 곧 욕망에 다름 아니다. 그의 이러한 욕망은 자신의 아이덴티티를 해체하는 일로부터 시작된다. 그것은

> 이제 나는 유리병, 동 파이프, 고무 벌레, 붉은 벽돌, 거미줄, 안개, 비상구, 접시, 세탁소, 푸른 항구, 불난 집, 가방, 끈 떨어진 꾸러미, 자동차, 사라진 구름, 발, 발, 발, 밤, 밤, 밤.
>
> – 박상순, 「빨리 걷다」, 전문[60]

의 형식 속에 내재해 있다. 이 시의 내용은 "나"에 대한 진술이다. '나는 무엇이다' 그것에 대한 무한수열적인 진술이 바로 그것이다. 하지만 여기에서 정작 중요한 것은 그 진술의 형식이 환유성을 드러낸다는 점이다. 이 형식 속에서의 "나"는 비동일성의 존재인 것이다. 이것은 결국 "나"의 분열 또는 '나는 없다'라는 의미를 반영한다.

'나는 없다'는 "나"의 아이덴티티의 해체를 말한다. 그것은 시에서 "나"의 존재가 기의가 부재한 기표로 표상된다는 것을 의미한다. "나"의 존재가 기의로 고정되어 있지 않기 때문에 "나"는 자유롭게 떠돌 수밖에 없다. 이런 점에서 "나"는 자유롭게 미지의 세계를 탈영토화하는 떠도는 기표인 것이다.

시인은 이 환유의 세계를 「물 위로 굴러 가는 토마토」와 「물 위의 암스테르담」에서 유니크하게 노래하고 있다. 우선 시제詩題가 그렇다. "물 위로 굴러 가는 토마토" 혹은 "물 위의 암스테르담"이 환기하는 세계가 유니크하다. 이 세계의 의미역은 "토마토"와 "암스테르담"에 있지 않다. 이것들은 하나의 기표에 불과하다. 우리가 상상하는 현실의 "토마

60 | 박상순, 위의 책, p. 11.

토"와 "암스테르담"은 여기에서는 부재하다. 그것은

물 위로 굴러 가는 토마토
굴러도 빠지지 않는 토마토

- 박상순, 「물 위로 굴러 가는 토마토」, 부분[61]

에서처럼 그저 "굴러 가는" 것이 목적인 것이다. "토마토"의 이 목적성은 무목적의 목적인 것이다. 그것은 시에서 "있고"와 "익고"를 통해 드러난다.

바다에
물속에

집이 있고 밭이 있고
옛날옛날 멀고도 아주 먼 옛날의

이야기가 있고, 이야기책이 있고
길이 있고, 하늘이 익고

초록빛 토마토가 붉게 익어도

물 위로 굴러 가는 토마토
나의 토마토

- 박상순, 「물 위로 굴러 가는 토마토」, 부분[62]

61 | 박상순, 위의 책, p. 38.

시에서의 "있고"는 정말로 실재하는 의미 있는 '있다'가 아니라 무의미한 '있다'이다. 따라서 이 '있다'는 "익고"로 대체해도 무방하다. 여기에서의 "익고"는 하나의 기표에 불과하다. "있고" 역시 마찬가지이다. "있고"도 그 소리는 "익고"로 난다. 이런 점에서 볼 때 "있고"는 '없고' 혹은 '없다'와 다른 것이 아니다.

「물 위로 굴러 가는 토마토」에 드러난 "있고"의 이러한 양태는 「물 위의 암스테르담」에 와서는 더욱 전면적으로 드러난다.

> 물 위의 암스테르담
> 아직 열세 살인 너희들의 엄마가 있고
> 아직 아홉 살인 너희들의 아빠가 있고
> 죽은 기린이 있고, 죽은 코끼리가 있고, 죽은 앵무새가 있고
>
> 죽어서도 어여쁜, 꽃들이 있고
> 죽어서도 떠다니는 연인들의 벌거벗은 몸이 있고
>
> (중략)
>
> 지옥이 있고, 천국이 있고, 아빠가 만든 사람이 있고,
> 아빠가 무너뜨린 사람이 있고
> 아직 스무 살인 엄마가 있고, 아직 마흔 살인 엄마가 있고
>
> – 박상순, 「물 위의 암스테르담」, 부분[63]

62 | 박상순, 위의 책, p. 38.
63 | 박상순, 위의 책, pp. 39~40.

"물 위의 암스테르담"에는 '모든 것들이 다 있다'고 시인은 노래하고 있다. 하지만 시인이 예각적으로 드러내려고 하는 것은 '모든 것들'이 아니라 "있고"이다. 그것은 마치 "있고"의 카니발 같다. "있고"의 전경화는 곧 '없다'의 강렬한 환기로 드러난다. "있고" 혹은 '있다'가 강하게 드러나면 날수록 '없다'의 실존적인 모습 또한 뚜렷이 환기되기에 이른다.

이런 점에서 그의 시에 드러나는 "있고"는 현존하는 부재 혹은 부재하는 현존을 지시한다고 할 수 있다. "물 위의 암스테르담"은 부재하면서 현존하는 거대한 세계의 존재 양태를 표상한다. "암스테르담"은 하나의 기표이다. 이 기표는 "물 위"를 끊임없이 떠돌 수밖에 없다. "암스테르담"이라는 기표는 "물"처럼 끊임없이 세계를 탈영토화하면서 떠돈다. 세계의 부재와 현존의 교차와 재교차가 이루어지는 것이다. 이러한 과정을 통해 드러나는 것은 해체적인 상상력이며, 이것이 궁극적으로 겨냥하고 있는 것은 자유로움이다.

시인의 이 자유로움은 기의에 고정되지 않고 끊임없이 떠도는 기표를 통해 드러나지만 그것의 보다 본질적인 원인은 주체의 자기동일성의 해체에서 기인한다고 볼 수 있다. 주체의 자기동일성의 해체란 세계의 억압 구조로부터 주체를 해방하는 것을 의미한다. 주체, 다시 말하면 시쓰기 주체의 억압은 언어 구조에서 기인하며, 따라서 그것으로부터 해방되는 길은 기존의 정형화된 언어 구조를 해체하는 것이다. 이것의 해체는 시에서 시쓰기 주체가 기존의 언어 구조 내에서 세계를 의미화하는 것이 아니라 자신이 스스로 세계를 의미화하는 행위를 통해 실현한다.

첫 번째는 그녀의 이름, 두 번째는 나의 눈, 세 번째는 생각,

네 번째는 나에게 오는 밤, 다섯 번째는 별,
여섯 번째는 눈물, 일곱 번째는 바다, 여덟 번째는 그녀의 여름,
아홉 번째는 벌레들. 첫 번째는 그녀의 이름, 두 번째는 나의 눈,
세 번째는 생각, 네 번째는 나에게 오는 밤,
다섯 번째는 별, 사로잡힌 별.

– 박상순, 「일주일에 세 번」, 부분[64]

시인은 직접 대상에게 이름을 부여한다. 이 명명법은 존재론적이지만 그것은 대상과 이름 사이의 명명이 어떤 필연성으로 연결되어 있지 않고 전혀 우연적인, 기존의 언어 구조가 완전히 해체된 상태에서 이루어지고 있다는 점에서 탈구조주의적이라고 할 수 있다. 시인의 명명이 철저하게 탈구조적이라는 사실은 그것이 다른 무엇보다도 세계에 대한 상투성의 파괴라는 미적 효과를 창출하고 있다는 것을 의미한다.

시쓰기 주체가 세계에 대해 지배적인 언어 구조로부터 벗어나 직접 자신의 방식대로 세계를 구조화한다는 것은 '즐거움pleasure'을 넘어 '즐김jouissance'의 차원에서 시를 이해하고 있다는 것을 말해준다. 즐김의 텍스트는 우리에게 유익한 지식을 제공하여 자아를 강화시켜 안정과 균형감각에서 오는 즐거움을 제공하지 않는다. 이 텍스트는 자아의 강화보다는 일정한 모험과 여기에서 오는 불안으로 인해 자아의 상실을 체험하게 한다. 하지만 이 불안은 시쓰기 주체가 스스로 텍스트 생산에 참여함으로써 생기는 것이기 때문에 그 자체가 하나의 의미 있는 사건이라고 할 수 있다.

64 | 박상순, 위의 책, p. 80.

2. 놀이와의 놀이는 슬픈 상처의 시다

박상순의 시 읽기는 아주 어렵거나 아주 쉽다. 그의 시에서 의미를 찾으려고 한다면 그것만큼 고통스러운 것도 없을 것이다. 의미론적인 시 읽기에 익숙한 사람들에게 그의 시는 소통 불능의 괴물이거나 자신의 해석 능력 밖에 존재하는 신포도일 수 있는 것이다. 이것은 시인의 탓이 아니다. 의미론적인 해석에 대한 강박관념을 버리고 그의 시를 읽어보라. 그러면 어떤 시보다도 재미있게 그의 시를 체험하게 될 것이다. 그의 시는 심오한 철학(진리)이나 인생의 의미 같은 즐거움을 체험하게 하는 텍스트가 아니라 그것을 해체하고 즐기는 일종의 '놀이로서의 텍스트'이다.

새벽 다섯시
다섯 식구가 둘러앉아
밥먹는 놀이를 한다

아빠 A가 한 개 먹고
내 폭탄 아직 안 터졌어
아빠 B가 한 개 더 먹고
내 밥도 아직 안 터졌어
아빠 C가 또 먹으며
내 밥도 폭탄이야
아빠 D도 아빠 E도
내 폭탄도, 내 폭탄도

– 박상순, 「불멸」, 부분[65]

이 시는 현실로부터 자유롭다. 이것은 이 텍스트가 현실적인 억압의 논리로부터 벗어나 텍스트 그 자체의 논리를 가진다는 것을 의미한다. 현실이 텍스트로 대체되면서 자유로운 놀이는 시작되는 것이다. “아빠 A”에서 “아빠 B”로, “아빠 B”에서 “아빠 C”로, “C”에서 “D”로, “D”에서 “E”로 끊임없이 미끄러져 내리는 이 놀이는 처음과 끝, 안과 밖이 없다. 이런 점에서 그의 놀이는 “불멸”을 겨냥한다고 할 수 있다.

텍스트의 자율성이 강화될수록 시적 주체의 상상과 표현은 미적인 아방가르드 혹은 미적인 아나키즘을 강하게 드러낼 수밖에 없다. 미적인 변증법의 차원에서 보면 그의 텍스트는 기존의 시적인 질서에 대한 전복이고 해체이다. 이러한 전복과 해체는 자아의 강화보다는 자아의 상실과 관련된다. 따라서 기존의 시적 질서에 익숙한 독자는 그의 텍스트에서 불안함과 불쾌함, 그리고 불편함을 체험하게 된다. 근대 이후 우리의 시적 체험은 이것을 자연스럽게 받아들일 만한 전통이라고 할 만한 것이 거의 없다. 시에 대한 보수적인 사고가 주류를 형성하면서 이런 식의 텍스트를 배제하고 소외시켜온 것이 사실이다. 아방가르드적인 텍스트는 해체의 시대라고 하는 ‘지금, 여기’에서도 이상한 것, 예외적인 것, 특이한 것의 범주 안에서 인식되고 있다. 그의 시에 대한 이런 식의 인식은 우리를 세계에 대한 고정관념과 상투성의 굴레로부터 벗어나지 못하게 한다. 미학적인 것을 지향하는 시인에게 이보다 더 치명적인 것은 없을 것이다.

「바빌로니아의 공중정원」(이하 「바빌로니아」)은 무의식적이다. 그러나 무의식이라고 해서 모두 같은 것은 아니다. 그의 시에 드러난 무의식은 현실의 논리와 연결되어 있지 않다. 현실의 논리가 배제되고 부정된 채 그의 시의 무의식은 발현된다. 이것은 그의 무의식이 한결 세계와의

65 | 박상순, 『마라나, 포르노 만화의 여주인공』, 세계사, 1996, p. 20.

인과성으로부터 자유로울 수 있다는 것을 의미한다. (물론 이 자유가 과도해지면 소통 불가라는 난해함으로 빠질 수 있는 위험성이 없는 것은 아니지만.)

그의 무의식의 중심에는 유년기의 트라우마가 놓이며, 이것은 그의 시에서 "풀밭"의 상징으로 드러난다. 「양 세 마리에서」의 "풀밭"이 그렇고, 「바빌로니아」에서의 "풀밭"이 또한 그러하다. 왜, "풀밭"인가? 앞의 시에서는 "양"과의 연관 속에서 그것을 해석할 수 있고, 뒤의 시에서는 그것을 "피아노"와의 연관 속에서 해석할 수 있을 것이다. "풀밭"이 유년의 상처를 암시한다면 여기에서의 "양 세 마리"는 '시적 자아의 상처를 보호하는 것'[66]으로 볼 수 있을 것이다. 그렇다면 "피아노"를 어떻게 해석할 수 있을까?

> 머리가 크고 배가 불룩 튀어나온 소년들이 오래된 야마하 피아노 한 대를 공중으로 옮기고 있다. 공중의 풀밭에 피아노가 옮겨진다. 나와 같은 또래로 보이는 소녀가 키 큰 화초 위에 앉는다. 피아노의 페달을 밟으며 어깨의 힘을 이용해 건반을 누른다.
>
> 나는 한편에 앉아 피아노 소리를 듣는다. 머리가 크고 배가 불룩 나온 소년들이 노래를 부르기 시작하지만 노래는 들리지 않는다. 피아노를 치는 그녀는 한 소절이 다할 때마다 한 번씩 옆으로 고개를 돌린다. 소년들은 반대편에 서 있다.
>
> \- 박상순, 「바빌로니아의 공중정원」, 부분[67]

이 시에서의 "피아노"는 "소년"과 "소녀" 그리고 "나"의 삼각관계를

66 | 이승훈, 「읽기, 망각, 몇 번이나 읽는가?」, 『문학사상』 1996년 4월호.
67 | 박상순, 『*Love Adagio*』, 민음사, 2004, p. 41.

통해 해명할 수 있다. 이것은 양 세 마리의 변형으로 볼 수 있을 것이다. 양 세 마리 중에서 한 마리가 소외되듯이 이 시에서는 "나"가 "소년"과 "소녀"로부터 소외된다. "나"는 "소녀"의 "피아노 소리"는 듣지만 "소년들"의 "노래" 소리는 듣지 못하며, "소녀"는 한 소절이 다할 때마다 "소년들" 쪽으로 고개를 돌림으로써 "나"를 소외시킨다. "소녀"가 피아노를 연주하면 할수록 "나"는 점점 소외되는 것이다. 따라서 "피아노"의 연주가 환기하는 것은 일종의 놀이라고 할 수 있다. 이런 점에서 "피아노"는 시적 자아의 유년의 상처와 그것을 들추어내 하나의 놀이로 이끌어 내는 데 적절한 질료라고 할 수 있을 것이다.

「바빌로니아」에 드러나는 이러한 놀이는 「아주 오래된 숲에 대하여」에서도 그대로 반복된다. "풀밭"과 여기에 누군가가 기르다 버린 "집토끼 한 마리"(「바빌로니아」에서 소외된 "나")가 바로 그것을 말해준다. 다만 「바빌로니아」의 놀이가 "피아노"와 그 "소리"를 통해 이루어진다면 여기에서는 그것이 "숲"을 통해 이루어진다. '피아노 소리(연주)'의 연속이 놀이의 연속을 드러내듯이 '숲과 그것의 썩고 녹고 깊은 것'의 연속이 또한 놀이의 연속을 드러낸다고 할 수 있다.

> 여름 강변에 앉아 우리는 칸트에 대해 이야기한다.
> 사실은 아주 커다란 숲에 대해 이야기한다.
>
> 여름 강변에서
> 이미 오래전에 죽은 칸트가 우리들의 이야기를 듣는다.
> 유령 칸트가 그의 낡은 가방에서 비닐봉지를 꺼내 우리에게 던진다.
> 서둘러 우리는 발목을 하나씩 잘라 그의 봉지에 넣어 주고
> 다시 이야기를 시작한다.
> 풀밭에

누군가가 기르다 버린 집토끼 한 마리가 죽고, 썩어,
아이스크림처럼 녹는다. 옆에서 칸트가 아이스크림을 먹는다.
우리는 토끼의 유령에 대해서도 이야기한다.
하지만 사실은 아주 오래된 숲에 대해 이야기한다.
낡은 가방을 멘 유령 칸트가 옆에서 우리들의 이야기를 듣는다.

그동안
무거운 모자를 쓴 경찰관이 오토바이를 타고 순찰을 돈다.
초여름의 강변이 아름다운 연인들로 빛난다.
그 사이로 낡은 가방을 멘 중년 하나가
토끼 같은 소녀의 손을 잡고 다리 밑 물가로 내려간다.
오토바이를 탄 경찰관이 그의 가방을 주시한다.
아름다운 연인들은 소녀를 바라본다.
강변에서 중년이 소녀의 몸을 들어올린다.

(중략)

아주 오래된 깊은 숲에 대하여 이야기한다.

- 박상순, 「아주 오래된 숲에 대하여」, 부분[68]

이 시에서의 놀이는 "아주 오래된 숲"에 대하여 이야기하는 것과 등가 관계에 놓인다. 이때 "숲"은 욕망의 미끼이며, 이것으로 인해 이야기(놀이)가 계속되는 것이다. "유령 칸트의 낡은 가방→썩은 집토끼→소녀의 몸→오래된 깊은 숲"으로 이어지는 환유의 구조가 바로 그것이다.

68 | 박상순, 위의 책, pp. 59~60.

특히 다른 어떤 것보다 "썩고", "녹는" 그리고 "오래된 깊은" 등이 환기하는 어둠과 무의식으로써의 "숲"은 강력한 욕망의 메타포라고 할 수 있다. 이 사실은 시적 자아가 "아주 오래된 숲"에 대하여 이야기하고 있지만 그것이 내포하고 있는 유년이나 성장 과정의 상처란 결코 쉽게 지워지지 않을 아주 생생한 것임을 말해준다.

이러한 놀이의 구조는 「섬」과 「봄밤」에서도 드러난다. 먼저 「섬」을 보자. 「섬」 역시 시적 자아의 유년 혹은 성장 과정의 상처가 드러나 있다.

> 한
> 여름
> 밤
> 내 허리에서 흘러나온 불빛이 가느다란 띠가 되어
> 강물이 되어
> 아래로
> 흘러내리는
> 한
> 여름
> 밤
> 내 허리에서 자꾸 쏟아지는 모래알들이 불빛이 되어
> 뿌리 없는 나무가 되어
> 내게로
> 다시 덮쳐오는
> 한 여름
> 밤 또는 낮 또는
> 밤

내가 지난날 작별을 고했던
할머니와 소녀들과 어머니들과 누이들과 여름 과일들까지도 모두
벌거벗은 병사가 되어 일제히
자리에서 일어났다

– 박상순, 「섬」, 전문[69]

시적 자아의 유년에 대한 상처는 "내 허리에서 흘러나온 불빛", "가느다란 띠", "강물", "모래알", "뿌리 없는 나무", "벌거벗은 병사" 등의 질료를 통해 드러난다. "한 여름 밤(낮)"을 표상하고 있는 이 질료들은 모두가 "나"를 고립시키고 소외시킨다. 이것들은 내게로 흘러내리고, 덮쳐오며, 일제히 일어나 다가온다. 이것들이 내게 옴으로써 잊힌 상처가 다시 되살아나게 된다.("내가 지난날 작별을 고했던 / 할머니와 소녀들과 어머니들과 누이들과 여름 과일 / 들까지도 모두 / 벌거벗은 병사가 되어 일제히 / 자리에서 일어났다"를 상기해보라. "나"는 지금 이들 혹은 이것들과 분리되어 있었으며, 다시 그것이 "벌거벗은 병사"가 되어 나타난다는 것은 잊힌 상처를 덧나게 하는 것으로 볼 수 있다. "벌거벗은 병사"의 이미지란 나의 상처에 대한 자의식이 투사된 말이라고 할 수 있다.) 시적 자아인 "나"는 하나의 상처받은 "섬"이다. 세계로부터 고립되고 소외된 "섬", 그 외로운 "섬"에서 시적 자아인 "나"는 유희를 즐긴다.

시인은 「봄밤」에서 "어두운 골목길에 떨어져 / 끝까지 움직이는 // 한쪽 팔"[70]이라고 노래하고 있다. 여기에서 "어두운 골목길"은 "숲"의 변주로 볼 수 있다. 이 무의식의 장에 "한쪽 팔이 떨어졌다"는 것은 시적 자아의 분열된 양상이 투사된 것이며, 그것이 "끝까지 움직인"다는 것은 자아 혹은 주체의 결핍이 끊임없이 미끄러지는 환유의 구조를 가진다는 것을 의미한다. "봄밤"의 서정성과 낭만성이 제거된, 세계가 자아를 집어

69 | 박상순, 위의 책, pp. 55~56
70 | 박상순, 위의 책, p. 45.

삼키는 그런 무서운 시편이라고 할 수 있다. 이것이 그의 시가 가지는 미적인 특성, 다시 말하면 미적 현대성의 한 모습인 것이다.

시적 자아가 체험한 상처와의 놀이를 가장 선명하게 보여주고 있는 시편은 「의사 K와 함께」이다. 이 시의 기본 구조 역시 「바빌로니아」, 「아주 오래된 숲에 대하여」, 「섬」, 「봄밤」과 다르지 않다. 시인은 "의사 K"의 "옷장"에서 "놀이공원 지도"를 발견한다. "풀밭(숲)"과 "어두운 골목길"이 다시 "옷장"으로 변주되고 있음을 알 수 있다. 그 "옷장"에 있는 "놀이공원 지도"는 환유의 지도이다. 여기에는 "롤러코스터 → 휴게소 → 작은 광장 → 매표소 → 분수 → 징검다리 → 유령의 집 → 전망대"로 이어지는 환유의 구조가 있다. 따라서 "내"가 "옷장"에서 "놀이공원 지도"를 발견한다는 것은 곧 유년기 혹은 성장 과정에서 체험한 상처 속으로 끊임없이 미끄러져 내린다는 것을 의미한다.

그러나 이러한 구도에서 우리가 간과하지 말아야 할 것은 "옷장"이 "의사 K"의 것이라는 점이다. 이 사실은 그가 상처("옷장")받은 존재라는 것을 의미한다. 그렇다면 "나"는 누구인가. "나"는 "옷장"을 훔쳐보는 자이다. "나"는 "의사 K"가 나가면 "옷장"에서 새로 바뀌는 "놀이공원 지도"를 훔쳐본다. 이것은 상처에 대한 "나"의 바라봄이다. "의사 K"가 유년이나 혹은 삶의 성장 과정으로서의 상처를 상징하는 "옷장"의 주인이고 "나"는 그것을 바라보는 자라면, "의사 K"는 상처받은 또 다른 "나"라고 할 수 있을 것이다. 유년이나 삶의 성장 과정으로서의 "나"와 그것을 바라보는 "나", 이 둘은 언제나 어긋나 있다.

> 전에도 의사 K는
> 어떤 긴급한 전화를 받고
> 오늘처럼 밖으로 나갔습니다.
> K는 훌륭한 의사입니다.

그때도 나는 K의 옷장에서
놀이공원 지도를 보았습니다.

(중략)

그런데 오늘 또
의사 K의 옷장에서
새로 바뀐 놀이공원 지도를
발견했습니다.

의사 K는 나의 오랜 친구입니다.
내가 그를 찾아가면 꼭
긴급한 전화가 옵니다.
K는 참 바쁜 의사입니다.

그가 나가면
옷장 문이 또 이렇게
열려있게 됩니다.

(중략)

의사 K는 지금 내가 알지 못하는
어떤 긴급한 전화를 받고
밖으로 나갔습니다.

나는 지도를 보며 K를 기다립니다.
의사 K는 나의 오랜 친구입니다.
놀이공원에는 절대로 가지 않을 겁니다.

– 박상순, 「의사 K와 함께」, 부분[71]

유년이나 삶의 성장 과정으로서의 "나"("의사 K")와 그것을 바라보는 "나" 사이의 어긋남이 이 시의 놀이를 이끌어 간다. 이 시에서 "의사 K"와 "나"는 만날 수 없기 때문에 의미들은 끊임없이 지연된다. 이것은 "나"의 욕망의 끊임없는 지속을 의미한다. "의사 K"와 "나"의 관계가 어긋나 있다는 것은 "내"가 결핍된 존재라는 것을 의미한다. "나"의 결핍은 욕망을 낳고, 그 욕망은 끊임없는 환유의 구조를 생산하는 것 아닌가.

이처럼 상처는 유년이나 삶의 과정으로서의 "나"와 그것을 바라보는 "나" 사이의 어긋남을 통해 드러나기도 하지만, 그것은 또한 "놀이공원에는 절대로 가지 않을 겁니다"라는 언술을 통해서도 드러난다. "의사 K"와 "나"는 "놀이공원"에는 절대로 가지 않을 것이라고 말해놓고도 이들은 끊임없이 "놀이공원의 지도"를 욕망한다. 유년의 상처 속으로 빠져들고 싶지 않다고 말하고 있지만 이들은 이미 그 속으로 빠져들고 있는 것이다. 이것은 마치 외적으로는 자신이 욕망하고 있다는 것을 모르거나 혹은 부정하면서도 이미 자신은 그 욕망의 회로 속에 놓여 있는 것을 말해준다. 그래서 욕망은 늘 '타자의 욕망'인 것이다. 이것의 적절한 예로 권택영 교수는 폴란드인과 유태인의 일화를 제시하고 있다. '어느 날 폴란드인이 유태인에게 장사하는 비법을 가르쳐 달라고 하자 유태인은 공짜로는 안 된다고 하면서 돈을 요구한다. 하지만 유태인은 곧바로 그 비법을 알려 주지 않고 이상한 말만 잔뜩 늘어놓는다. 이에 화가 난 폴란드인이

71 | 박상순, 위의 책, pp. 74~77.

언제 그 비법을 가르쳐 주냐고 따지자 다시 돈을 요구한다. 돈을 받고도 유태인은 종전처럼 이상한 말만 계속한다. 이에 폴란드인이 비법은 무슨 비법이야 이런 식으로 돈을 몽땅 털어 내는 것 아니냐고 하자 유태인은 태연하게 자 이제 아시겠소 그것이 바로 비법이요라고 말했다'[72]고 한다. 이 일화를 통해 알 수 있는 것은 유태인의 욕망이 곧 폴란드인의 욕망이라는 점이다. 유태인이 폴란드인의 욕망을 읽어낸 것이고, 그 욕망을 이용해 돈을 버는 비법을 제시한 것이다. 이런 점에서 유태인의 욕망은 곧 폴란드인, 다시 말하면 타자의 욕망이 되는 것이다.

「철근 한 묶음」 역시 상처의 세계를 노래하고 있다. 그것이 꼭 유년기나 성장 과정의 상처라고 말할 수는 없지만 "자욱한 물안개"와 "바다 속", 그리고 "가라앉는"과 "햇볕에 달구어진 철근" 등이 환기하는 이미지를 통해 볼 때 이 시에는 시적 자아의 어두운 내면의 상처가 환각(환상)의 형태로 투사되어 있다고 할 수 있다.

> 놀이터 반쪽을 가로막고 천막이 섰다. 철근을 실은 트럭이 왔다. 한 사람이 내렸다. 철근 한 묶음이 짐칸 옆으로 비스듬히 내려질 동안, 천막에서 두 사람이 나왔다. 기다란 철근 묶음을 어깨에 멨다. 앞에 선 사람은 천막 쪽으로, 뒤에 선 사람은 반대쪽으로 어깨 위에 철근을 올렸다. 두 사람의 어깨에 대각선으로 길게 얹힌 철근 묶음이 출렁거렸다.
>
> 꽃밭을 돌면서 앞 사람이 주춤댔다. 철근은 더 크게 출렁거렸다. 뒷사람은 정지했다. 대수롭지 않은 듯 앞사람이 다시 꽃밭의 모퉁이를

72 | 권택영, 「대중문화를 통해 라깡을 이해하기」, 『현대시사상』 1994년 여름호, 고려원, p. 94.

돌았다. 그동안 뒷사람은 옆으로 조금씩 꽃게처럼 움직였다. 다시 두 사람이 똑바로 나아갔다. 천막 옆 빈 자리에 철근을 내렸다. 두 사람은 다시 꽃밭을 돌아 트럭으로 돌아오고 있었다. 트럭에서 내렸던 첫째 사람은 여전히, 나머지 한 묶음을 비스듬히 세우고 철근처럼 트럭 앞에 멈춰 서 있었다.

그때 나는 15층 아파트의 10층 베란다에 서서 손가락 끝에 담배를 끼운 채 좌우로 출렁이고 있었다. 내 손가락 끝에서 보글거리는 게들이 빠져나갔고, 손톱 밑으로 조개들이 몰려왔고, 갯벌이 조금씩 짧아지기 시작했고, 십 미터도 안 되는 리아스식 해안의 짧은 모래밭도 물 속에 가라앉아 버렸다. 자욱한 물안개가 내 허리를 감았다. 10층 아래, 바다 속의 놀이터 꽃밭 옆엔 트럭이, 햇볕에 달구어진 마지막 철근 한 묶음을 내리며 오랫동안 정지되어 있었다.

– 박상순, 「철근 한 묶음」, 전문[73]

첫째 연과 둘째 연은 끊임없는 움직임, 다시 말하면 끊임없는 미끄러짐을 보여준다. "섰다 → 왔다 → 내렸다 → 나왔다 → 멨다 → 올렸다 → 출렁거렸다"(첫째 연)에서 "주춤댔다→ 출렁거렸다 → 돌았다 → 옆으로 움직였다 → 나아갔다 → 내렸다 → 돌아오고 있었다 → 서 있었다"(둘째 연)로 이어지는 하나의 흐름만이 전경화되어 드러난다.

그러나 이 흐름은 여기에서 멈추지 않고 셋째 연에 와서 다시 변주되어 드러난다. 그 변주의 징표가 바로 "출렁이다"(첫째 연에 드러난 "출렁거렸다"가 셋째 연에 와서는 "출렁이고 있었다"로 변주되고 있다)라는 기표이다. 첫째 둘째 연의 '출렁거림'이 주로 시적 자아의 외연에 가깝다면 셋째 연의

73 | 박상순, 위의 책, pp. 92~93.

그것은 시적 자아의 내면에 더 가깝다고 할 수 있다. 하지만 이 둘은 분리되어 있는 것이 아니라 통합되어 있다. 셋째 연의 "바다 속의 놀이터 꽃밭 옆엔 트럭이, 햇볕에 달구어진 마지막 철근 한 묶음을 내리며 오랫동안 정지되어 있었다"에 드러난 사실은 첫째 둘째 연의 "철근"의 움직임이 시적 자아의 내면 속으로 침투해 들어왔다는 것이다. 이러한 침투의 결과가 환기하는 것은 시적 자아의 어두운 내면이다. 시 속의 "자욱한 물안개"와 "바다 속"이 그것을 말해준다.

이러한 질료를 통해 드러나는 시적 자아의 어두운 내면이란 일종의 심리적인 차원의 상처라고 할 수 있다. "자욱한 물안개"는 명료하지도 손에 잡히지도 않는 그렇지만 끊임없이 시적 자아의 내면을 에워싸고 흐르는 그 무엇이며, "바다 속"은 명료하지 않을 뿐만 아니라 어둡고 두꺼운 그 내면의 흐름의 밀도를 드러내는 질료이다. 이것은 이 질료들이 시적 자아의 이면에 깊이 잠재해 있는 상처의 특성을 적절하게 반영하고 있다는 것을 의미한다. 시 속에 투영된 시적 자아의 상처가 이런 질료의 형태로 드러난다면 그것은 끊임없이 시인의 시 속을 관류할 수밖에 없을 것이다.

3. 몸이 마르고 살이 마르는 소리의 육화 혹은 시

미학주의자의 매력은 고정된 미의식을 부정하는 데에 있다. 이 부정 혹은 부정성이 새로운 미를 만든다. 미를 죽임으로써 미를 살리는 이 역설의 논리 속에 미학주의자는 존재하기 때문에 그는 언제나 세계에 대해 민감한 자의식에 시달릴 수밖에 없다. "Love Adagio"에 강하게 투영되어 있는 자신의 시쓰기에 대한 자의식이 바로 그것이다. 그중에서도 시집의 표제인 "Love Adagio"가 특히 그렇다.

이 시에서는 시인의 자의식이 육화된 어떤 소리를 들을 수 있다. 이 시에서 시인은 어떤 소리를 듣는데 그것이 예사소리가 아니다. 그 소리는

> 아직 덜 마른 목재들이 마르는 소리
> — 그의 무른 몸이 내 지붕에 닿았다가
> 떨어지는 소리
>
> 아직 덜 마른 그의 몸이 마르는 소리
> — 그의 불행이 내 지붕에 닿았다가
> 떨어지는 소리
>
> 아직 덜 마른 짐승의 살이 마르는 소리
> — 아직 눅눅한 그의 몸이 내 지붕에 닿았다가
> 떨어지는 소리
>
> - 박상순, 「Love Adagio」, 전문[74]

이다. 이 소리들은 보통 우리의 물리적인 지각으로는 들을 수 없는 것들이다. 하지만 시인은 그 소리를 듣는다. 그것도 단순히 귀로만 듣는 것이 아니라 몸으로 듣는다. 타인의 "무른 몸", "불행", "눅눅한 몸"과 시인의 몸의 정점("내 지붕")이 맞닿는다. 몸으로 듣는 이 소리는 세계의 육화를 겨냥하고 있다. 세계의 육화란 일급의 미적 감각과 고도의 깊이를 갖추었을 때 가능한 것이다. 그것의 시적 태도가 드러난 표현이 바로 "Love Adagio"이다. "Love Adagio"가 "Adagio"를 "Love"한다는 의미라면 그것은 곧 세계에 대한 육화의 태도를 말하는 것이라고 볼 수 있다. "Adagio",

74 | 박상순, 위의 책, p. 129.

곧 '천천히 매우 느리게'란 단순한 속도의 의미가 아니라 세계에 대한 시인의 인식과 행위의 육화를 내포한 그런 말이라고 할 수 있다. 이렇게 "Adagio"를 "Love"하는 시인의 육화 된 시적 태도는 '20세기의 아이덴티티를 벗어나려는 움직임'을 표상한다고 볼 수 있다.

Ⅳ 생성과 공능

1. 생성과 공능功能의 감각

– 예술은 어떻게 탄생하는가?

예술이란 무엇인가? 어쩌면 이 물음을 다시 던지는 것은 진부한 것인지도 모른다. 인간에 의해 만들어진 것이 하나의 예술이 되기 위해서 요구되는 조건의 문제는 관점에 따라 다양하게 제기되어 온 것이 사실이다. 하지만 그 다양함 속에서도 하나의 공통된 점이 있다면 그것은 예술을 가능하게 하는 질료와 형상의 문제일 것이다. 인간이 만들어낸 모든 것이 예술이 되는 것이 아니라 그것을 예술로 가능하게 하는 질료와 그것의 드러냄인 형상이 갖추어졌을 때 비로소 예술이 성립된다는 것은 이제 우리에게 보편화된 인식이다. 이러한 예술에 대한 인식은 그것을 실현하는 토대인 언어, 색과 빛, 소리, 동작, 공간 등에 대한 독특하고 차별화된 담론의 탄생으로 이어진다. 가령 문학의 토대인 언어에 대해 기울여온 이루 헤아릴 수 없을 정도의 형식적이고 수사적인 저간의 유별난 시도와 실천은 문학의 정립과 정체성을 위해 우리가 얼마나 고심하고 고민해왔는지를 잘 말해준다. '언어가 존재의 집'이라는 말을 문학에서만큼 치열하게 탐구해온 경우가 어디 또 있겠는가?

언어가 존재의 집이라는 것은 언어의 한계와 가능성을 동시에 드러내고 있는 말이다. 언어는 존재를 온전히 드러낼 수 없다. 여기에는 언제나 간극이 존재한다. 이 둘 사이의 간극은 이미 창세기 바벨탑의 전설에도 잘 드러나 있듯이 역사가 깊다. 신이 인간에게 내린 언어의 혼란이라는 형벌 내에 언어의 운명이 자리하고 있는 것이다. 언어와 존재 사이의 간극으로 인해 그것을 극복하려는 시도들이 계속되어왔고, 그 대표적인 예가 바로 언어를 존재의 집으로 규정한 것이라고 할 수 있다. 언어와 존재 사이의 간극을 극복하기 위해서는 무엇보다도 '언어'에 대한 규정이 필요했던 것이다. 언어와 존재 사이의 간극을 부각시켜 그 절대적인 회복 불가능성을 강화하는 것보다 언어를 통해 존재의 면면을 탐색하고 드러내려는 시도가 인간과 세계 이해에 보다 심원하고 친밀한 계기를 제공해주리라고 판단했던 것이다. 언어가 존재의 집이 되기 위해서는 그 언어를 도구적인 차원에서가 아니라 언어가 은폐하고 있는 존재와 세계 차원을 고스란히 탈은폐할 수 있는 잠재적이고 실현 가능한 질료의 차원으로 인식한 것이다.

이러한 차원에서의 언어의 은폐는 그것이 도구화된 개념이나 이론화된 틀 내에 있는 것이 아니라 그 본연의 순수한 감각의 덩어리의 상태로 놓여 있는 것을 말한다. 어떤 사물이나 세계는 그 자체의 순수한 감각의 덩어리째로 존재한다. 이런 점에서 그 감각의 덩어리를 훼손하지 않은 채 그것을 온전히 드러내는 것이 중요하다. 어떤 사물을 개념이나 틀에 의해서가 아니라 사물 그 자체 다시 말하면 사물성의 차원에서 드러낸다든가 아니면 언어를 끊임없이 미끄러져 내리게 하여 기존의 관습이나 구조로부터 자유롭게 하여 언어를 해방하거나 해체하려는 시도, 그리고 말이나 글이 아닌 마음으로 깨닫고 서로 통하는 선종의 방식 등이 보여주는 것들은 모두 사물이나 세계를 감각의 덩어리째 드러내려는 것으로 볼 수 있다. 이것은 언어가 필요 없다는 것이 아니라 사물, 세계, 마음 등이 온전히 혹은 고스란히 은폐된 언어를 발견하는 것이 중요하다는 사실을 강조한 것이라고 할 수 있다. 불립문자不立文字라고 할 때 그것의 진정한 의미는 문자(언어)가 아니라 그것이 지시하고 있는 것, 이를테면 사물, 세계, 마음 같은 것이 되어야 한다는 것을 말한다.

그런데 손가락(언어)이 아닌 달(사물, 세계, 마음)이 본本이 되어야 한다는 것을 강조하고 있다는 것만으로 이 문제를 해결할 수 있을까? 이 대목에서 서구의 존재론은 사물, 세계, 마음 같은 것들을 하나의 존재로 바라본다. 이 각각의 존재들이 어떻게 존재하느냐 하는 것, 다시 말하면 이 각각의 존재들의 있음과 없음을 인간의 인식의 차원에서 그것을 이해하고 있다는 것이다. 서구 존재론의 새로운 지평을 연 하이데거조차도 존재를 시간(죽음) 속에서 그것의 있음과 없음의 구별과 그것에 대한 의문과 자각의 차원에서 이해하고 있다. 인간의 존재에 대한 자각과 이로 인한 본래적인 삶의 추구를 자신의 철학적 화두로 삼았던 하이데거에게서 우리가 발견할 수 있는 것은 인간의 의식 차원에서 세계를 이해하고 있다는 점일 것이다. 하이데거나 후설의 현상학이 인간의 의식을 통해 세계 이해의 지평을 확장한 것은 우리가 기억해야 할 이들의 공로이지만 그것이 곧 존재 혹은 언어의 문제를 해결해준 것은 아니다. 존재와 존재자, 현존재로는 시간 속에서의 존재자의 존재성을 온전히 드러낼 수 없다. 하이데거가 이야기하고 있는 시간이 사물, 세계, 마음 같은 존재자의 삶을 얼마만큼 드러낼 수 있을까?

하이데거의 존재에 대한 사유는 '본질'과 '참된 실재'를 중시해온 서구 철학의 흐름 내에 있다고 볼 수 있다. 그렇다면 과연 이들이 말하는 본질이나 참된 실재가 정말로 어디 있는 것일까? 이것들이 정말로 어디 존재한다면 그것은 영원불변한 것이 될 것이다. 어쩌면 그것이 존재한다면 그것은 '신God'과 같은 것이 아니겠는가. 서구의 사유에 토대로 작용하는 그 신이란 유일신으로 어떤 본질과 참된 실재의 존재성을 지닌 존재라고 할 수 있다. 이 신 혹은 그 본질과 참된 실재는 시간 속에서도 변화하거나 새롭게 생성될 수 없는 그런 것이라고 할 수 있다. 서구에서의 이러한 신의 존재성은 우리를 포함해 중국이나 일본 등 동북아시아에서의 전통적인 신의 개념과는 다르다는 점에서 주목을 요한다. 전통적으로 동북아시아에서의 신은 '천지天地'로 인식되어 왔다. 그래서 우리는 소원이나 간절한 기원을 말할 때 '천지신명天地神明'에게 빌었다. 천지가 하나의 신이라면 그 신은 분명 서구의 본질과 참된 존재로서의 신God과는 다른 것이다.

'God'이 아닌 '天地神明'으로서의 신은 유일신이라기보다는 범신汎神에 가깝다. 천지가 신이라면 그 신은 완성된 존재가 아니라 하나의 과정 속에 놓여 있는 존재라고 할 수 있다. 천지가 표상하는 자연과 우주는 고정된 실체가 아니라 끊임없이 변화하고 생성·소멸하는 과정으로서 존재하는 그 무엇이라고 할 수 있다. 천지는 단순히 있다, 없다의 인식 차원으로 드러낼 수 없는 끊임없는 흐름과 생성의 과정에 있는 그런 세계인 것이다. 영원히 변하지 않는 그런 고정된 실체는 여기에는 존재하지 않으며, 마치 바다 내의 파도나 봄이면 저 높은 하늘을 날아왔다가 가을이면 다시 돌아가는 제비처럼 그렇게 장구한 시간 속에서 생성과 소멸을 거듭하는 과정으로서의 흐름만이 있을 뿐이다. 이 변화, 생명, 소멸을 거듭하는 흐름은 인간의 관념이나 의식이 만들어낸 것이 아니라 '기氣'의 작용으로 인해 활동하는 살아 꿈틀대는 생명 같은 것이다. 존재가 아니라 이 생명의 차원으로 보면 세계는 다르게 이해되고 또 해석될 수밖에 없다.

생명이나 생성이 세계 이해의 토대로 작용하는 경우 우리 인간의 독특한 의식의 산물로 평가받아온 예술에 대한 의미와 해석 역시 달라질 수 있다. 가령 시란 무엇인가? 라는 물음에 그것을 인간의 의식 내에서 답하는 경우와 그것을 인간을 넘어 천지의 차원에서 답하는 경우를 상상해보라. 인간의 의식 내에서 보면 시는 인간의 이성(사상)이나 감정(정서)

차원을 넘어설 수 없다. 하지만 인간을 넘어 천지의 차원에서 보면 시는 '천지의 마음'을 드러낸 것이 되는 것이다. 인간의 의식 차원에 국한해서 보면 이것이 과장된 수사로 인식될 수도 있지만 천지의 차원에서 보면 그것은 실재의 지극함을 드러낸 것에 불과한 것이 된다. 이것은 인간과 천지 혹은 인간과 우주(자연)가 분리되어 있거나 의식 차원에서만 이어져 있는 것이 아니라 실제로 이 둘 사이가 하나의 흐름 속에 놓여 있다는 것을 말해준다. 인간과 우주는 기의 흐름으로 이어져 있고, 그 기는 인간과 우주를 불이不二의 관계로 인식하게끔 해준다. 인간과 우주 혹은 인간과 자연이 둘이 아니라는 사실은 인간의 의식이나 관념이 만들어낸 것이 아니라 그것은 지극히 자연스러운 하나의 현상일 뿐이다. 인간과 우주가 둘이 아니라는 것을 우리는 늘 느끼면서 살고 있다. 인간은 의식의 차원이 아니라 감각의 차원에서 그렇다는 것이다.

우주가 따로 있고 인간이 따로 있는 것이 아니라 인간과 우주는 하나의 흐름 내에 있는 것이다. 인간의 몸은 소우주가 아니다. 인간의 몸은 그냥 우주인 것이다. 우리가 숨을 들이쉬고 내쉬는 것 자체가 우리가 그 숨, 다시 말하면 기의 흐름 내에 있다는 것을 말해준다. 이 흐름 내에 있는 것이 바로 '삶'이고 그것이 또한 '생명'인 것이다. 인간의 몸에 왜 구멍이나 있을까? 인간의 몸은 입, 코, 눈, 귀, 성기(음부), 항문 등의 보다 뚜렷하고 가시적인 구멍을 지니고 있는 것을 넘어 몸 전체가 구멍이라고 해도 과언이 아니다. 이 구멍으로 우주의 기가 들어왔다가 나가고 또 나갔다가 들어오는 것으로 삶을 살아내는 존재가 바로 인간인 것이다. 우리에게 살아 있다는 것은 곧 기의 흐름 내에 있다는 것을 말한다. 우리는 삶의 여부를 '기체후氣體候'로 물었던 것이다. 그래서 우리는 어른께 문안을 여쭐 때 '기체후일향만강氣體候一向萬康'이라고 한 것이다. 단순히 안녕하시냐고 하지 않고 이렇게 기체후일향만강하시냐고 한 데에는 인간의 생명과 삶을 기의 흐름, 다시 말하면 우주와의 관계 내에서 느끼고, 인지한 우리의 세계관이 자연스럽게 드러난 결과라고 할 수 있다.

이렇게 심오하고 심원한 철학을 일상화한 민족이 이 지구상에 또 있을까? 이것은 기를 대상화하여 그것을 분석하고 논리화하여 하나의 지식 체계로 삼은 것이 아니라 그 자체가 하나의 삶이었던 것이다. 우리는 너무나 자연스럽게 기가 허하다, 기가 세다, 온기(냉기, 한기, 살기)가 느껴진다, 기 좀 펴고 살자, 허기가 진다, 기류가 심상찮다, 감기에 걸렸어, 기 빨린다, 동기간이야, 기색을 엿보다, 기품이 느껴진다, 혈기 왕성하다, 호연지기를 가지자, 기질이 있어, 기가 막히다 등의 말을 한다. 기는 인간 삶의 현상을 드러내는 하나의 준거이자 지표인 것이다. 기가 이러하다면 그 기는 인간이 행하는 모든 것들 혹은 인간이 창출하는 모든 것들을 이해하고 판단하며 평가하는 하나의 준거가 될 수 있다는 것을 의미한다. 인간이 창출한 것들 중 가장 고도의 감각과 의식의 산물로 평가받아온 것이 예술이다. 하지만 이 예술은 서구의 미적 토대와 준거 하에서 성립된 것이다. 그런데 서구의 미는 인간의 취미판단과 개인적인 재능에 의해 성립되는 것으로 이해하고 있다는 점에서 인간 자체에 초점이 놓여 있다. 칸트에게서 미란 인간(천재)을 통해 선천적으로 존재하는 자연의 이념 즉 도덕적 이념을 감성화한 것이다. 이 미적 이념을 위해 여기에 적합한 형식을 발견하는 것이 칸트의 미학(형식미학)이다. 이런 점에서 칸트 미학에서의 형식은 그러한 미적 이념을 표현하기 위한 합목적성이라고 할 수 있다.

칸트의 이러한 미의 정의는 '물자체'가 상징하고 있는 것처럼 어떤 언어를 통한 개념이나 사고로 온전히 이해할 수 없는 난해함을 지닌다. 서구의 형이상학의 특성을 잘 보여주고 있는 칸트의 미학은 기본적으로 순수이성의 범위 내에서 그것을 탐색한 것이라고 할 수 있다. 그렇다면 순수이성이 아닌 기의 차원에서 미 혹은 예술을 규정하고 이해한다는 것은 어떤 의미일까? 예술의 성립 근거와 그 가치를 기의 차원에서 본다는 것은 이 우주와 자연에 흐르는 기를 예술 작품이 얼마나 잘 드러내느냐 하는 데에 있다는 것을 의미한다. 어떤 작품이 미적이냐 아니냐 하는 문제는 그것이 기의 차원을 어떻게 잘 드러내느냐 하는 문제와 다르지 않은 것이다. 미와 기의 이러한 관계는 중국에서 회화의 가치를 평가하는 과정에서 내세운 '기운생동氣韻生動'이라는 논리에 잘 드러나 있다. 육조시대 사혁의 '육법六法' 중에서도 최고로 꼽은 이 기운생동은 회화에서 미의 성립 근거와 가치가 단순히 형식논리상의 차원에 머물러 있는 것이 아니라 기와 운, 다시 말하면 개인과 우주(자연)와의 관계 속에서 발생하는 감정, 기질, 행위, 욕망 같은 전체적인 생명 활동 차원에서 규정된다. 선과 색 혹은 언어의 형식이나 구조 내에서 미의 발생 근거를 찾는 서구와는 달리 인간과 우주의 관계 속에서 그것을 모색하는 동북아시아의 경우는 미의 지평을 보다 확장된 차원에서 들여다보게 한다.

미가 인간 내에서의 보편적 만족의 대상으로 그치는 것이 아니라 그것이 우주 내에서의 보편적 만족으로 확장된다면 예술(인간)의 궁극은 저 우주를 감동하게 하는 데에 있다고 해도 과언은 아닐 것이다. 인간의 지극함이 우주를 감동하게 하는 것이 진정한 미라고 한다면 그것은 이미 우리의 전통 내에 하나의 흐름으로 자리하고 있는 익숙한 미학의 세계가 아닌가? 어쩌면 이 세계는 너무나 익숙해 그것이 미의 영역인지 아닌지 여기에 대한 구별이나 구분 없이 그냥 삶의 과정으로 인식되어온 것이 사실이다. 우리의 삶을 주관하는 이가 '천지신명天地神明'이듯이 예술의 궁극적인 목적 또한 천지신명에 두었기 때문이다. 가령 우리의 전통 예술인 굿, 탈춤, 살풀이춤, 농악, 판소리, 시나위, 민요, 산조 등의 양식이 추구한 것은 신명이다. 이 신명은 천지자연이 행하는 한 치의 오차도 없이 명명백백하게 구현되는 세계를 의미한다. 이런 점에서 이 양식을 행하는 자(예술가)는 천지의 명을 받아서 그것을 행하는 존재라고 할 수 있다. 무당이 행하는 굿은 무당의 신명에 의해 이루어지는 것이 아니라 무당의 몸에 천지의 신이 내려 이루어지는 행위인 것이다. 무당의 몸에 신이 내리면 그 몸은 신병을 앓게 되는데 그것이 바로 예술에 입사하기 위한 통과제의의 과정이라고 할 수 있다. 이 통과제의의 과정을 거치지 않으면 혹은 거치지 못하면 무당이 될 수 없다.

굿의 이러한 경우를 통해 알 수 있는 것은 우리의 전통 예술 양식이 성립되기 위한 조건 같은 것이라고 할 수 있다. 이 양식에 대한 보다 체계적이고 보편타당한 논리가 정립되어 있지 않아서 그렇지 이 양식이 하나의 예술이나 미학으로 성립되기 위해서 어떤 것이 요구되고 또 어떤 것을 필요로 하는지에 대해서는 충분히 그러한 과정 속에 제시되어 있다고 볼 수 있다. 모든 예술 양식이 그 나름대로 까다로운 조건을 지니고 있는 것처럼 우리의 전통 예술 양식 역시 그것을 지니고 있다. 우리의 전통 예술인 굿, 탈춤, 살풀이춤, 농악, 판소리, 시나위, 민요, 산조 등은 모두 '몸'을 통해 이루어지는 양식들이다. 이것은 이 양식들을 이해하는 데 중요한 전제 조건이다. 이 양식들이 몸을 통해 이루어진다는 것은 곧 몸을 통해 이루어지는 과정이 무엇보다도 중요하다는 것을 의미한다. 몸이 단순한 수단이 아니라 그 자체가 목적일 수 있다는 것을 말해준다. 이 양식의 주체가 몸을 어떻게 하느냐에 따라 그것이 예술로 성립되느냐 아니냐가 결정된다는 것 아닌가? 무당의 몸에 신이 내려 무병을 앓는 과정을 어떻게 앓아내느냐에 따라 굿의 성립 여부가 결정되기 때문에 그 과정을 우리는 주목할 필요가 있다.

무당이 되려면 기본적으로 몸에 신이 내려야 하지만 그것만으로 끝이 아니라 몸을 앓는 주체의 치열하고 진정성 있는 몸짓이 보태져야 비로소 무당이 되고 굿이 성립되는 것이다. 이런 점에서 볼 때 굿은 천지라는 외발성과 무당의 몸이라는 내발성이 만나 성립되는 양식이라고 할 수 있다. 특히 천지를 받아들이는 몸의 치열함과 진정성이 전제되어야 굿은 성립될 수 있는 것이다. 굿판에서 무당이 작두를 타고 펄쩍펄쩍 뛰는 행위는 신명을 불러일으키기 위한 치열한 수행 과정인 것이다. 몸의 치열한 수행 과정이 있어야 천지신명이 그 몸에 깃들어 굿이 성립된다. 굿에서 보이는 이러한 과정은 판소리에 오면 신적인 것보다 인간의 몸에 더 초점이 놓이게 되고, '신산고초辛酸苦楚' 같은 삶의 문맥이 끼어들어 판소리라는 양식의 성격을 보다 분명하게 해준다. 판소리에서의 소리는 몸에서 나오는 것이지만 그것은 그냥 소리가 아니고 이런 신산고초를 다 겪고 난 이후에 나오는 소리인 것이다. 인간의 목에서 나오는 소리가 아니라 몸 그것도 신산고초의 삶이 깃든 몸에서 나오는 소리이기 때문에 여기에는 '그늘'이 깃들 수밖에 없다. 그늘이 깃들기 위해서는 먼저 한이 깃들어야 한다. 하지만 그 한이 한의 차원으로만 있으면 진정한 소리를 낼 수 없다.

소리꾼의 몸에 깃든 한은 풀어야 한다. 이 한풀이란 몸에 깃든 온갖 삶의 애환을 삭히는 것(시김새)을 말한다. 삭힘이 없는 소리는 소리로 인정해 주지 않았으며, 이런 소리에 대해 '아 그 소리꾼의 소리에는 그늘이 없어'라고 한 것이다. 어떤 소리꾼이 청중(귀명창)들로부터 이런 소리를 들었다면 그 사람은 더 정진하거나 소리를 접어야 하는 것이 우리 소리판의 불문율 같은 것이었다. 그렇다면 왜 이 말이 그렇게 크게 문제가 될까? 모든 소리꾼들이 소리를 잘할 수도 있고 또 못할 수도 있는 것 아닌가? 소리를 못하면 자연스럽게 도태되고, 잘하면 그 세계에서 살아남는 것이 일반적인 이치 아닌가? 이런 맥락에서라면 소리꾼의 소리는 개인의 재능 차원의 문제인 것이다. 그러나 그 소리에 대해 청중이 그늘이라고 했을 때 그 그늘은 개인의 재능 차원만을 고려한 데서 나온 말이 아니다. 소리에 그늘이 없다는 것은 소리꾼의 소리에 지극함이 없다는 것이고, 그 지극함이 없기에 천지를 감동시킬 수 없다는 것이다. 소리꾼이 감동시켜야 할 대상이 인간을 넘어 천지에 있다는 것은 동북아시아의 오랜 전통에서 비롯된 것이라고 볼 수 있다.

그렇다면 어떻게 소리꾼의 소리에 그늘이 깃들 수 있을까? 그늘이 인간 차원을 넘어 천지의 차원 내에서 성립되는 것이라는 사실에 그 답이 있다. 간절하게 무엇인가를 바랄 때 우리에게는 천지신명께 비는 전통이 있다. 우리의 이 비는 행위가 천지에 어떻게 전달될 수 있는 것일까? 비는 자와 천지 사이에는 텅 빈 공간이 있다. 하지만 그 텅 빈 공간에는 우리가 눈으로는 볼 수 없지만 기氣가 흐르고 있다. 나와 천지 사이에는 기운氣運이라는 살아 움직이는 힘이 흐르고 있어서 나의 간절한 바람이 천지에 깃들 수 있는 것이다. 수운의 '지기론至氣論'이 바로 그것이며, '그늘이 우주를 바꾼다'는 그 유명한 명제도 이런 맥락에서 나온 것이라고 할 수 있다. 소리꾼의 지극한 기운(그늘)이 천지(우주)를 감동시킬 때 비로소 그것이 진짜 소리가 된다는 판소리의 장에서의 불문율은 이것이 우리의 독특한 철학과 사상을 반영하고 있는 심오한 예술의 양식이라는 것을 말해준다. 우리가 흔히 뛰어난 소리를 이야기할 때 '신이 내린 소리'라고 말한다. 하지만 이 말은 단순한 신의 은총만을 강조하는 소리로 들릴 수 있다. 우리에게 이 말은 소리꾼의 지극한 기운이 신(천지, 우주, 자연)을 감동시킨 것을 의미한다.

이런 점에서 볼 때 우리의 예술 혹은 미에 대한 차원은 서구의 그것보다 포괄적(확장적)이고 철학적이라고 할 수 있다. 특히 기에 토대를 둔 지기론이나 그늘론은 삶과 생명의 깊은 곳까지 닿아 있다는 점에서 그렇다고 볼 수 있다. 예술과 기의 관련성 속에서 그것을 규정하고 논의하다 보면 몸을 이야기하지 않을 수 없다. 그로 인해 지기론이나 그늘론은 구체성을 띠게 된다. 이 몸과 우주와의 기의 흐름이 무엇을 목적으로 하느냐에 따라 그것은 일상이 되기도 하고 예술이 되기도 한다. 예술이 좀 더 도저한 깊이를 지니기 위해서는 그 기운이 지극해야 하며, 그것은 곧 몸의 끊임없는 수련 혹은 수양의 과정을 의미한다. 몸의 기운이 내뿜는 지극함의 정도에 따라 예술을 이루는 질료의 잠재성이 드러나고 또 그 형태가 결정된다. 이것은 이런 과정을 통해 탄생하는 예술의 양식이 '정체공능적整體功能的'이라는 사실을 말해준다. 몸이 어떻게 예술의 양식을 잉태하고 또 구현해내느냐 하는 막연하고도 난해한 문제를 정체공능의 차원에서 들여다보고 탐색하다 보면 그것이 어떤 해결의 실마리를 제공하고 있다는 것을 발견하게 될 것이다. 예술이 관념에 의해 고정되고 틀 지워진 존재가 아니라 몸과 우주 사이의 기를 통한 끊임없는 분비의 과정을 통해 변화하고 생성·소멸하는 '활동하는 무'이거나 '있음을 전제로 한 없음'에 다름 아니라는 것을 발견하게 되는 것이다.

존재가 아닌 생성의 차원에서 예술을 이해할 때 그 기반을 제공하고 있는 기와 기의 흐름이라는 낯선 문맥을 어떻게 적용할 것인가 하는 문제는 결코 간단한 것이 아니다. 기의 물질성과 비물질성, 그것이 작용하는 방식과 그로 인해 드러나는 다양한 형상과 형태, 내용 등은 기존의 예술 개념과 의미에 일정한 차이가 있다. 기철학에서 인간을 우주적인 기가 모였다가 흩어지는 것을 되풀이하는 과정으로 정의하는 것처럼 예술 역시 그런 차원으로 정의할 수 있다. 기의 그 모임과 흩어짐이 말해주듯 변화와 생성·소멸하는 과정에서 만들어지는 형상과 형태의 맥락하에 있는 예술은 단순한 것이 아니라 우리의 몸처럼 복잡하고 신비로운 그 무엇이다. 존재가 아닌 생성의 차원 내에 있는 예술은 인간의 몸 혹은 몸을 통한 기의 지극한 작용(분비)에 의해 성립되는 정체공능의 산물이다. 예술이 다른 생산물과 달리 오랜 시간을 거치면서도 늘 새롭게 느껴지는 생명 같은 것은 그것이 몸의 지극한 공능을 통해 만들어진 세계이기 때문이다. 이런 맥락에서 볼 때 예술은 몸이 움직이는 대로 시간이 흐르고 공간이 새롭게 만들어지는 그런 과정 중에 있는 양식이다. 탈춤이나 굿과 같은 양식만이 몸의 작용(분비)에 의해 성립되는 것이 아니라 모든 예술이 몸의 세계 내에 있는 것이다.

2. 생명과 율려律呂의 사상

1. 자생 담론의 출현과 생명사상의 내발성內發性

우리는 종종 이런 의문을 제기할 때가 있다. 인류의 탄생 이래 지금까지 우리 인간의 삶을 규정하고 지배해 온 것은 무엇일까? 이 물음에 대한 답은 간단하지 않다. 하지만 우리는 그것이 정신과 물질의 차원에서 답할 수 있는 문제라는 데에는 어느 정도 동의한다. 인간에게 정신과 물질이 중요한 것은 그것들이 인간의 기본적인 욕구와 욕망 그리고 인간 삶의 방향성과 가치, 의미 등을 은폐하고 있기 때문이다. 정신과 물질은 서로 분리된 채 인간 혹은 인간의 삶에 작용해 온 것이 아니라 이 둘은 길항拮抗 관계를 유지하면서 인류 역사의 실존적 토대로 작용해 왔다고 할 수 있다. 인류에게 정신과 물질이 이렇게 중요한 실존적 토대로 작용해 왔다면 그것의 구체적인 형태는 어떤 것일까? 정신과 물질의 작용으로 구체화되어 인류의 삶을 규정하고 지배해왔다는 것은 그것이 세계 내에 존재하는 인간의 의식 전반에 깊이 관계하고 있다는 것을 의미한다.

인간의 의식이 작용하면 자연스럽게 세계에 대한 이해, 판단의 과정을 거치게 된다. 이렇게 되면 세계 내의 은폐된 의미들은 물론 인간 삶의 방향성과 가치, 의미 등이 보다 구체화되기에 이른다. 이 세계 내에 존재하는 인간은 하나의 관점을 지니게 되는데 우리는 그것을 '세계관'이라고 부른다. 인간은 삶의 과정에서 이 세계관을 지니게 되고 그것을 총칭하여 '사상'이라고 한다. 어떤 세계관 혹은 어떤 사상을 지니고 있느냐에 따라 인간의 의식과 행동에 차이가 발생하고, 그 차이가 좀 더 이상화되거나 목적 지향성을 띠게 되면 이념(이데올로기)의 차원으로 나아가게 된다. 인간이 세계 내에서 어떤 사상을 지니고 또 어떤 이념 지향성을 드러내느냐 하는 것은 곧 이들이 구성하고 조직화한 공동체가 어떤 방향성과 성격을 드러내느냐 하는 것과 다르지 않다. 어떤 국가나 민족의 토대를 이루는 사상이나 이념의 성격에 따라 한 국가나 민족 내에서도 서로 갈등하고 대립하여 결국에는 분열하기도 하고, 또 서로 다른 국가나 민족 간이라도 소통과 화합을 통해 연대하거나 통합하기도 한다.

사상이나 이념의 이러한 예를 가장 첨예하게 드러내 보여준 곳 중의 하나가 바로 근대 이후의 우리 한반도이다. 근대적인 의식이 태동하기 시작한 18세기 영정조 시대 이후로 우리는 다양한 사상의 흐름 위에 놓이게 된다. 그중 우리 근현대사에 커다란 영향을 준 사상을 꼽는다면 실학사상, 천주교사상, 동학사상, 개화사상, 민족주의사상, 사회주의사상, 자본주의사상 등이 될 것이다. 이 사상들은 근대 이후 우리의 의식 차원뿐만 아니라 구조적(제도적) 차원에 이르기까지 우리 사회 전반에 걸쳐 영향력을 행사해왔다. 개인이나 국가가 사상을 통해 자신의 정체성과 통치의 방향을 정하고 그것을 실천해간다는 점에서 사상은 변화와 변동을 견인하는 역할을 한다. 하지만 그 변화가 어떤 방향성과 목적성을 지니고 있는 것은 틀림없지만 그것이 모두 공공의 선善을 지향한다고는 볼 수 없다. 역사적으로 볼 때 이 사상들 중에는 공공의 선에 가까운 것이 있는가 하면 또 그것과 거리가 먼 것도 있다. 공공의 선에 대한 판단은 사상이 지니고 있는 원리의 차원뿐만 아니라 그것이 드러난 실행의 차원에 이르는 전 과정을 통해 이루어진다.

그러나 무엇보다도 여기에서 중요하게 고려해야 할 것은 그 사상이 발생하거나 출현하게 된 실존적인 절실함과 그것이 드러내는 보편타당함이라고 할 수 있다. 이것은 한 시대를 살아가는 사람들의 삶을 관통하는 보편적인 정신 자세나 태도를 말한다. 가령 조선 후기 국가로부터 온갖 탄압과 박해를 받으면서도 많은 민중들이 평등의 이념을 좇아 천주교 사상을 받아들인 것이라든가 식민 자본주의에 대항하기 위해 많은 지식인들과 민중들이 사회주의사상을 받아들여 민족 해방과 계급 해방을 동시에 추구한 것 등은 그 사상들이 인간의 기본적인 실존과 시대의 보편적인 정신을 담지하고 있기 때문이라고 할 수 있다. 이 두 사상은 모두 외래 사상으로 전자의 경우는 우리 사회 내에서 지속 가능성을 확보하고 있다는 점에서 주목할 필요가 있다. 이것은 외래 사상이 우리에게 수용되어 우리의 의식과 구조를 변화시키고 문화와 문명의 외연을 확장한다는 것을 의미한다. 외래 사상의 이러한 확장성은 그것이 사상의 복합성을 통한 새로운 가능성으로 이어질 경우 사상의 부피감과 깊이를 확보하게 된다. 하지만 외래적인 사상이 다른 사상, 특히 오랜 자생력을 지닌 사상과 섞이지 못한 채 과도하게 독자적인 지배력을 행사하려 하거나 표피적인 유행 사조로 흐르게 되면 그 부피감과 깊이는 확보될 수 없다.

근대 이후 우리는 이러한 위험에 직면하게 되었고, 그것에 대한 불안과 우려의 표명은 물론 비판적인 성찰 또한 있어 왔다. 하지만 이러한 일련의 행위들이 대다수 민중의 공감을 얻지 못한 채 소수 지식인 집단이나 단순 국수주의자들에 의한 특이하고 아웃사이더적인 비주류 선언 정도로 인식되어 왔다. 근대 이후 급격하게 우리의 의식과 구조를 지배해버린 서구 자본주의의 속도와 힘에 밀려 우리 사상에 대한 자기성찰적인 반성과 공감의 시간을 확보하지 못한 것이 사실이다. 근대 이후 지금까지 계속되고 있는 서구 사상에 대한 경도는 의식주는 물론 정치, 경제, 사회, 문화, 교육 제도 전반에 걸쳐 폭넓게 드러난다. 이것은 은연중에 서구 혹은 서구 사상에 대한 우월감을 심어줄 뿐만 아니라 우리 사상에 대한 열등감을 넘어 그것에 대한 자연스러운 망각으로 이어지게 한다. 우리 사상이나 우리 것에 대한 망각은 때때로 오리엔탈리즘이라는 왜곡된 차원을 통해 아이러니하게 우리 앞에 나타나기도 한다. 서구의 우리 사상이나 우리 것에 대한 관심이 우리를 진정한 주체로 인정한 데서 비롯된 것이 아니라 자신들의 결핍을 채워 줄 대상화된 존재로 불러내는 과정에서 비롯된다는 사실을 상기할 필요가 있다.

서구가 견지해온 이러한 태도는 이들의 사상이 한계에 부딪혔다는 반성을 계기로 다소 약화되기는 했지만 여전히 과학과 테크놀로지의 우위를 앞세워 새로운 차원의 대상화를 추구하고 있는 것이 사실이다. 서구 사상의 획기적인 전환에 대한 기대는 이들이 추구해온 저간의 역사를 되돌리는 일이기 때문에 결코 쉽지 않을 뿐만 아니라 불가능할 수도 있다. 이러한 사실은 서구 사상과는 다른 역사적인 맥락과 계보를 지니고 있는 동양, 특히 동아시아 사상에서 그 돌파구를 찾는 것이 보다 생산적이라는 것을 말해준다. 외재적 혹은 외발성外發性의 차원에서 근대사상을 모색하고 정립해온 우리의 경우 서구와는 다른 사상의 역사적 맥락과 계보를 탐색하고 그 대안을 모색하는 일은 무엇보다도 중요하다고 볼 수 있다. 내발성의 차원에서 우리 사상의 기원과 맥락을 찾고 그것을 구체적으로 정립하는 일은 이 땅의 지식인들이 짊어져야 할 의무라고 할 수 있다.[1] 우리 사상에 대한 탐색은 주로 재야의 지식장에서 간간이

1 | 이런 점에서 2001년 인문학자 중심으로 결성된 '우리말로 학문하기 모임'은

수행되어 왔을 뿐 그것이 체계적이고 제도화된 학문의 장에서 전문적으로 이루어지지 않았기 때문에 객관성과 보편타당성을 구체적으로 검증받아온 것은 아니다.

근대 이후 내발성의 차원에서 우리 사상을 들여다보면 서구의 체계화되고 잘 정립된 여러 사상 속에서도 단절되지 않고 면면히 이어져 온 하나의 사상을 발견할 수 있다. 그것의 기원은 19세기 중엽(1860년 4월) 최제우에 의해 창시된 '동학'에서 비롯되며, 이후 최시형, 손병희를 거치면서 변주·확산되기에 이른다. 동학은 종교이지만 신 중심이 아닌 인간을 본本으로 하는 하나의 사상이라고 할 수 있다. 그러나 동학은 인간중심사상이라고 규정할 수 없는, 인간 이외의 존재들을 포괄하는 보다 너른 차원의 '생명' 중심사상으로 나아간다. 서구의 다른 종교나 사상과 차별화되는 지점이 바로 이 생명에서 발생한다. 생명에 대한 규정과 해석으로부터 새로운 사상이 탄생한 것이다. 동학이 기반이 된 이 생명사상은 내발성을 강하게 드러내면서 한국적 사유 체계의 탐색이나 대중에 기반을 둔 사회 변혁적인 운동의 형태로 계승되기에 이른다. 이런 점에서 생명사상은 우리 민중의 집단적이고 역사화된 의식의 내발성을 지니고 있을 뿐만 아니라 생명에 대한 지극함을 드러내고 있는 불교, 도교, 유교와 같은 우리의 전통적인 사상은 물론 서구의 신과학운동을 포괄하고 있다고

주목할 만하다. 이 모임은 '학문의 기초 개념을 쉬운 우리말로 하고, 우리말의 가능성을 개척하며, 다른 학문과 활발한 소통을 지향하고자 하는 목적에서 비롯된 것'이다. 이들이 제기하는 문제의식은 당위적인 차원을 넘어서고 있다. 이들은 '말을 따지는 문제는 학문의 본질을 따지는 문제와 맞닿는다'고 보고 있으며, 지금껏 우리는 '서구가 만든 것을 받아서 쓰느라 제나라 말로써 생각을 다듬지 못했다'는 반성적 성찰을 드러내 보이고 있다. 우리말로 학문한다는 것은 그것으로 이루어진 우리의 사상, 철학, 문학, 역사, 종교 등을 공부한다는 것을 의미할 뿐만 아니라 그것을 객관적이고 보편타당한 방법을 통해 학문적으로 정립한다는 것을 의미한다.

볼 수 있다. 이것은 생명이 동양과 서양, 전통과 현대, 시간과 공간, 이론과 실천, 본질과 현상을 매개하고 아우르는 담론 주체로 부상하는데 일정한 개연성과 가능성을 지니고 있다는 것을 말해준다.

2. 생명사상의 발생론적 토대와 사상의 계보

생명사상이 역사적인 맥락과 사상의 계보를 거느린 내발적인 우리 사상이라는 것은 이제 널리 알려진 사실이다. 생명의 이 내발성은 그것이 동학에서 비롯된다는 점에서 의미심장함을 드러낸다. 동학이 서학西學의 대응 차원에서 명명된 이름이라는 것은 이 종교 혹은 학문의 방향성을 선명하게 제시하고 있다고 볼 수 있다. 동학의 이러한 방향성은 『동경대전』(1880)에 잘 드러나 있다. 『동경대전』은 동학의 창시자인 최제우가 한문으로 작성한 동학 경전이다. 이 경전은 문文과 시문詩文으로 되어 있으며, 그중 동학사상의 주를 이루는 것은 문經編이다. 이 문은 포덕문布德文·논학문論學文·수덕문修德文·불연기연不然其然 등으로 구성되어 있다. 포덕문은 동학이 출현할 수밖에 없는 시대적인 당위성을 기술한 글이고, 논학문은 서학과 동학의 차이와 도의 진정한 본체에 대해 기술하고 있는 글이다. 수덕문은 동학과 유학과의 비교를 통해 동학의 핵심 논리를 기술한 글이고, 불연기연은 우주 만물의 이치를 불연과 기연의 관계하에서 밝히고 있는 글이다.[2]

동학사상의 발생론적인 근거와 다른 사상과의 차이를 통한 정체성의 정립, 그리고 세계 이해의 방식에 대해 기술하고 있다는 점에서 이 네 경편은 동학의 핵심 가치를 드러내고 있다고 볼 수 있다. 흔히 동학의

2 | 윤석산, 「『東經大典』 연구」, 『동학연구』 제3집, 한국동학학회, 1998, pp. 174~178.

핵심 가치로 이야기되고 있는 '시천주侍天主'와 '후천개벽後天開闢'의 이념이 경편에 등장하는 '시侍', '지기至氣', '내유신령內有神靈', '외유기화外有氣化', '무위이화無爲而化', '태극太極', '궁궁弓弓', '불이不二', '혼원渾元', '동사同事', '불연기연不然其然' 등에 내재해 있다. 이 각각은 동학과 다른 사상과의 차이를 드러내며, 그중에서도 '시侍'는 그것의 요체라고 할 수 있다. 비록 한 글자에 불과하지만 그것이 담고 있는 의미는 동학의 정체성을 포괄하기에 부족함이 없다고 할 수 있다. 동학의 생명사상이 이 한 글자에 응축되어 있다고 해도 결코 과장된 것이 아니라는 사실을 '시侍'에 대해 보인 생명담론 주창자들의 관심과 해석을 통해서도 잘 알 수 있다. 각자의 입장에 따라 다소의 차이는 있지만 이들은 모두 시侍를 통해 동학사상의 정체성과 지향성을 공유하고 있다고 볼 수 있다.

> 侍者 內有神靈 外有氣化 一世之人 各知不移者也 主者 稱其尊而與父母同事者也 造化者 無爲而化也 定者合其德定其心也 永世者 人之平生也 不忘者 存想之意也 萬事者 數之多也 知者 知其道而受其知也 故明明其德 念念不忘則至化至氣 至於至聖[3]

동학의 창시자인 수운 최제우는 '시侍者'를 "內有神靈 外有氣化 一世之人 各知不移者也"라고 설파하고 있다. 이것을 축어적으로 해석하면 "안으로 신령이 있고 밖으로 기화가 있어 온 세상의 사람이 각각 알아 옮기지 아니하는 것이다"[4]가 될 것이다. 시侍에 대한 이러한 규정이 지극히 심오하고 모호하기 때문에 많은 해석의 여지를 드러낸다고 할 수 있다. 여기에 대해 생명사상의 큰 스승으로 추앙받고 있는 장일순은 그것을

3 | 최제우, 윤석산 주해, 『東經大典』 '論學文', 동학사, 1996, p. 83.

4 | 최제우, 윤석산 주해, 위의 책, p. 83.

비유적인 화법으로 제시하고 있다. 그는 시侍를 "자기가 타고난 성품대로 물가에 피는 꽃이면 물가에 피는 꽃대로, 돌이 놓여 있는 자리면 돌이 놓여 있을 만큼의 자리에서 자기 몫을 다하고 가면 모시는 것을 다하는 것"이라고 보고 있다. 이것은 시侍를 "상대방이 있게끔 노력하는 것" 다시 말하면 "우주가 본원적으로 가지고 있는 이치를 깨달"아 본인이 거기에 "동참할" 수 있도록 하는 것으로 해석하고 있다는 것을 의미한다.[5] 그의 이러한 해석은 시侍를 '무위無爲'의 차원에서 이해한 것에 다름 아니다. 생명사상의 또 다른 주창자 중의 한 사람인 윤노빈은 "인내천 사상의 대종은 사람이 한울님을 모신다侍天부터 시작한다"[6]고 보고 있다. 인내천이 곧 시천으로부터 시작한다는 그의 논리는 동학의 사상적 흐름을 반영한 자연스러운 귀결이다. 하지만 그의 논리에서 눈여겨보아야 할 것이 있다. 바로 '행위'이다. 그는 "인간의 행위를 신적 행위의 차원으로 고양시켜 놓아야 한다"[7]고 말하고 있는데 그것이 겨냥하고 있는 것은 '혁명적 실천' 혹은 '혁명적 통일'이다. 시侍의 이러한 해석은 서구적 세계관을 '야수적 세계관'으로 간주하고 여기에 대한 '맹렬한 비판'과 그것의 '제국주의적 성격을 폭로'하는 것을 서슴지 않는 것에서도 엿볼 수 있다.[8] 어쩌면 이것은 '생존철학자'로서의 그의 성격을 말해주는 것인지도 모른다.

시侍에 대한 장일순과 윤노빈의 미묘한 차이는 생명사상의 여러 맥락들을 종합하고 체계화하여 그것을 널리 확산시켰을 뿐만 아니라 한국 사상의 세계적 위상을 한 단계 끌어올린 김지하에게서도 발견된다. 그는

5 | 장일순, 『나락 한 알 속의 우주』, 녹색평론사, 2016, pp. 81~83.

6 | 윤노빈, 『新生哲學』, 학민사, 2010, p. 336.

7 | 윤노빈, 위의 책, p. 336.

8 | 박준건, 「김지하 생명사상과 율려사상에 대한 하나의 고찰」, 『대동철학』 제20집, 대동철학회, 2003, p. 31.

자신의 생명운동을 '죽임에 대한 살림'으로 규정하고 그것의 발생론적 토대를 "수운선생의 주문 중 맨 처음 시侍"에서 구한다. 그는 "內有神靈外有氣化 一世之人 各知不移者也"[9]를 '우주 진화의 삼법칙'으로 해석한다. 첫째가 '내면 의식의 증대', 둘째가 외면의 복잡화, 셋째가 '자기조직화와 개별화를 통한 다핵적 개체 속에서 전체적 유출의 고도한 질적 유기화 복잡화의 실현'이다. 이 세계의 법칙을 그대로 자신의 "운동 테마와 운동 영역으로 실천하는 것"이 바로 생명운동인 것이다.[10] 그의 시侍에 대한 해석에서 특징적인 것은 생명을 우주 진화의 차원에서 바라보고 있다는 점이다. 그는 인간 내면에 모시고 있는 것이 '우주생명'이라고 말한다. 우주생명에 대한 자각과 공경 그것을 바탕으로 한 모든 생성 활동을 생명운동, 다시 말하면 '살림'으로 본 것이다.

그가 이렇게 생명을 우주생명으로 인식한 데에는 시천주侍天主의 '천天'을 "일체 설명하거나 규명하지 않고 넘어가 버린"[11] 수운의 태도와 다르지 않다. 그렇다면 수운은 왜 그것을 설명하거나 규명하지 않고 넘어가 버린 것일까? 어쩌면 이 물음은 우문일 수 있다. 만일 천天에 대한 동양적(동아시아적)인 인식의 틀 안에서 바라보면 그의 이러한 태도는 지극히 자연스러운 것이 될 수 있다. 동아시아적인 인식 틀 안에서 그것은 '태허, 태일, 무극'(기학)으로 이해되거나 해석되기도 하고 또 '공, 무, 허'(유·불·

9 | 김지하는 이것을 "인간 내면에 신령하고 무궁한 우주생명의 생성을 모시고 있음을 인정하고 그 모심을 '님'으로 불러 자각적으로 실현함으로써 자기 성취를 하고 이웃과 모든 민족과 모든 자연 생명체, 모든 무기물과 도구와 보이지 않는 문화, 생각, 정서, 모든 통신의 메시지와 모든 전파의 모든 언어와 모든 기호들 속에 생성하는 이 모든 무궁하고 신령한 우주생명의 생성을 인정하고, 모시고, 자각적으로 공경함으로써 거룩하게 살려내는 것입니다."라고 해석하고 있다. (김지하, 『생명과 자치』, 솔, 1996, p. 248.)

10 | 김지하, 위의 책, p. 248.

11 | 김지하, 위의 책, p. 270.

선)로 이해되거나 해석되기도 한다. 이것은 천天을 "끊임없이 창조하는 무, 활동하는 무, 창조적인 큰 자유를 암시하고 있는 것"[12]으로 인식하고 있다는 것을 의미한다. 동아시아적인 인식 틀 안에서 우주는 인간 혹은 인간이 거주하는 지상과 분리되거나 분할되어 있지 않다. 그것은 인간의 투명하고 논증 가능한 인식 체계로는 온전히 해명할 수 없는 무한한 변화와 생성의 과정으로 존재하기 때문이다. 이러한 세계를 일컬어 '현玄'[13], '태허太虛'[14], '태극太極'[15]이라고 하는 이유가 바로 여기에 있는 것이다. 이 세계에서는 모든 것들이 하나의 전체적인 유출 과정 내에서 끊임없이 변화하고 생성·소멸하는 공능功能의 상태를 드러낸다. 하나의 세계를 이렇게 공능, 다시 말하면 '정체공능整體功能'의 차원으로 인식한다면 그것은 세계를 관념이 아니라 실질의 차원에서 이해하고 해석한다는 것을 말해준다. 이런 점에서 우주 혹은 우주생명은 '기氣의 우주宇宙'[16]이면서 동시에 '정체공능으로서의 우주'[17]가 되는 것이다.

김지하의 생명사상은 이런 점에서 '우주생명학'이다. 우주생명학의 토대 위에서 그는 자신의 사상, 철학, 미학, 사회, 역사, 문화, 예술 등의 원리를 구축하고 또 해석한다. 이것에 기반하여 탄생한 대표적인 미학 원리가 바로 '그늘', '흰 그늘', '율려' 등이다. 그는 그늘을 '활동하는 무無'의 차원에서 정의한다. 이 활동하는 무가 "끊임없이 복잡화, 자기 조직화하면서 개별적인 우주 실현의 전 생성 속에서 움직일 때"에 그늘이

12 | 김지하, 앞의 책, p. 271.

13 | 노자, 남만성 옮김, 『노자 도덕경』, 을유문화사, 2015.

14 | 이기동, 『주역강설』, 성균관대학교출판부, 2006.

15 | 장자, 김학주 옮김, 『장자』, 연암서가, 2010.

16 | 장파, 유중하 외 옮김, 『동양과 서양, 그리고 미학』, 푸른 숲, 2015, p. 59.

17 | 이재복, 「시와 정체공능(整體功能)의 미학 – 박목월의 「나그네」와 「윤사월」을 중심으로」, 『비교한국학』 제26권 3호, 국제비교한국학회, 2018, p. 246.

탄생한다는 것이다. 좀 더 자세히 말하면 그것은 '움직임의 주체'와 그가 '모시는 현실적, 이성적 인식 주체' 사이에서 "움직이며, 부침하는 과정"에서 탄생하는 것이다. 이를테면 "무의식과 의식 사이", "환상과 현실 사이", "깊은 진리심과 자기 주체 의식 사이", "인식 주체와 끊임없이 생성하는 인식 내용 사이"에 움직이는 "미묘한 중간 의식이 바로 그늘"[18]인 것이다. 그래서 그것은 "미추는 물론 이승과 저승, 지상과 천상, 기쁨과 성냄, 슬픔과 즐거움, 성스러움과 통속함, 남성과 여성, 젊음과 늙음, 이별과 만남 등 서로 상대적인 것들을 하나로 혹은 둘로 능히 아우르는 것"[19]이라고 할 수 있다. 하지만 이 그늘에 이르기 위해서는 반드시 "삭이고 견디는 인욕정진忍辱精進하는 삶의 자세 곧 시김새"[20]가 전제되어야 한다.

그러나 그는 그 그늘이 우주를 바꾸기 위해서는 그늘만으로 부족하다고 말한다. 이러한 문제의식에서 탄생한 것이 바로 '흰 그늘'이다.

> '귀곡성'까지 가려면 '그늘'만으로는 부족하다. 우주를 바꾸려면 신의 마음을 움직이고 감동시켜야 하는데 그러자면 그늘이 있어야 하고 그 그늘만 아니라 거룩함, 신령함, 귀기鬼氣나 신명神明이 그늘과 함께 있어야 하며 그 신령한 빛이 바로 그 그늘로부터 '배어 나와야' 한다. '아우라' 혹은 '무늬'다. 바로 이 경지를 '흰 그늘'이라 부른다. '흰'은 곧 '신'이니 '한' '밝' '불' 등이 다 '흰'이다.[21]

그가 그늘을 넘어 '흰 그늘'의 차원을 제시한 것은 '지기至氣'의 문제를

18 | 김지하, 앞의 책, pp. 272~273.
19 | 이재복, 『몸과 그늘의 미학』, 도서출판 b, 2016, p. 183.
20 | 김지하, 『흰 그늘의 미학을 찾아서』, 실천문학사, 2005, pp. 48~50 참조.
21 | 김지하, 위의 책, pp. 320~321.

다시 제기한 것과 다르지 않다. 이 지극한 기운만이 우주를 바꿀 수 있다는 생각은 눈에 보이는 드러난 차원을 넘어 눈에 보이지 않는 무의식의 심층에 자리하고 있는 신령한 새 생명의 흐름을 강조하기 위해서라고 볼 수 있다. 인욕정진하는 시김새의 과정을 통해 탄생하는 그늘에서 더 나아가 그것으로부터 배어 나오는 거룩하고 신령한 빛의 세계가 흰 그늘인 것이다. 이것은 시천주侍天主나 인내천人乃天의 궁극을 드러낸 것에 다름 아니다. 지극한 기운이 극에 달하면 새로운 차원의 유출과 변화가 일어날 것이라는 논리는 자연스럽게 '개벽' 혹은 '후천개벽' 사상으로 이어진다. 그에게 개벽, 후천개벽이란 일찍이 수운이 동학을 창시하면서 제기한 '우주생명의 상실과 회복'의 연장선상에 있는 것으로 볼 수 있다. '기화氣化', '신령神靈'을 상실한 채 인간, 자연, 사회, 문화, 문명을 황폐화하고 있는 서구의 배타적이고 독선적인 패러다임에 맞서 그것의 회복을 주창한 수운의 태도 이면에는 개벽에 대한 열망이 강하게 자리하고 있었던 것이다.

김지하 생명사상의 흐름이 후천개벽을 지향하고 있는 데에는 이러한 반생명적인 시대의 흐름에 따른 '개벽의 조짐'을 감지했기 때문이라고 할 수 있다. 이런 점에서 최제우와 김지하의 문제의식은 동일한 흐름 위에 있다고 볼 수 있다. 김지하는 수운의 후천개벽에 대해서 "생명사상에 의해서 극심한 선천시대의 생명 파괴를 극복하고 뭇 생명을 공경함으로써 생명의 생태적 질서가 회보되는 후천의 시대를 열 수 있다고 말씀하였던 것 같습니다."[22]라고 이야기하고 있다. 후천개벽의 조짐과 이에 따른 이들의 예감은 전 지구적인 생태 위기와 자본화가 진행되면서 그것이 현실이 될 수도 있다는 그런 차원의 여러 징후들이 우리 생태계를 둘러싸고 일어나고 있다. 김지하의 후천개벽 사상은 생명사상이 제기되기 전에

22 | 김지하, 『생명』, 솔, 1995, p. 21.

도 존재했지만 그때는 어디까지나 '인간중심의 휴머니즘 차원'[23]에서였다면 생명사상 이후에 그것은 인간을 넘어 우주 전체를 아우르는 차원으로 변모하게 된다.

그늘과 흰 그늘에서 보여준 우주와의 친연성은 '율려律呂'에 오면 또 다른 모습을 드러낸다. 율려는 서구의 음악과 대비되는 동양의 음악 구조이다. '삼황오제三皇五帝 이래 적어도 근대까지 중국 중심의 음악 및 우주 문화의 기본 구조를 이룬 것을 통칭하는 말'[24]이 바로 율려인 것이다. 중국에서 이 율려가 중요한 것은 그것이 단순한 음악이 아니라 정치, 경제, 사회, 문화, 예술 전반의 토대가 되는 구조이기 때문이다. 가령 상고시대 중국에서 '음악으로 바람을 조율한다'고 할 때 그것은 단순히 기후에만 국한된 것이 아니라 '우주 삼라만상의 조화'[25]와 관련된 문제였던 것이다. 음악에 대한 강조는 중국 정치사상의 근간을 마련한 공자가 『예기禮記』를 편찬한 것에서도 잘 드러난다. 그런데 이 율려에서 김지하가 중요하게 여기는 것은 우주의 바탕음, 본음을 찾는 것이다. 그에 의하면 중국의 경우에는 그것이 '황종皇鐘'이고 우리의 경우에는 그것이 '협종夾鍾'이라는 것이다. 이 협종은 '황종 자리에 들어선 것'으로 '무질서한 혼돈이면서 무질서 나름의 질서 체계'[26]인 것이다. 중국의 당악이나 송악과는 다르게 우리의 음악은 "협종적 황종, 협종이면서 황종, 카오스이면서 코스모스, 그리고 후천이면서 선천, 태극이면서 궁궁, 안정수이면서 역동수, 3이면서 2, 이런 복잡한 이중성을 가지면서도 중심은 후천에 있고 카오스에 있고 역동수에 있다"[27]는 것이다.

---

23 | 이병창, 「동서양 사상의 친화성」, 『인간·환경·미래』 제3호, 인제대학교 인간환경미래연구원, 2009, p. 135.

24 | 김지하, 『김지하 전집 1 – 사회사상』, 실천문학사, 2002, p. 438.

25 | 장파, 백승도 옮김, 『중국미학사』, 푸른숲, 2002, p. 53.

26 | 김지하, 앞의 책, p. 461.

김지하는 자신이 제시한 이 율려의 개념을 통해 그늘, 흰 그늘에서처럼 사회, 문화는 물론 정치, 경제, 예술 전반에 대한 담론을 개진한다. 율려 역시 궁극은 우주생명의 추구와 정립에 있지만 그것이 율, 다시 말하면 음악을 통해 제시하고 있다는 점에서 보다 더 생명 본연의 차원에 닿아 있다고 볼 수 있다. 가령 그가 이 관점으로 해석한 2002년 월드컵의 여러 현상들은 비록 직관에 많은 부분을 의존하고 있기는 하지만 율려를 '지금, 여기'의 사회, 문화 현장에 적용하여 그 속에서 율려 혹은 생명의 본 모습을 발견하고 그것을 드러내려 했다는 점에서 의미 있는 시도였다고 평가할 수 있다. 인간이 만들어내는 의식과 행동은 그것이 하나의 실체이거나 존재라기보다는 살아 움직이는 생성 과정으로서의 생명에 가깝다고 할 수 있다. 서구의 사고방식 중의 하나인 이 '실체substance'의 개념으로 생성 과정을 분리하여 그것을 형식논리와 체계로 분석하다 보면 살아 꿈틀대는 전체적인 유출 과정으로서의 세계를 드러낼 수 없다. 우리가 우주생명으로부터 멀어진 데에는 이렇게 실체를 우주 혹은 생명의 본 모습이라고 믿어버린 오랜 관념 때문이라고 할 수 있다. 이 망각을 벗어나 우주생명 혹은 우주의 바탕음을 발견하고 회복하는 일은 그의 식으로 이야기하면 '생명운동으로서의 율려'[28]가 되는 것이다.

3. 생명사상의 이론적 가능성과 보편성의 탐색

김지하의 생명사상이 동학과 동아시아의 축적된 담론에 그 발생론적인 기원을 두고 있다는 것은 이제 널리 알려진 사실이다. 이것은 그의

27 | 김지하, 위의 책, p. 462.

28 | 김지하, 앞의 책, p. 468.

생명사상이 사상으로서의 계보와 보편성을 내재하고 있다는 것을 의미한다. 어떤 사상이 지속 가능하기 위해서는 이론적 혹은 학문적 계보의 성립이 필요하다. 가령 서구의 사상을 보면 이 계보가 잘 형성되어 왔을 뿐만 아니라 이 각각이 서로 길항 관계를 유지하면서 발전해 왔다는 것을 알 수 있다. 우리는 플라톤과 아리스토텔레스의 사상이 어떻게 칸트와 헤겔, 마르크스를 거쳐 하버마스와 지젝으로 이어지는지를 혹은 후설의 사상이 어떻게 하이데거와 사르트르를 거쳐 데리다로 이어지는지를 이 계보를 보면 비교적 명확하게 알 수 있다. 우리 경우에도 조선조 성리학의 흐름이 학파를 중심으로 그 계보가 형성된 예가 있지만 그것이 서구처럼 오랜 역사적인 흐름으로 이어진 것은 아니다. 저간의 논의를 통해 볼 때 생명사상은 그 계보가 형성될 수 있을 정도의 개연성 있는 사상의 연결 고리들이 존재하고 있음을 알 수 있다. 이것은 우리 차원을 넘어 동아시아 전체 차원의 생명사상의 계보가 가능하다는 것을 의미한다. 다소 차이와 변주 그리고 굴절이 존재하기는 하지만 생명의 차원에서 서로 공유하고 매개할 수 있는 지점이 있기 때문에 그것을 발견하고 정립하는 것은 가능하리라고 본다. 이러한 시도가 이루어진다면 우리도 서구처럼 분명한 하나의 계보를 가지게 될 것이다.

그런데 이 과정에서 우리가 깊게 고민해야 할 것이 있다. 그것은 생명사상이 하나의 사상 혹은 이론으로서의 틀을 갖추는 것이다. 동학 혹은 김지하의 생명사상이 서구와 차별화되는 독특한 성격과 지위를 지닌다고 하더라도 그것을 이론화하지 못하거나 학문적으로 체계화하지 못한다면 하나의 사상으로 인정받을 수 없을 것이다. 이런 점에서 우리의 생명사상은 아직 온전하지 못하다고 할 수 있다. 하나의 사상이 이론적인(학문적인) 체계를 갖추기 위해서는 그 사상을 객관화하고 구체화하여야 할 뿐 아니라 보편성도 확보해야 한다. 생명사상이 드러내는 이념과 가치, 세계관 등은 서구의 어떤 사상과 견주어도 손색이 없다. 특히 그것이 인류의 생존 혹은 실존의 문제를 강하게 추동하고 있다는 점에서 당대적인 의미는 물론 미래적인 의미도 강하게 드러낸다. 하지만 사상으로서의 이런 가능성에 비해 그것을 구체화하고 객관화하는 일은 여기에 훨씬 미치지 못한다고 할 수 있다.

동학과 이것을 토대로 한 김지하의 생명사상에서 가장 주목해야 할 것 중의 하나는 바로 '불연기연不然其然'이다. 불연기연은 『동경대전』의 한 경편經編이다. 네 편의 경편 중 한 편을 불연기연이라고 이름 붙여 자세하게 그것을 다루고 있다. 이 불연기연은 우주 만물의 이치를 불연과 기연의 관계하에서 밝히고 있는 글이다. '시侍'가 생명사상이 지향하는 궁극적인 가치를 함축한 말이라면 '불연기연'은 그것에 대한 방법을 제시한 말이라고 볼 수 있다. 어떻게 우주생명 차원에서 모심을 방법적으로 구현하느냐 하는 문제를 담고 있는 것이 불연기연이라면 그것은 서구의 변증법에 대응될만한 우리의 방법론이라고 할 수 있다. 서구의 변증법이 고대 희랍의 에레아의 제논Zeno of Elea(기원전 약 490~430)으로부터 기원하여 헤겔, 포이어바흐, 마르크스를 거쳐 알튀세르, 그람시, 호르크하이머, 마르쿠제, 포퍼 등으로 이어지면서 견고한 방법론적인 체계와 논쟁을 통해 서구 사상의 주류를 형성하기에 이른다. 비록 많은 오류와 한계를 지닌 방법론임에도 불구하고 오랜 역사적인 과정을 거치면서 그것을 비판적으로 성찰하고 논리적으로 검증해온 점은 우리에게 시사하는 바가 크다. 이에 비하면 불연기연은 그 이론적인 계보는 물론 그 의미에 대한 객관적이고 구체적인 검증과 해석조차 이루어지지 않고 있는 실정이다.

> 我思我 則父母在玆 後思後 則子孫存彼 來世而比之 則理無異於我思我 去世而尋之 則或難分於人爲人 噫如斯之忖度兮 由其然而看之 則其然如其然 探不然而思之 則不然于不然[29]

경편 '불연기연不然其然' 중 불연과 기연이라는 용어가 등장하는 대목이다. 이 말의 전후 문맥을 축어적으로 해석하면 '그러함으로 말미암아 이를 미루어 본다면 그렇고 그러한 것 같고, 그렇지 아니함으로 미루어 이를 생각한다면 그렇지 아니하고 또 그렇지 아니함이라.'[30]가 된다. 불연기연 경편 전체 맥락에서 이 말을 헤아려보면 그것은 우주 만물을 드러난 현상으로만 보게 되면 그렇고 그러하지만 그것이 생겨나게 된 근원과 그 이치를 따져 헤아려보면 그렇지 아니하다는 의미로 해석된다. 드러난 차원과 드러나지 않은 차원이 분리되어 있는 것이 아니라 언제나 함께하고 있다는 것에 대한 자각과 그러한 인식론적인 방법을 통해 우주 만물의 이치를 들여다보라는 것으로 해석된다. 이 불연기연의 논리는 『동경대전』 뿐만 아니라 『용담유사』의 「흥비가」(1863)에도 드러나 있다. 「흥비가」에서 수운은 "이 글 보고 저 글 보고 무궁한 그 이치를 / 불연기연不然其然 살펴 내어 부야흥야賦也興也 비比해 보면 / 글도 역시 무궁하고 말도 역시 무궁이라 / 무궁히 살펴 내어 무궁히 알았으며 / 무궁한 이 울 속에 무궁한 내 아닌가"라고 노래하고 있다. 무궁한 우주의 이치를 불연기연으로 살핌으로써 그 속에서 무궁한 나의 존재를 깨닫게 된다는 의미이다.

동학의 두 경전에 드러난 불연기연은 우주 만물의 이치를 궁구하는 방법에 대한 동학의 인식론에 다름 아니다. 우주 혹은 우주 만물의 이치에 대해 그동안 다양한 인식이 존재해 왔으며, 그 인식의 내용과 형식의 정도에 따라 사상이나 철학의 수준이 결정되어 왔다고 볼 수 있다. 이 말은 동학 혹은 그것에 토대를 둔 생명사상이 일정한 깊이와 체계를 지니기 위해서는 수운이 제기한 불연기연의 논리를 발전적으로 계승하

29 | 최제우, 윤석산 주해, 앞의 책, p. 171.
30 | 최제우, 윤석산 주해, 위의 책, p. 171.

여 그것을 인식론적인 차원에서 담론화해야 한다는 것을 의미한다. 하지만 동학이나 생명사상에서 불연기연이 차지하는 위상에 비해 담론화의 정도는 미미하다. 이것은 생명사상을 전개한 이들의 경우에도 예외는 아니다. 먼저 장일순의 경우를 보자. 일찍이 그는 시侍에 대해 "엄청난" 관심을 보인 바 있다. 그는 "수운水雲 최제우崔濟愚 선생이나 해월 최시형 선생의 말씀을 보면 그 많은 말씀이 전부 시侍에 관한 말씀"[31]이라고 하였다. 하지만 시侍에 대한 이러한 관심과는 달리 불연기연에 대해서는 이렇다 할 만한 언급을 하지 않았다. 다만 그는 인간과 자연을 보는 방법에 대해 말하면서 "주와 객이 초연히 하나가 되는 삶, 그런 만남 속에서 문제를 보지 않고서는 안 된"[32]다고 한 적이 있다. 이것은 주와 객으로 나누어 사물을 보는 서구 혹은 서구 과학의 접근 방법을 비판하면서 한 말이다. 주객의 문제는 불연기연과 전혀 관련성이 없는 것은 아니지만 그것이 우주 만물의 이치를 드러내는 과정이나 원리를 드러내고 있지는 않다.

윤노빈 역시 불연기연의 논리에 대해 구체적으로 언급한 바는 없다. 그가 자신의 '신생 철학'에서 비중 있게 언급하고 있는 것은 서구의 '변증법적 논리'이다. 그는 헤겔의 논리학에 주목해 그의 변증법적 모순 논리가 "현실적 투쟁의 세계에 가담하고 있는 현실적 모순의 개념을 도외시하고 있다"고 말한다. 이것은 그의 변증법적 모순 논리가 "언어들 사이에서만 성립"할 뿐 "실제에 있어서는 결코 투쟁하거나 모순되는 관계에 있지 않다"는 것을 의미한다. 이런 점에서 그의 변증법적 모순 논리는 "언어적으로만 모순을 해결하려고 하였지 그 언어를 사용하는 구체적 주인공과 적수인 사람들을 전연 고려하지 않았으며, 그 언어에 해당하는 실물의

31 | 장일순, 앞의 책, p. 81.

32 | 장일순, 위의 책, p. 275.

존재를 언어적 관계로부터 추방한" 것이 된다.[33] 현실적 모순 관계와 변증법적 모순 관계 사이에 심연이 존재하게 됨으로써 그의 변증법적 논리는 언어에 의한 "세련된 의인론擬人論"[34]에 머물게 된다. 윤노빈에 의하면 이렇게 만들어진 세련된 의인론은 "대립이나 투쟁과 같은 인간중심적 관념을 논리의 세계는 물론 자연, 사회, 역사 등에다 부당하게 확장시킨 데" 지나지 않기 때문에 "근본적 오류"를 드러낼 수밖에 없다는 것이다.[35]

윤노빈의 헤겔 변증법에 대한 비판은 세계를 인위적人爲的으로 인식하는 것에서 벗어나 그것을 살아 움직이는 생존의 장으로 인식하려는 태도에서 비롯된 것이다. 그는 '생존은 한울 속에 가득 차 있고, 생존은 무궁하다'[36]라고 말한다. 이것은 그가 생존을 무궁의 차원에서 인식하고 있다는 것을 의미한다. 이 무궁 혹은 무궁의 논리가 바로 불연기연이라는 점을 상기한다면 그의 변증법 비판은 동학의 불연기연의 논리로 나아가는 데 일정한 인식론적인 이해의 틀을 제공한다고 볼 수 있다. 서구의 변증법적 모순 논리가 지니는 오류와 한계야말로 이것과는 다른 신생 논리, 곧 동학의 무궁 진화론인 불연기연을 새로운 미래의 대안적 관점으로 바라보게 한다. 서구의 변증법에 대한 비판적 입장을 비교적 선명한 논리로 드러내고 있는 그의 태도와 역량으로 볼 때 그것과는 대비되는 동학의 불연기연의 논리에 대한 사유를 드러내고 있지 않다는 것은 커다란 아쉬움으로 남는다. 서구의 변증법과 우리의 불연기연이 어떤 차이와 성격을 지니고 있는지, 둘 사이의 비교를 통해 서로 공유하고 보완하거나 개선할 점은 없는지, 무엇보다도 이러한 과정을 통해 동서양을 아우르는

33 | 윤노빈, 앞의 책, pp. 85~88.

34 | 윤노빈, 위의 책, p. 89.

35 | 윤노빈, 위의 책, pp. 88~89.

36 | 윤노빈, 위의 책, p. 292.

객관적이고 보편적인 패러다임 정립을 위해 중요하게 요구되는 것이 무엇인지, 이런 문제들은 깊이 있는 철학적 사유가 동반될 때 구체화되고 온전히 실현될 수 있는 것들이다.

동학의 불연기연에 대해 가장 적극적이면서도 확장적인 해석을 시도하고 있는 이는 김지하이다. 그는 수운의 불연기연을 '동양 나름의 독특한 진화 이해의 방법론'으로 보고 있다. 서양의 변증법적 논리와는 다른 세계 인식의 한 방법인 불연기연은 눈에 보이는 차원과 보이지 않는 차원 사이의 관계를 어떻게 이해하고 판단하느냐의 문제를 제기한다. 그에 의하면 이것은 "태극과 궁궁 사이에, 즉 드러난 우주 질서의 객관적 체계로서의 태극과 보이지 않는 숨겨진 질서로서의 새로운 카오스적인 생성 변화 흐름의 상징인 궁궁 사이의 상관관계를 압축한 것"이 된다. 보이는 차원과 보이지 않는 차원 혹은 드러난 차원과 숨겨진 차원을 각각 태극과 궁궁으로 해석함으로써 이 두 용어가 지니는 동양적인 인식 체계를 드러내고 있다. 우주의 원리와 법칙의 드러난 차원인 태극과 그것의 숨겨진 차원인 궁궁이 함께 작용하면서 새로운 진화론이 탄생하는 것이다. 이렇게 되면 '이미 드러난 질서가 숨겨진 질서의 현현임을 인식하게 되는 것'이다. 어쩌면 이것은 '아니다 그렇다'를 통한 '무궁무궁한 살핌'으로 볼 수 있다.[37]

불연기연의 논리로 보면 이렇게 "모든 대립적인 것"은 "기우뚱한 균형"에 다름 아니다. 이것은 불연기연이 상호보완적인 차원에서 세계를 인식하고 있다는 것을 말해준다. 이 기우뚱함이 음양이고 율려이다. 기우뚱하기 때문에 균형을 맞추려고 하는 과정에서 생명이 잉태되고, 이 생명은 혼돈 그 자체로 끊임없이 진화해가는 것이 우주인 것이다. 불연기연에 대한 김지하의 해석은 수운의 「흥비가」를 향한다. 여기에서 '흥興'은 "보

37 | 김지하, 『생명과 자치』, 솔, 1996, p. 87.

이지 않는 황홀하고 불가해한 숨겨진 질서나 감정의 움직임을 서정적으로 표현한 체계"를 말하고, '비比'는 "드러난 질서 속의 이러저러한 양극이나 대조 사이의 일정한 관계나 대비, 상호 영향 관계 등을 인식하고 구성하는 방법론"[38]을 말한다. 수운은 이 홍과 비에 근거하여 "새롭게 생성되고 있는 그 무질서한 우주 질서를 인식하는 방법"[39]으로 '비홍법'을 제시한다. 하지만 이 비홍법이 "동서양의 모든 과학적 인식 태도 또는 가치 중립성과 객관주의적 방법론 그리고 그것을 활용하는 개인이나 집단, 특히 지도적 개인들의 눈에 보이지 않는, 쉽게 겉으로 인지할 수 없는 숨겨진 악의 파괴적 욕망, 이기주의, 모략적 분별지 등에 의해 엄청난 장애를 일으키고 있는 현상"을 보면서 수운은 "비홍을 거꾸로 뒤집어 홍비의 방법"[40]을 제기한다.

> 홍비란 근원적으로 숨겨진 질서의 전체 유출, 그 근원을 알 수 없는 무궁무진한 생성 진화에 근원과 중심을 두고 드러난 질서의 이러저러한 다양한 상관관계를 아니다 그렇다로 살피고 따져가는 그러한 방법인 것입니다. 홍비는 그러나 비홍의 기존 방법에 근거와 기준, 새 척도를 도입하여, 즉 기존의 방법을 있는 그대로 사용하되 새로운 차원의 변화 속에서 새롭게 재활용하는 체계입니다. 즉 비홍하되 무궁무궁 비홍한 관계가 바로 홍비법인 것이죠. 바로 이와 같은 비홍을 새로운 척도에 의해 홍비로 바꾸는 미묘한 관계 전환이야말로 이제부터 우리가 시도해야 될 동서양 사상·과학사에 탁월하고 보다 깊은 직관과 그 직관에 따른 새로운 방법, 새로운 형태의 날카롭고 탄력 있는 생동

38 | 김지하, 위의 책, p. 88.
39 | 김지하, 위의 책, p. 88.
40 | 김지하, 위의 책, p. 89.

하는 방법을 발견하는 데에서 중요한 근거가 될 것입니다.[41]

김지하는 수운이 제기한 흥비를 "비흥의 기존 방법에 근거와 기준, 새 척도를 도입"하는 것이라고 말하고 있다. 비흥 자체가 숨겨진 질서를 드러난 질서의 차원으로 인식하고 구성하는 방법이기 때문에 수운이 제기한 흥비가 '비흥의 비흥' 다시 말하면 '무궁무궁한 비흥'[42]이 될 수밖에 없다. 무궁무궁한 비흥이 곧 흥비라는 것은 서구의 변증법적인 진화론과는 다른 동학에 기반한 우리 식의 진화론을 말한다고 할 수 있다. 그 진화론이 '불연기연의 진화론'이든 아니면 '흥비론적 진화론'이든 여기에서 중요한 것은 그것이 '지금, 여기'는 물론 미래 차원에서 우리 인간과 우주생명 전체의 공동선과 지속 가능한 삶을 담보하는 보편타당한 방법론이냐 하는 점이다. 어떻게 숨겨진 질서의 차원을 통해 지금까지 체계화되고 구조화된 드러난 차원의 질서를 배제하거나 소외시키지 않으면서 그것을 변혁하고 또 해체할 수 있을까? 이에 대해 김지하는 "후천에 의하여 선천을 때려 부수는 것이 아니라, 후천의 새로운 생생한 생명력의 유출에 의하여 선천의 모든 훌륭한 가치들과 체계들, 학문들이 동서양을 막론하고 전면 해체되어 새 질서에 따라 창조적으로 재구성되는 그런 역동적인 관계"[43]를 제기한다.

그가 늘 이야기하고 있는 '법고창신法古創新'의 정신이 잘 드러나 있는 말이다. 그의 예감에 가득 찬 직관과 인식이 동학 혹은 동학의 생명사상과 만나면서 구체성을 띠게 된 것이 사실이다. 그는 동학의 시侍나 시천주侍天主에 깃든 인류 문명사적 의미에 대한 자각을 보여주고 있을 뿐만 아니라

41 | 김지하, 위의 책, pp. 89~90.

42 | 김지하, 위의 책, p. 89.

43 | 김지하, 위의 책, p. 255.

불연기연不然其然의 논리가 담지하고 있는 인식과 방법의 깊이도 잘 알고 있다. 그래서 그의 생명 담론에는 강렬한 비전이 내재해 있다. 이 비전의 강렬함은 후천개벽 사상으로 이어진다. 그를 '개벽사상가'[44]로 명명하는 것도 이런 이유 때문일 것이다. 후천개벽에 대한 그의 인식은 이미 70년대 민중운동을 하던 시절에도 있어 왔고, 이것이 본격적으로 드러난 것은 80년대 생명운동을 선언한 이후부터라고 할 수 있다. 개벽 혹은 후천개벽에 대한 그의 열망은 80년대 이후 다양한 저작들을 통해 강렬하게 드러난다. 후천개벽에 대한 열망과 '생명 파괴' 혹은 '생명 상실'은 긴밀하게 연결되어 있다. 어쩌면 이 열망은 생명 파괴와 상실로 인해 "무엇인가 근본에서부터 이탈되어 있다는 깊은 소외감과 고립감"[45]을 채우기 위한 하나의 신성한 의식으로 볼 수 있다.

그러나 이러한 후천개벽에 대한 그의 강한 열망은 지나치게 후천을 강조하다 보면 자칫 선천을 배제하거나 도외시할 수 있다. 실제로 그의 생명사상은 후천에 많이 기울어져 있는 것이 사실이다. 후천개벽이 그의 사상이 지향하는 궁극이긴 하지만 그것은 어디까지나 선천을 전제할 때 가능한 것이다. 후천과 선천은 '그렇다 아니다'의 관계 내에 있기 때문에 어느 한쪽만을 강조하다 보면 그 기우뚱한 균형은 깨지고 말 것이다. 이것은 그가 진정으로 원하는 바가 아니다. 그는 둘 사이를 '후천에 의한 선천의 창조적 재구성'이라는 역동적인 관계로 이해하고 있다. 이런 맥락에서라면 후천은 선천을 또 선천은 후천을 '그렇다 아니다'의 관계로 드러낸 것을 의미한다. 후천개벽에 이르기 위해서 선천이 전제되어야 한다면 무엇보다도 중요한 것은 선천에 대한 이해와 판단이라고

44 | 조성환, 「동학의 생명사상과 윤노빈의 생존철학」, 『文학 史학 哲학』 제56호, 한국불교사연구소, 2019, p. 169.

45 | 김지하, 『타는 목마름에서 생명의 바다로』, 동광, 1991, p. 38.

할 수 있다. 후천이 '생명 파괴' 혹은 '생명 상실'과 깊은 관계가 있다는 것은 그것이 선천의 이해와 판단의 대상이라는 것을 말해준다. 그로 하여금 후천개벽에 대한 강한 열망을 불러일으키게 한 생명 파괴와 생명 상실은 근대 이후 가속화되기 시작하여 이제는 우리의 무의식적인 심층에까지 깊은 상처를 남기고 있다.

생명 파괴와 생명 상실의 문제는 서구의 변증법적이고 기계적인 세계관과 긴밀하게 연결되어 있다. 인간의 사고와 행동에 결정적인 영향을 행사해 온 이러한 세계관으로 인해 과학과 테크놀로지의 발달을 가져오기는 했지만 그것 때문에 인간과 인간, 인간과 자연, 생물과 무생물, 실물과 언어, 육체와 정신 사이의 관계성은 회복하기 힘들 정도로 멀어졌다고 볼 수 있다. 특히 인공지능AI의 개발은 인위人爲의 한 정점을 겨냥하고 있다는 점에서 또 그 인위가 기계로 대체될 수도 있다는 점에서 지금까지와는 다른 차원의 불안을 낳고 있다. 인간의 "생존이 인위적인 것으로 키워진 것養育이며 보호된 것이며 허락된 것"[46]이라고 할 때 그 인위의 주체가 사람이 아닌 기계라면 인간 생존의 자율성과 독립성은 어떻게 되는 것일까? 이제는 자연에 의한 우주생명에 기계에 의한 가상 생명을 더한 아주 복잡하고 중층적인 생명이 출현한 것이다. 후천개벽이 도래하기 전에 이 선천의 문제를 어떻게 인지하고 이해할 것인지 또 그것을 어떻게 구체적인 실천의 차원으로 밀고 나갈 것인지 여기에 대한 온전한 해결 없이 후천을 이야기하는 것은 또 다른 모순을 낳을 수 있다.

4. 생명사상의 세계사상사적 위상과 전망

46 | 윤노빈, 앞의 책, p. 272.

김지하 생명사상의 토대인 동학은 생명의 문제를 새로운 관점에서 제기하고 있는 것이 사실이다. 이것은 동학이 기존의 철학, 종교, 사상 등에서 제기한 생명에 대한 관점과 인식과는 다른 차원을 제시하고 있다는 것을 말해준다. 동학에서의 생명은 인간중심주의적 차원은 물론 '유기화합물에 성장과 자기 복제 능력을 부여하는 네오다윈주의자들의 관점'이나 '자유 에너지를 활용 내장된 유전 정보에 따라 성장하는 조직을 생명으로 보는 관점' 그리고 '외부 조건의 변화와 관계없이 내부 조건을 일정하게 유지하는 능력을 가진 것을 생명이라고 보는 관점'을 모두 초월해 있다.[47] 동학의 생명관은 모든 물질이나 무기물까지도 그 안에서 생명 활동이 이루어진다고 보는 물질과 정신의 일원적 생성론이라고 할 수 있다. 이러한 동학의 생명관은 모든 우주 만물이 그 안에 신령이 내재해 있는 모심의 존재라는 '시천주侍天主' 사상에서 비롯된 것이며, 그것이 작동하는 구체적인 방법이 바로 '불연기연不然其然'의 논리이다. 생명에 대한 이러한 규정과 그것의 인식론적 실천 방법으로 인해 기존의 생명관이 가지지 못한 실재적이고 생성론적인 차원의 새로운 생명관이 탄생하게 된다.

동학과 김지하의 이러한 생명관은 동아시아의 '기氣'와 '역易'의 전통으로부터 영향을 받아서 탄생한 것이다. 이때 동아시아라 함은 중국만을 이야기하는 것이 아니다. 동학(최제우, 최시형)에 기반한 그의 생명사상은 중국의 기와 역 사상을 우리 식으로 해석한 최한기, 강증산, 김일부 등의 사상으로부터 더 큰 영향을 받았다고 할 수 있다. 또한 그의 생명사상은 최치원의 '풍류'와 유영모, 함석헌의 '속알'과 '씨알' 그리고 장일순, 윤노빈 등으로부터 직간접적으로 영향을 받아서 형성된 것이라고 할 수 있다. 다분히 우리의 현실과 맥락하에서 그의 생명사상이 탄생했다는 것은

47 | 김지하, 『생명과 자치』, p. 35.

그것이 내발성內發性의 차원에서 이루어진 오랜 검증과 숙고의 산물이라는 것을 말해준다. 이것은 국수주의의 위험성과는 거리가 먼 각 개체(국가와 민족)의 자율적이고 주체적인 생명 활동을 의미한다. 동학 혹은 그의 식으로 이야기하면 그것은 '각지불이자야各知不移者也'가 된다. "각각 개체 개체 나름으로 제 안에 숨겨진 서로 옮겨 살 수 없는 전체 우주 유출을 나름 나름으로 깨달아 다양하게 실현한다"[48]는 말속에 담긴 의미처럼 그의 생명사상은 우리 안에 숨겨진 우주생명의 진리를 깨달아 그것을 실현한다는, 어떤 주체적 보편성에 기반을 둔 사상임을 알 수 있다.

요즘 유행하는 세계화 혹은 글로벌화는 이런 개체 생명의 자율성과 독자성을 살리는 차원에서가 아니라 거대 자본과 시장 논리에 의한 전체화와 획일화의 양상을 띠고 있기 때문에 진정한 차원의 세계화는 이루어지지 않고 있다. 개체와 전체 사이를 불연기연의 논리로 해석하면 개체 생명의 자율성을 살린 세계화의 길이 보일 것이다. 그의 생명사상은 이런 맥락을 담지하고 있으며, 동학과 이에 기반한 우리의 생명사상이 한국적인 특수성 하에서 발생한 것임에도 불구하고 그것이 인류 보편의 어떤 진리를 지니게 된 이유라고 할 수 있다. 인간을 포함하여 이 우주생명 전체는 분리될 수 있는 것이 아니다. 그것은 전체 유출의 과정에 있으면서 끊임없이 생성과 소멸을 반복하는 무궁한 관계 내에 있다. 이로 인해 그가 제기한 생명은 인위에 의한 가설이나 구성의 차원을 넘어 실재 공능의 차원에서 생존할 가능성이 높다. 그는 이 생명의 논리를 사상은 물론 철학, 미학, 정치, 경제, 사회, 문화, 예술의 영역으로 확장하여 그 의미를 탐색하고 있다. 그 탐색의 결과물이 바로 '그늘', '흰 그늘', '율려'인 것이다.

그의 생명사상에 대해 비판이 없는 것은 아니다. 특히 이것이 학문의

48 | 김지하, 『흰 그늘의 미학을 찾아서』, 실천문학사, 2005, p. 512.

장으로 들어와 그 '방법론의 엄밀성'과 '이론의 구체성과 객관성'을 따질 때 비판을 피해갈 수 없는 것이 사실이다. 어떤 하나의 사상을 정립하는 과정에서 이런 비판은 필요하다. 다만 이런 비판이 사상의 온전한 정립을 위해 생산적으로 작용해야 한다는 것이다. 그의 사상의 온전한 학문적 정립을 위해 그 혼자만의 노력으로는 부족하다. 어떤 사상이나 이론은 혼자가 아닌 여러 사람들의 '참여'와 '대화'의 과정을 통해 이루어지는 경우가 많다. 그의 사상이 '지금, 여기'에서 무엇보다도 필요한 것이 있다면 바로 이것이 될 것이다. 생명사상의 본령도 어느 개체 생명의 배제나 소외 없이 모든 중생이 참여하고 어우러지는 그런 '한울이 한울을 먹는 이천식천以天食天 운동'[49]에 있듯이 그것을 온전한 담론체로 정립하는 것 역시 모든 중생의 참여로 이루어져야 하지 않을까?

최근 하나의 사건은 그것이 인류 생존을 위해 시급히 해결해야 할 문제라는 것을 강하게 드러내고 있다. 우주생명 문제에 미래 세대가 적극 개입하기 시작했고, 여기에 기성세대가 답을 내놓아야 할 처지에 놓이게 된 것은 '선천과 후천'의 경계가 보다 뚜렷해지면서 '개벽의 징조'가 드러난 것이 아닌가 하는 의문을 우리에게 던지고 있다. '지금, 여기'에서의 생명운동은 우리 인류와 우주의 미래를 겨냥하고 있다고 볼 수 있다. 그런데 이 미래 세대가 우리(기성세대)를 향해 섬뜩하면서도 의미심장한 메시지를 던진 것이다. 하나는 '어른들이 나의 미래에 똥을 싸고 있다'는 것이고 또 다른 하나는 '우리가 당신들을 지켜보고 있'으며, '당신들이 좋든 싫든 변화가 일어날 것'이라는 것이다.[50] 여기에서 '나'와 '우리'는 각각 그레타 툰베리Greta Thunberg(16세)와 그녀의 10대 동료들이다.

49 | 최시형, 『海月神師 法說』·「以天食天」

50 | 발렌티나 카메리니, 최병진 옮김, 『그레타 툰베리 — 지구를 구하는 십 대 환경 운동가』, 주니어김영사, 2019, pp. 71~72.

이들이 기성세대에게 보인 태도는 단순한 호소를 넘어 증오(혐오)에 가깝다. 우주생명을 바라보는 관점의 차이를 넘어 인간 사이의 심각한 분열을 야기하고 있다는 것은 화해와 평화로서의 생명이 아닌 파괴와 증오로서의 생명이 출현했다는 것을 의미한다. 이 사건은 김지하의 생명사상이 더 이상 미래의 사상으로 머물러 있어서는 안 되고, '지금, 여기' 우리 인류와 우주의 생존을 위해 그 활동을 시급하게 전면화하여 지속 가능한 아방가르드 사상으로 나아가야 한다는 것을 알린 그런 역사적인 사건이라고 할 수 있다.

3. 한, 신명, 그늘의 전통과 현대시

– 이동주론

1. 현대시와 전통

한국 현대시에서 전통을 이야기한다는 것은 어떤 의미일까? 근대 이후 한국 현대시는 이전의 시와는 다르게 규정된다. 우리가 말하는 현대시는 근대의 이념이나 근대적인 제도에 의해서 탄생한 것이다. 이러한 발생론적인 배경은 한국 현대시를 근대 이전의 시와 연속이 아닌 단절의 차원에서 보게 하였다. 근대의 이념과 제도 내에서 현대시가 탄생했다는 점을 고려한다면 이 관점은 그 나름의 설득력을 지닌다. 하지만 근대의 이념과 제도의 탄생이 전적으로 이전과의 단절을 통해 이루어진 것일까? 이 물음에 대한 답은 이미 하나의 형식 — 연속이면서 단절 — 으로 정립된 지 오래다.

한국 현대시가 근대의 산물이고, 이것이 이전의 시와는 다른 새로움의 영역을 지니고 있는 것은 부인할 수 없는 사실이다. 하지만 그 새로움이란 무엇에 대한 혹은 무엇으로부터의 새로움인가? 그것은 바로 근대 이전의 시에 대한 새로움인 것이다. 이렇게 새로움의 대상이 근대 이전의 시라면 혹은 근대 이전의 시를 새롭게 한 것이라면 현대시와 근대 이전의 시 사이에는 단절의 논리만으로는 해명할 수 없는 일이 발생하는 것이다. 근대 이후의 자유시든 근대 이전의 한시나 시조든 이것들은 모두 '시'라는 양식이 기본적으로 지니고 있는 짧고 함축성 있는 언어, 행과 연의 형식, 운율(리듬), 고백과 독백 지향적 목소리, 자아와 세계와의 동일시 등을 특성으로 한다.

이런 점에서 볼 때 근대 이후의 시와 이전의 시 사이에는 강한 연속성이 존재한다고 할 수 있다. 어쩌면 이 연속성은 시가 지니는 본질적인 속성을 말해주는 것인지도 모른다. 이것은 비단 우리 시에만 국한된 것은 아니다. 동서양의 시라는 양식이 지니는 공통된 특성이라고 할 수 있다. 이렇게 되면 시는 근대라는 범주를 넘어 인류 역사 전체를 가로지르는 보편적이고 원형적인 양식으로 존재하게 되는 것이다. 시가 지니는 의미를 이런 식으로 규정하면 인류 보편의 연속성은 드러나지만 그 보편성 내로 수렴되어버린 각각의 특수한 차원의 연속성은 제대로 드러나지 않을 수도 있다. 이것은 서로 다른 특성을 보이는 것까지 하나로 묶는 동일성의 위험 때문이다. 각각의 특수한 차원의 연속성이 드러나지 않는다면 우리가 알고 싶어 하는 한국 현대시와 근대 이전의 우리 시 사이에 존재하는 특징적인 연속성을 발견할 수 없을 것이다.

근대의 '새것 콤플렉스'[51]에 빠져 근대 이전의 것에 대해서는 낡고 무가치한 것으로 간주해버리는 경향이 있어 온 것이 사실이다. 이로 인해 둘 사이의 연속적인 흐름을 깊이 있게 탐색하여 그것을 우리 시사 혹은 문학사 내에서 새롭게 규정하고 개념화하여 하나의 지식(학문) 체계를 정립하는 데까지 나아가지 못하게 된다. 그러나 여기에 대한 반성과 성찰이 없었던 것은 아니다. 일제 식민지하에서 최남선, 박은식을 중심으

51 | 김윤식·김현, 『한국문학사』, 민음사, 2011, p. 25.

로 일어났던 국학 혹은 조선학 운동, 1950년대 이후 백철, 조지훈, 김동리, 이형기, 정태용에 의해 제기된 전통론, 그리고 1960년대 이후 김지하, 조동일, 채희완을 중심으로 활발하게 전개된 민족문화운동 등은 우리의 사회, 문화적 전통 내에서 예술, 사상, 학문의 길을 모색하려 한 의미 있는 시도로 볼 수 있다. 이들에 의해 제기된 '불함不咸', '풍류風流', '지조志操', '구경究竟', '멋', '한恨', '신명神明', '그늘', '생명' 등은 서구와는 차별화되는 우리 고유의 사상과 정신을 내포하고 있다는 점에서 전통의 재발견을 통한 새로운 가치 체계와 세계관 정립의 계기를 제시한 것으로 평가할 수 있다.

그러나 과연 이러한 우리 것에 대한 성찰과 탐색이 근대 이후 서구의 그것과 일정한 길항 관계를 유지하면서 역사적 발전의 한 축을 담당해 왔다고 자신 있게 이야기할 수 있을까? 근대 이후 전개된 급격한 서구화와 산업화의 격랑 속에서 우리의 전통적인 가치와 의미를 담지하고 있는 이러한 잠재성 있는 질료들은 뚜렷한 구체적 형상을 짓지 못한 채 산발적으로 일어났다 소멸하거나 예외적인 것으로 간주되어 단순한 호기심의 대상으로 인식되어 온 것이 사실이다. 시에서의 전통 논의 역시 이와 다르지 않다. 흔히 어떤 한국 현대시가 전통을 계승하고 있다고 이야기할 때 그 전통이란 것은 주로 우리의 정서나 리듬 그리고 그 형식의 차원에서의 계승을 가리킨다고 할 수 있다. 이를테면 김소월의 시가 우리의 고유 정서인 한을 기반으로 하고 있다거나, 그것이 우리의 전통 양식인 민요조의 가락과 기승전결의 전통적 형식을 따르고 있다고 하는 것이 바로 그것이다.

우리 현대시의 전통에 대한 논의가 이런 차원에서 이루어져 왔다는 것은 김소월 이외에도 백석, 정지용, 김영랑, 서정주, 박목월, 조지훈, 박재삼, 김지하 등에서도 확인되는 바이다. 이 시인들의 시에서 드러나는 우리의 전통적인 정서, 리듬, 형식은 근대의 제도화된 시의 정의와 개념으로는 온전히 수렴되지 않는 우리 현대시의 한 흐름이라고 할 수 있다. 이 흐름을 한국 현대시와 전통이라는 차원에서 온전히 수렴하기 위해서는 먼저 이 각각의 시인들의 시에 드러나는 시의 정서, 리듬, 형식을 정치하게 읽어내는 일이 중요하다. 그런데 여기에서의 문제는 이들의 시가 드러내는 정서, 리듬, 형식 등을 수렴하여 그것을 현대시와 전통이라는 차원에서 해석하려 할 때, 그 전통 다시 말하면 오랜 시간 동안 우리 민족의 의식과 정신이 구체화된 형식에 대한 구체적이고 포괄적인 이론이 정립되어 있느냐 하는 점이다. 산발적인 전통 논의가 아니라 그것을 전체적으로 아우를 만한 어떤 이론이나 미학 체계가 정립되어 있어야 이 시인들의 시가 은폐하고 있는 전통의 세계를 온전히 해명할 수 있을 것이다.

이동주 시인의 시가 드러내는 이러한 전통의 세계를 온전히 이해하고 그것을 기반으로 시사적인 의미를 도출해내기 위해서는 무엇보다도 우리의 전통 일반을 아우르는 미학에 대한 개념이 정립되어 있어야 한다. 그동안 이동주 시에 대한 연구는 주로 '전통'과 관련하여 논의가 이루어져 왔다. 하지만 이들 논의는 대부분 그 전통을 '한'의 차원에서 고찰해온 것이 사실이다.[52] 그의 전통에 관한 논의는 한뿐만 아니라, 그것의 발생론적인 토대와 전후 맥락을 아우르는 개념들을 모두 논의 대상으로 포함할

52 | 이와 관련한 대표적인 것들로 이원섭 「정의 응어리를 안고 살았다」(『현대문학』, 1979. 4), 이지엽 「한의 정서와 전통의 계승」(『한국전후시 연구』, 태학사, 1997), 정봉래 「정한의 시인: 이동주론」(『문학과 의식』, 1996. 10), 최일수 「이동주의 곰삭은 시학: 가신 지 열 돌에 즈음하여」(『시문학』, 1989.2), 허형만 「한국 현대시에 나타난 호남지역의 정서: 영랑, 미당, 심호의 시를 중심으로」(『현대시학』, 1995. 12), 황인원 「1950년대 자연성 연구: 구자운, 김관식, 이동주, 박재삼을 중심으로」(성균관대 박사논문, 1999), 전영주 「전통적 율격의 계승과 민속의 발견」(『1950년대 시의 전통주의 연구』, 동국대 박사학위논문, 2001) 등의 논의를 들 수 있다.

때 보다 구체화되고 또 생산적인 연구가 가능하리라고 본다. 우리 현대 시인들 중에 한국적인 전통을 가장 잘 계승한 시인으로 평가받고 있는 이동주 시인의 시를 해석하기 위해 이 글에서는 '정', '삭임', '풀이', '한', '신명', '그늘', '멋' 등의 미학 용어와 개념을 사용할 것이다. 이 용어와 개념들은 전통 세계를 들추어내기 위해 단순하게 나열된 것이 아니라 이동주 시를 온전히 해석하기 위해 그 시의 전체적인 흐름을 통해 자연스럽게 드러난 것들이다. '한국 현대시가 계승한 우리의 전통이 이런 것이다'라고 말하기에는 그것이 한 시인을 대상으로 한 것이기 때문에 미흡한 점이 있을 수밖에 없다. 하지만 그럼에도 불구하고 의미를 찾는다면 우리 현대시가 계승하고 있는 우리의 전통이 이런 것이고, 그것이 이런 데서 유래해서 이러한 맥락과 관계를 형성하면서 하나의 미학으로 정립되어 가는 과정을 이해하는데 적지 않은 도움이 되리라고 본다.

2. 정情의 발현과 시의 주름

한국 현대시의 전통을 이야기할 때 맨 앞자리에 놓여야 할 것이 바로 '정'이다. 이것은 현대시 중에서 특히 서정시를 중심으로 전통에 대한 논의가 진행되어 온 저간의 사정을 통해서도 알 수 있다. 시인 혹은 인간에게 정이란 누구나 지니고 있는 마음의 한 양태로 그것은 외부의 사물이나 대상과의 관계를 통해 생겨난다. 이런 점에서 정은 임시적이고 가변적이다. 인간의 변하지 않는 항구적인 마음을 표상하는 '성性'과 여기에서 차이가 난다. 이 정과 성은 서구의 '파토스pathos'와 '에토스ethos'에 대응된다. 우리의 정과 서구의 파토스는 외부 사물과의 관계를 전제하고 있기 때문에 그것의 행위 주체의 주관에 좀 더 밀착되어 있다고 할 수 있다. 외부 사물이나 대상에 마음이 발현되어 그것에 일정한 감정을 느끼게 된다. 흔히 인간이 느끼는 희喜 · 노怒 · 애哀 · 락樂 · 애愛 · 오惡 · 욕慾 같은 감정들은 그것을 행하는 주체와 외부 대상과의 사이에 수수 관계를 잘 말해주는 예라고 볼 수 있다.

서정시의 서정抒情이 '정을 펼치다'라는 점을 고려한다면 둘 사이에서 벌어지는 관계에 대해 보다 깊이 있게 들여다보는 일은 중요하다고 할 수 있다. 넓은 차원에서 보면 사물에 정을 투사하는 일은 서정시의 기본 조건이 되는 것이다. 하지만 우리 시에서의 그것은 특별한 데가 있다. 이로 인해 우리만의 독특한 특성을 지닌 서정 혹은 서정시가 탄생한 것이다. 그렇다면 그 특별함이란 무엇일까? 이 의문에 대해 많은 이들이 답을 했고, 그것을 종합해보면 한국인에게 정은 자발적으로 흘러넘칠 정도로 주관적인 이해와 판단의 과정을 통해 발생한다는 것이다. 이 자발적 흘러넘침의 단적인 예를 우리는 이조년의 시 「이화梨花에 월백月白하고」[53]에서 발견할 수 있다. 이 시는 "나"와 "자규子規" 사이의 정의 관계에 초점을 두고 읽을 수 있다. 그런데 흥미로운 것은 그 정의 관계가 "나"의 일방적 투사에 있다는 점이다. "나"는 자신의 "일지춘심一枝春心"을 "자규"가 알든 말든 개의치 않고 그 마음을 "자규" 혹은 또 다른 대상에게 투사하고 있는 것이다.

이러한 투사의 과정에서 시인이 발견한 것은 "다정多情도 병"이라는 사실이다. 그 '정 많음'으로 인해 "잠 못 들어"하지만 시인은 그것을 뉘우치거나 반성하기보다는 그것을 그 자체로 즐기고 있다. 자신이 스스로 그것이 병인 줄 알면서도 그것을 즐기는 태도는 분명 일반적인 양상은 아니다. 그것이 병이라면 그것에 대해 부정적인 태도를 취하는 것이 일반적이지 이렇게 그것을 적극적으로 긍정하는 태도는 정 혹은 서정에 대한 새로운 해석을 낳는다. 정이 깊어지고 흘러넘쳐 병이 된 상태지만

53 | 김흥규 외 편저, 『고시조대전』, 고려대학교 민족문화연구원. 2012 참조

그것을 부정이 아닌 긍정의 태도로 인식함으로써 그것이 절망이나 파국이 아닌 그것을 넘어서 새로운 차원으로 나아갈 수 있는 어떤 전망을 잠재적으로 내재하고 있는 그런 구조가 탄생하는 것이다. 이 독특한 정의 구조를 우리는 '한恨'이라고 명명할 수 있을 것이다.

이처럼 한국인에게 정은 "오랜 고통과 체념과 감수로 인한 '한恨' 맺힘과 근원이 맞닿아 있는 독특한 감성이고 관계성"이다. 이런 점에서 우리의 정은 서양의 "개인주의적이고 사회 계약적인 관점이 잘 담아내지 못하는 독특한 관계성을 내포"하고 있을 뿐만 아니라 "강제성에 의해 이루어지는 병리학적인 집단 자아, 또는 사회적 획일주의를 만들어내는 집단의식"과는 거리가 멀다. 또한 그것은 "감성적으로 인식하는 우리 지향적 관계성"이며, "주체들이 스스로를 타자에게 개방하여 서로 상호 침투하는 관계성으로 말미암아 생성적 주체들이 되어가"[54]는 그런 관계성이다. 정이 지니고 있는 이러한 속성에 대해 앤 조Wonhee Anne Joh는 "정은 서양적 사랑 문화에 가려져 빛을 발하지 못하고 억눌려왔지만 분명한 사랑의 한 차원임"을 주장하고 있고 또 "정은 소위 아가페, 에로스, 필리아의 차원을 모두 함축하고 있는 개념"[55]이라고 말한다. 한국인이 지니는 정의 문제를 '한', '우리 지향적 관계성'과 '타자 개방성'의 차원에서 바라보고 있는 이들의 논리는 정이 독특한 우리만의 정서라는 것을 잘 말해준다.

이동주의 시에 드러난 정 역시 그러한 우리 고유의 독특한 정서를 내재하고 있다. 정이 많아서 그 역시 깊이 병이 들었지만 그것을 부정하거나 멀리하지 않고 오히려 그것을 긍정하거나 즐긴다.

---

54 | 김정두, 「사랑, 사랑의 신학 그리고 한국인의 정」, 『한국조직신학논총』 제40집, 한국조직신학회, 2014, pp. 295~296.

55 | Wonhee Anne Joh, "The Transgressive Power of Jeong" in *Postcolonial Theologies*(2004), 152; 156.

마음에 동상凍傷을 입어
눈 내린 밭엔 미쳐버린다

- 이동주, 「고독孤獨」, 부분[56]

달아, 달아, 고운 달아,
환장하게 밝은 달아,

-이동주, 「안히리」, 부분[57]

춥고 가난스런 겨울이여
안녕!

슬픔도 소매를 털면
오히려 정을 남기네.

-이동주, 「봄맞이」, 부분[58]

나이가 들수록
묵은 정에 약해진다.

-이동주, 「엽신」, 부분[59]

이 시에 나타난 이미지는 시적 자아의 '상처' 입은 모습이다. 이 상처는 일종의 마음의 병이다. 이렇게 된 이유는 물론 "정" 때문이다. "정"의

56 | 이동주, 송영순 엮음, 『이동주 시전집』, 현대문학, 2010. p. 44.
57 | 이동주, 송영순 엮음, 위의 책, p. 188.
58 | 이동주, 송영순 엮음, 위의 책, p. 272.
59 | 이동주, 송영순 엮음, 위의 책, p. 302.

결핍이 아니라 넘침으로 인해 시적 자아는 그것을 발생하게 하는 대상으로부터 벗어나지 못하게 되어 상처를 입기도 하고 또 그것을 넘어서기도 한다. 가령 「고독孤獨」에서 시적 자아의 "마음"의 "동상凍傷"과 "미침"은 모두 자신이 당한 상처의 극단화된 표현으로 볼 수 있다. 마음이 극단화의 경향을 드러내게 된 원인은 정의 흘러넘침 때문이다. 정이 결핍되어 있으면 대상에 대한 마음의 애착이나 집착 더 나아가 고착 상태는 나타나지 않는다. 이 시에서 보이는 이러한 정의 흘러넘침은 「안히리」의 "환장하게"에서도 동일하게 나타난다. 시적 자아의 "환장"은 그 대상인 "달"을 겨냥하고 있지만 그것은 "달"의 차원에서 발생한 것이라기보다는 자신의 주관적인 마음(정) 차원에서 발생한 것이라고 할 수 있다.

정은 이렇게 극단화된 상태로 드러나기도 하지만 그것은 또한 「봄맞이」와 「엽신」에서처럼 자연스럽게 삶의 과정을 통해 드러나기도 한다. 이것은 시간의 흐름 속에서 지나가 버린 것이 "정"의 형태로 시적 자아의 마음에 남게 됨으로써 만들어진 것이다. 하지만 이 역시 시적 자아의 주관성이 강하게 작용한 결과라고 할 수 있다. 대상이 아니라 자기 자신의 주관 내에 정이 놓이게 되면 그것은 이렇게 시간이 지나도 쉽게 사라지지 않고 남아 끊임없이 의식의 표층으로 출몰하게 된다. 우리는 종종 '그놈의 정이 뭔지' 혹은 '정 때문에 산다'는 말을 한다. 정이 우리 삶을 추동하고 가능하게 하는 하나의 동력으로 작용한다는 것을 그것의 자장 안에서 살아온 사람들에게는 낯선 말로 들리지 않을 것이다. 정이 하나의 삶의 원리로 작동하는 세계에서 산다는 것은 그것을 매개로 하여 탄생하는 여러 현상들에 대한 이해가 필요하다는 것을 의미한다.

이처럼 이동주의 시는 정을 매개로 한다. 이 정은 다양한 형식과 내용을 발생시키지만 그것은 많은 부분 '마음'과 관계되어 있다. 정이 마음의 범주 내에서 그것을 매개로 하여 발생시키는 것은 그 정의 속성과 운용 정도에 따라 결정된다. 우리의 서정에서 그 정 많음을 통해 암시받을 수 있는 것은 서구의 낭만주의에서 볼 수 있는 감성, 비합리성, 관념성 등의 세계라기보다는 그것을 삶의 원리와 구조 내에서 적절하게 조절하고 풀어내는 과정에서 드러나는 '한', '신명', '그늘' 같은 세계라고 할 수 있다. 「고독孤獨」과 「안히리」에 드러난 '미치고 환장'할 정도로 넘치는 정 많음을 어떻게 삭이고 풀어낼 것인가? 만일 이것을 온전히 풀어내지 못한다면 정이 내재하고 있는 잠재적인 질료성은 형상의 차원으로 드러나지 않을 것이다. 또한 삭임과 풀이의 과정과 방식을 인간 차원의 지식체계 내에서 행하느냐 아니면 자연이나 우주와 같은 차원으로 확장하여 그것을 행하느냐에 따라 정을 매개로 하여 만들어지는 세계는 그 모습을 달리할 것이다.

이동주의 서정은 이러한 고민에 대한 답을 한, 신명, 그늘이라는 우리의 전통적인 미학 세계 내에서 제시하고 있다. 그의 서정은 한, 신명, 그늘로 이루어진 주름이다. 한, 신명, 그늘 각각이 주름처럼 켜켜이 쌓인 지평 내에서 서로 교차하고 재교차하면서 그의 시 혹은 그의 시의 서정은 이루어진다. 그의 시가 한국적인 전통을 계승하고 있다면 그것은 이 각각의 세계를 이런 방식으로 구현하고 있기 때문이다. 정이 매개하는 한, 신명, 그늘은 어떤 종합이나 예견된 결론을 겨냥하고 있는 것이 아니라 끊임없는 차이와 겹침을 통해 불확정적이고 비결정적인 세계를 겨냥한다. 한, 신명, 그늘이 기존의 서정의 개념과 범주를 어떻게 넓히고 또 변화시키는지에 대한 관심은 전통의 현대적 변용과 계승이라는 차원에서 또 다른 서정(시)의 길을 제시하고 있다는 점에서 의의가 있다.

3. 삭임과 풀이 혹은 산조와 율의 언어

정이 서정의 기반을 이룬다고 할 때 그 '정'이란 무엇인가? '정이 어떤 사물에 접해 발현하는 것情者見物而動者也'[60]이라면 그 정은 마음의 움직임을 말한다. 이것은 마음이 주가 되고 사물이 종이 된다는 것을 뜻하는 것이기도 하다. 마음과 사물 사이의 이러한 관계는 사물에 대한 정이 무관심이나 평정의 상태를 벗어나 과도한 집착과 자기애의 상태에 빠지기 쉽다는 것을 말해준다. 마음이 이렇게 움직이기 때문에 정을 통한 온전한 만족이란 성취될 수 없다. 이 마음의 관계 혹은 구조 내에는 '결핍'이 존재할 수밖에 없고, 이것이 다양한 감정 — 서운함, 그리움, 원망, 슬픔, 서러움, 한탄, 연민 등 — 을 발생시킨다. 가령 내가 어떤 대상에 대해 많은 정을 주었다고 하자. 그런데 상대가 나한테 그만한 정을 주지 않는다면 분명 나는 그에게 서운함을 느낄 것이다. 이때 여기에서 말하는 서운함에는 '상대에 대한 공격성과 퇴영성' 그리고 그것을 '초극하려는 속성'[61]이 동시에 존재한다.

서운함이 쌓여 마음의 상처를 입게 되면 상대에게 깊은 원한을 가질 수도 있고, 또 그것을 자신의 탓으로 돌릴 수도 있다. 만일 후자처럼 느낄 경우, 그것은 마음의 외부로의 표출이 아닌 내부로의 투사나 응축으로 볼 수 있다. 이렇게 되면 나는 그 마음을 홀로 견디면서 살아내야 하는 상황에 놓이게 된다. 특히 정이 많은 사람은 그럴 가능성이 높다. 정이 많으면 상대에 대한 연민도 많아 자신의 공격성으로 상대가 고통받는 것을 원하지 않을 뿐만 아니라 그것을 못 견뎌 할 것이다. 정이 많으면 마음의 주체인 내 안에서 그 상처를 견디면서 그것을 살아내야 하는 이런 구도는 독특한 심리 구조를 낳는다. 정이 많은 것이 상처 혹은 병이 되는 이런 심리 구조란 이타성의 범주 내에 있으면서도 그것을 행하는 주체의 주관성이 강하게 작용하는 혹은 주관성의 범주 내에 있으

60 | 『漢書』, 「東平王思王宇傳」

61 | 천이두, 『한의 구조 연구』, 문학과지성사, 1994, p. 33.

면서도 그것을 행하는 주체의 이타성이 강하게 작용하는, 역설적이고도 모순적인 구조이다.

정이 많아 병이 깊다는 것은 마음에 일정한 변화가 일어났다는 것을 의미한다. 그 변화의 상태를 우리는 '한恨'이라고 명명할 수 있을 것이다. 이런 점에서 한은 정의 범주 내에서 발생한 독특한 심적 차원의 사건이라고 할 수 있다. 하지만 그것을 발생하게 한 조건이라든가 그것이 지니는 특수한 성격과 다른 감정들과의 차이, 우리의 문화 자질로서의 아이덴티티 등에 대해서는 아직 구체적으로 밝혀진 것이 없다. 정말로 정이 많으면 한도 많은 것일까? 또 정이 많은 것이 정말로 병일까? 이런 의문에 대해 이조년의 「이화에 월백하고」와 조지훈의 「완화삼玩花衫」은 의미심장한 암시를 제공하고 있지만 그것만으로 이 문제를 풀기에는 시 자체의 예가 너무 단편적이고 비유적이라 무리가 따른다.

그러나 이러한 한계에도 불구하고 정과 한 혹은 정 많음과 한 많음 사이에는 충분한 개연성과 함께 인과성이 존재한다는 사실이다. 한에 대한 정의와 개념, 이론의 미비는 그 대상이 빈약해서라기보다는 그것을 은폐하고 있는 텍스트에 대한 포괄적이고 구체적인 고찰이 이루어지지 않았기 때문이라고 할 수 있다. 또한 한을 정의 범주 내에서 규정하고 이론화하여 일정한 계보를 정립하려고 하지 않고 그것을 한 자체에 집중하여 이것이 지니는 고유성과 특수성을 밝히려는 시도들이 이루어진 것도 중요한 원인이라고 할 수 있다. 우리가 흔히 정情과 한恨을 아울러 '정한情恨'이라고 말하지만 정은 한의 상위 개념이며, 한은 정에서 분류되는 다양한 감정들 중의 하나인 것이다. 정이 어떤 과정을 거쳐 어떻게 한을 발생시키는지 그것을 세심하게 들여다보지 않으면 안 된다. 정이 그렇듯 한도 정의 범주 내에 있기 때문에 그것은 '천성天性을 어지럽힐 정도'로 변화와 변형을 기본 속성으로 하는 '마음의 움직임動'[62]이라고 할 수 있다.

정이 많아 그것이 깊어지면 한으로 발전할 가능성이 높은 것이 사실이다. 정이 많다는 것은 그만큼 마음의 움직임이 많다는 것이고, 이렇게 되면 그것들 사이의 관계가 서로 복잡하게 얽힐 수 있다. 이 얽힘의 과정에서 마음은 이어지지 못하고 맺히게 된다. 이 맺힘이 풀어지지 않고 오래 지속되면 한이 되는 것이다. 그래서 우리는 이러한 상태를 '한이 맺혔다'라고 이야기하는 것이다. 이것은 한이 성립하려면 반드시 맺힘의 과정이 있어야 한다는 것을 말해준다. 한 혹은 마음의 응어리로서의 이 맺힘은 마음의 주체가 은폐하고 있는 결핍 혹은 상처의 정도와 그것에 대한 자의식의 정도가 클수록 더 견고해진다. 마음의 주체가 지니고 있는 이러한 상처는 자신에 대한 억누름을 전제한다는 점에서 외적 표출보다 내적 응축으로서의 성격을 드러낸다. 한이 맺혀 있고 응축되어 있기 때문에 그것을 푸는 일은 무엇보다도 중요하다.

그러나 한은 자연스럽게 혹은 손쉽게 풀리는 것이 아니다. 맺혀 있고 응축된 마음을 풀기 위해서는 그것을 어르는, 다시 말하면 그것을 삭이는 과정이 있어야 한다. 한이 다른 감정과 다른 이유가 바로 여기에 있다.

훅훅 불을 뿜는 밭이랑에
퍅퍅한 호미 끝 피맺힌 울음도

분粉살이 뽀얀 한 시절 고운 청춘도
물 위에 홀로 띄운 댓잎인가 하옵니다

이대로 먼 후일에 서러운 백합되어
그대 비명 앞에 다소곳 필지라도

62 | 윤재근, 『詩論』, 둥지, 1990, p. 29.

큰 뜻 섬겨 조용히 사약을 마시듯

받들어 외줄기 붉은 마음이야 오직 하오리까

- 이동주, 「사연」, 부분[63]

이 시에 드러난 시적 자아의 감정은 '서러움'이다. 서럽다는 것은 원통하고 슬프다는 것이다. 시적 자아의 서러움은 순간적이고 일시적인 감정이 아니다. 그것은 오랜 삶의 과정에서 생겨난 것이다. "불을 뿜고", "팍팍한" 삶의 과정에서 여러 감정들이 맺히고 그것이 응축되어 "서러운" 감정을 낳은 것이다. 시적 자아가 삶과 부딪힐 때마다 감정이 생겨나고 그것을 외적으로 표출하기보다는 내적으로 끌고 들어와 억누르면서 오랜 시간 견디어 온 것이다. 외적으로 표출하지 않은 채 그것을 내적으로 응축하는 태도를 보임으로써 그 감정은 "피 맺힌 울음"의 성격을 지니게 된 것이다.

시적 자아의 감정이 이렇게 "맺힌 울음"으로 드러난 데에는 무엇보다도 그것이 시간의 구조 내에 있다는 점에 있다. 시적 자아의 고백을 통해 알 수 있는 것은 그 감정이 과거로부터 현재를 거쳐 미래로 이어지고 있다는 사실이다. "고운 청춘"과 "먼 후일"로 표상되는 시간의 구조 내에서 시적 자아의 감정은 점점 강화되어 드러남을 알 수 있다. 특히 "먼 후일"로 표상되는 미래 시간 내에서의 시적 자아의 태도는 한의 한 극단을 보여주고 있다. '여인이 한을 품으면 오뉴월에도 서리가 내린다'고 한 우리의 한의 정서를 엿볼 수 있을 만큼 "비명 앞"의 "서러운 백합"과 "외줄기 붉은 마음"이 드러내는 이미지는 강렬하다고 할 수 있다. 시적 자아(여인)의 한 맺힌 감정이 삶과 죽음을 초월해 지속된다는 것은 한의

63 | 이동주, 송영순 엮음, 앞의 책, pp. 32~33.

성격을 잘 말해준다. 한이 많아 그것을 이승(삶)에서 풀어내지 못하면 온전한 죽음(저승)을 맞이할 수 없다는 우리의 귀신 이야기는 삶과 죽음을 초월해 지속되는 한의 성격을 드러낸 것에 다름 아니다.

그런데 만일 이러한 한이 맺힌 상태로 계속 이어진다면 어떤 일이 벌어질까? 아마 그 한은 밝음이 없는 어둠의 상태로 존재할 것이다. 이것은 밝음이 어둠보다 더 우월한 가치를 지니고 있다는 것이 아니라 밝음이 있으면 어둠이 있고 또 어둠이 있으면 밝음이 있어야 한다는 것을 말하는 것이다. 한 차원에서 또 다른 차원으로의 질적 도약이 마음을 통해 이루어질 때 한은 온전히 그 존재성을 지닐 수 있다는 의미이다. 어쩌면 이것은 한이 지니는 '음양陰陽의 구조'를 이야기한 것인지도 모른다. 한이 질적 도약을 하기 위해서는 맺힌 것을 어르고 풀어야 한다. 이 어름의 행위가 바로 '삭임'이다. 한 맺힌 마음을 잘 삭이지 않으면 그것의 질적 도약은 일어날 수 없다.

풍류야 붉은 다락
좀먹기 전일랬다

진양조, 이글이글 달이 솟아
중머리 중중머리 춤을 추는데,
휘몰이로 배꽃 같은 눈이 내리네.

당! 홍 ……
물레로 감은 어혈, 열두 줄이 푼들
강물에 띄운 정이 고개 숙일리야.

(중략)

학도 죽지를 접지 않은
원통한 강산

울음을 얼려
허튼 가락에 녹여보다.
이웃은 가시담에 귀가 멀어
홀로 갇힌 하늘인데

밤새 내 가얏고 운다.

- 이동주, 「산조 1」 부분[64]

맺힌 한을 삭이고 풀기 위한 시인의 방식은 "산조"이다. 산조는 음악이지만 여기에서의 그것은 우리의 가야금 독주를 의미한다. 한이 독특한 우리의 정서라는 점을 감안한다면 그것을 삭이고 푸는 방식으로 산조(가야금 독주)를 택한 것은 멋스러운 선택이라고 하지 않을 수 없다. 시인이 삭이고 풀려고 하는 것은 마치 "물레로 감은 어혈"처럼 얽혀 있고 맺혀 있는 그런 "강산"이다. "강산"이 "어혈"로 이루어졌다는 것은 세계를 하나의 흐름으로 인식하고 있다는 것을 말해준다. 그런데 이 흐름에는 가락(리듬)이 있고 또 장단(멜로디)이 있다. 이 가락과 장단을 우리는 자연에서도 발견할 수 있고, 인간 사회나 역사 심지어 우리의 평범한 일상에서도 그것을 발견할 수 있다. 그래서 음악은 한 사회와 국가의 풍속을 재는 척도로 인식되어 온 것[65]이다.

64 | 이동주, 송영순 엮음, 위의 책, pp. 77~78.
65 | 장파, 백승도 옮김, 『중국미학사』, 푸른숲, 2012, pp. 44~58.

시 속의 "나"의 "원통한" 감정을 발생시킨 대상은 "강산"이다. "나"에게 "강산"은 하나의 "울음"의 덩어리인 것이다. 이 덩어리를 삭이고 풀기 위해 "나"는 "밤새", "가얏고"를 연주한다. 하지만 "울음" 덩어리로 된 견고한 감정, 즉 맺힌 한을 삭이고 푸는 일은 결코 간단치 않다. 여기에 "밤새", "가얏고"를 연주하는 이유가 있다. "물레로 감은 어혈"처럼 얽혀 있는 이 감정을 삭이고 풀기 위해서는 그것을 닮은, 다시 말하면 그것(어혈)만큼 유연하면서도 자연스러운 흐름을 지닌 그 무엇이 필요했던 것이다. '혈'처럼 흐르는 것만큼 시인은 그것을 "산조(음악)"에서 발견한 것이다. '혈'이 흐르듯 "나"는 "가얏고"를 느리게(진양조), 그것보다 조금 빠르게(중머리, 중중머리) 그리고 아주 빠르게(휘몰이)로 연주하면서 얽혀 있는 감정을 어른다. 이 어름 혹은 삭임의 과정이 한의 구조 내에서 가장 중요하다고 볼 수 있다. 삭임의 과정이 제대로 이루어지지 않으면 얽힌 감정은 다음 단계로 이행되지 못한 채 퇴행의 차원으로 전락하고 말 것이다.

감정의 퇴행이 일어나면 한이 지니는 특유의 멋이 드러나지 않는다. 한이 다른 감정이나 정서와 다른 이유 중의 하나는 이런 삭임의 과정이 존재하기 때문이다. 삭임의 방식을 산조로 택한 것, 또 산조 내에서도 그것을 진양조, 중머리, 중중머리, 휘몰이 등의 방식을 택한 것은 한의 구조를 결정짓는 중요한 선택으로 볼 수 있다. 이것은 마치 판소리에서 '시김새'를 어떻게 가져가느냐에 따라 판소리의 전체 구조와 분위기가 달라지는 것과 다르지 않다. 판소리에서 시김새를 넣을 때 소리를 떨거나 음정에 다양한 높낮이를 주게 되면 그 소리는 한결 미묘하게 들리게 된다. 산조든 아니면 판소리든 이 삭임(시김새)을 통해 맺힌 감정(한)을 풀어내기 때문에 다른 소리, 특히 서양의 소리와 차이를 드러내게 되는 것이다.[66] '삭임의 과정'에서는 미묘함이 일어나는데, 가령 "퉁소 소리에 달이 튕기치"(「월화곡月華曲」)[67]기도 하고, "노을이 흔들리는 서러운 울음"

(「응달에 서서」)[68]이 드러나기도 한다. 또 "빈 항아리"가 "바람에 절로 울"(「숲」)[69]기도 하고, "피를 선지에 그으면 연꽃이 피"(「나의 피」)[70]기도 한다.

맺힌 한을 삭임의 과정을 통해 풀어내는 것, 여기에 「산조 1」의 묘미와 이동주 시의 묘미가 있다. 그의 '산조'는 시인이 겨냥하는 한의 정서를 구현하는 가장 중요한 방식 중의 하나이다. 산조에 대해 그가 얼마나 마음을 쓰고 있는지는 자신의 시집 표제를 『산조』, 『산조어록』으로 한 것만 보아도 알 수 있다. 그의 시를 읽다 보면 "율律을 살리기 위하여 시의 상想과 상象이 희생되어 버린 경우를 자주 마주치게" 된다. 이것은 그가 "시의 상想이나 상象보다도 율律"을 "더 귀하게 여긴"[71] 시인이라는 것을 의미한다. 「산조 1」에서 알 수 있듯이 그의 시의 율은 맺힌 한을 어르고 푸는 데 절묘하게 작용하고 있을 뿐만 아니라 그것을 통해 그의

66 | 최종민은 한국 전통음악의 특징으로 다음과 같은 것을 들고 있다. 첫째, 우리 전통음악은 음양오행에 근거를 두고 있다. 이 음양오행에 근거하여 율과 장단, 시김새가 생성되고 그것을 중심으로 발전하였다. 둘째, 한국 음악은 화성보다 리듬 혹은 장단을 중시하여 그것이 정간보로 나타났다. 이 정간보는 리듬이 정해진 정간에 음높이를 적은 기록체계이다. 이것은 우리 전통음악이 리듬의 역사라는 것을 말해준다. 셋째, 우리 전통음악은 리듬을 중심으로 이루어졌기 때문에 선율을 구성하는 각 음이 음악적인 문맥 속에서 독특한 시김새와 의미를 갖는다. 넷째, 우리 전통음악은 장음과 단음의 조합으로 이루어진다. 다섯째, 우리 전통음악은 장단을 통해 알 수 있듯이 그 리듬과 강약이 호흡에 기반하고 있다. 여섯째, 우리 전통음악은 연주자와 작곡자가 분리되지 않는다. 일곱째, 우리 전통음악은 여백의 미 특히 시간의 여백을 강조한다. 여덟째, 우리 전통음악은 청중이 참여할 수 있는 열린 형식으로 되어 있다.(최종민, 『한국 전통음악의 미학사상』, 집문당, 2005 참조)

67 | 이동주, 송영순 엮음, 앞의 책, p. 43.

68 | 이동주, 송영순 엮음, 위의 책, p. 249.

69 | 이동주, 송영순 엮음, 위의 책, p. 56.

70 | 이동주, 송영순 엮음, 위의 책, p. 277.

71 | 윤재근, 「이동주론」, 『현대문학』, 1979. 6.

시의 멋을 구현하는 데 중요한 기여를 하고 있다. 이런 맥락에서 볼 때 그의 시는 '삭임이 좋다'고 할 수 있다.

4. 신명 혹은 공능功能의 감각

이동주의 시가 맺힘, 삭임, 풀이라는 한의 구조를 드러내고 있다는 것은 우리 현대시의 전통과 관련하여 시사하는 바가 크다. 이러한 한의 구조는 고대 우리 시가로부터 이어져 온 한국적인 정서를 잘 드러내고 있을 뿐만 아니라 이것을 통해 서구의 근대적 개념하에 정립된 우리 현대시의 구조와 일정한 길항 관계를 유지하고 있다고 볼 수 있다. 맺힌 한을 삭이고 푸는 이 구조는 그 자체로도 중요한 의미를 지닌다. 한의 구조가 우리 시 고유의 아이덴티티identity를 정립하는 데 중요한 발생론적 근거를 제공하고 있다는 점에서 그렇고, 또 그것이 우리 시 전반의 외연과 내포를 확장하고 강화하는 데 일정한 기여를 하고 있다는 점에서 그렇다.

한이 한국적인 정서이고 우리 시 고유의 아이덴티티라고 하는 데에 이의를 제기할 사람은 거의 없을 것이다. 이것은 분명한 사실이고 이미 여기에 대해 적지 않은 근거 제시와 논증이 있어 왔다. 하지만 이 대목에서 우리가 간과하지 말아야 할 것이 있다. 비록 한이 한국적인 정서이고 우리 시 고유의 아이덴티티 정립에 발생론적인 근거를 제공하고 있기는 하지만 그것만으로 이 논의를 종결할 수 없다는 점이다. 우리는 아무런 의심 없이 종종 한국인의 정서 혹은 한국 문화의 궁극이 '한에 있다'고 말한다. 이것은 한이 완료형이 아니라 진행형이라는 사실을 간과한 데서 비롯된 것이다. 한은 맺고, 삭이고, 푸는 데서 완결되는 구조가 아니라 또 다른 차원을 향해 열려 있는 그런 구조이다. 한은 진행형이며 그것의 완성은 '신명神明'에 있다.

신명은 한 이후에 오는 감정이다. 맺힌 한이 삭임의 과정을 거쳐 풀리면 그때 비로소 신명이 도래한다. 이런 점에서 한이 없으면 신명도 없는 것이다. 신명 혹은 신명이 나려면 맺힌 한을 온전히 삭이고 풀어야 한다. 한이 많고 깊을수록 신명도 많고 그만큼 강렬할 수밖에 없다. 신명은 동아시아적인 세계관의 산물이다. 동아시에서의 신명은 '신神의 공능功能'을 뜻한다. 이때 신은 '천지天地'이며, 공능은 '그 신이 행하는 모든 생성生成 능력'을 말한다. 이런 점에서 신명은 '천지신명天地神明'인 것이다. 한이 인간 정의 발현이라는 점을 고려한다면 신명에 대한 이러한 정의는 낯설게 느껴질 수 있다. 하지만 신명을 '천지의 마음'[72]으로 놓고 들여다보면 이야기는 달라진다. 인간의 마음에서 한이 발현하듯이 천지의 마음에서 신명이 발현한다고 보면 되는 것이다. 한과 신명의 발현 차원이 다르다는 점은 한에서 신명으로의 이행이 질적 도약의 개연성을 지니고 있다는 것을 의미한다.

그러나 한에서 신명으로의 질적 도약에는 일정한 조건이 전제되어야 한다. 이것은 한이 외적 표출이 아니라 내적 응축을 지향한다는 점과 무관하지 않다. 신명은 이와는 달리 내적 응축보다는 외적 표출을 지향한다. 내적으로 삭이고 풀어내 응축된 한을 신명의 차원으로 이행하기 위해서는 외적 표출이라는 가시적인 차원이 요구된다고 할 수 있다. 한의 비가시적인 차원(숨겨진 차원)을 신명의 가시적인 차원(드러난 차원)으로의 이행은 우리의 정서가 음양 혹은 '그렇다'와 '아니다'不然其然[73]의

72 | 『詩緯』 참조. 『緯書』의 하나. 『緯書』는 중국 전한 말기부터 후한에 걸쳐서 유학의 경서(經書)를 신비주의적으로 해석한 책. 역위(易緯), 서위(書緯), 시위(詩緯), 예위(禮緯), 악위(樂緯), 춘추위(春秋緯), 효경위(孝經緯) 등의 칠위(七緯)가 있다.

73 | 불연기연(不然其然)은 동학의 핵심 원리로 『동경대전』(1880)에 잘 드러나 있다. 『동경대전』은 동학의 창시자인 최제우가 한문으로 작성한 동학 경전이다.

논리에 의해 작동한다는 사실을 잘 말해준다. 한과 신명을 모두 포괄하는 논리의 정립은 우리의 정서 일반에 대한 이해와 해석에 핵심적인 원리를 담고 있다고 할 수 있다.

여울에 몰린 은어 떼

삐비꽃 손들이 둘레를 짜면
달무리가 비잉, 빙 돈다

가아응 가아응 수우워얼 래에
목을 빼면 설음이 솟고……

백장미白薔薇 밭에
공작孔雀이 취했다

뛰자 뛰자 뛰어나보자

이 경전은 문(文)과 시문(詩文)으로 되어 있으며, 그중 동학사상의 주를 이루는 것은 문(經編)이다. 이 문은 포덕문(布德文) · 논학문(論學文) · 수덕문(修德文) · 불연기연(不然其然) 등으로 구성되어 있다. 포덕문은 동학이 출현할 수밖에 없는 시대적인 당위성을 기술한 글이고, 논학문은 서학과 동학의 차이와 도의 진정한 본체에 대해 기술하고 있는 글이다. 수덕문은 동학과 유학과의 비교를 통해 동학의 핵심 논리를 기술한 글이고, 불연기연은 우주 만물의 이치를 불연과 기연의 관계하에서 밝히고 있는 글이다. (윤석산, 「『東經大典』 연구」, 『동학연구』 제3집, 한국동학학회, 1998, pp. 174~178) 사물의 그러한 차원과 그렇지 않은 차원을 동시에 고려해야 한다는 점에서 일견 모순되어 보인다. 하지만 그 역설이 중층적인 이중 생성과 새로운 질서의 잠재적 가능성을 포괄한다는 점에서 새로운 진화론을 제시한 것으로 볼 수 있다.

강강술래

뇌누리에 테프가 감긴다
열두 발 상모가 마구 돈다.

달빛이 배이면 술보다 독한 것

기폭이 찢어진다
갈대가 스러진다

강강술래
강강술래

- 이동주, 「강강술래」, 전문[74]

이 시는 한과 신명을 동시에 보여주는 걸작이다. 이 시를 통해 우리는 한이 어떻게 신명으로 질적 도약을 하는지 알 수 있다. "강강술래"를 하는 이들의 한은 "여울에 몰린 은어 떼"와 "목을 빼면 설음이 솟고"에 잘 드러나 있다. 이들이 "몰린", "여울"은 급경사에 물의 흐름이 빠른 곳이다. 외부 세계로부터의 억압이 가해지고 그것이 이들을 '웅어리'지게 할 수 있는 그런 상황이다. 웅어리진 것은 그것을 삭이고 풀어야 하는데 그것의 구체적인 행위가 바로 "목을 빼"는 것이다. 안으로 응축되어 웅어리진 "설움"이 "목을 빼"자 "솟구"쳐 오른다. 한풀이가 시작된 것이다. 하지만 "목을 빼"는 행위만으로 그 한을 온전히 풀어내고 여기에서 더 나아가기에는 한계가 있다.

74 | 이동주, 송영순 엮음, 앞의 책, pp. 57~58.

맺힌 한을 삭이고 풀어 신명으로 나아가기 위해서는 보다 적극적인 방식이 요구된다고 할 수 있다. 맺힌 한을 삭이고 풀어 신명에 이르기 위한 방식으로는 '말', '노래', '춤'이 있을 수 있다. 하지만 그것을 말로 풀 때, 노래로 풀 때 그리고 춤으로 풀 때 그 정도가 다르다. 그 정도는 말보다는 노래, 노래보다는 춤일 것이다. 또한 그것은 말과 노래, 노래와 춤, 춤과 말일 때와 말, 노래, 춤을 함께할 때 그 정도가 다를 것이다. 이 방식 중에서 가장 그 강도가 큰 것은 말, 노래, 춤을 함께할 때라고 할 수 있다. 그런데 말, 노래, 춤을 함께하는 방식과 더불어 우리가 간과하지 말아야 할 것은 '그것을 혼자 할 때보다 여럿이 함께할 때 신명의 정도가 배가된다'[75]는 사실이다. 이런 점에서 보면 "강강술래"는 신명을 위한 최적의 방식이라고 할 수 있다.

"강강술래"는 말, 노래, 춤이 모두 동원될 뿐만 아니라 그것을 여럿이 함께하는 놀이이기 때문에 신명을 위한 최적의 조건이 갖추어져 있을 뿐만 아니라 그 신명이 인간의 차원을 넘어 천지의 차원 내에서 발현된다는 점에서 심원함과 심오함을 더해준다. 천지의 신이 "강강술래"를 하는 이들의 몸에 내려 그 기운으로 활동이 이루어지기 때문에 그것은 '신내림'의 경우처럼 망아忘我와 황홀경에 빠져 광폭한 몸짓을 불러일으키게 한다. 시에서 "뛰자 뛰자 뛰어나보자"나 "뇌누리에 테프가 감긴다", "열두 발 상모가 마구 돈다" 그리고 "기폭이 찢어진다", "갈대가 스러진다" 등이 바로 그 광폭한 몸짓의 구체적인 표현이라고 할 수 있다. 이 정도까지 신명이 오르면 그것은 일종의 '난장' 혹은 '난장판'이 벌어진 것으로 볼 수 있다.

그러나 그것은 극단적인 무질서를 겨냥하고 있는 것은 아니다. 그 무질서의 궁극은 새로운 질서를 겨냥한다. 이것은 일종의 역설에 다름

75 | 이재복, 『몸과 그늘의 미학』, 도서출판 b, 2016, p. 384.

아니다. 무질서 속의 질서, 다시 말하면 그렇다(드러난 차원)와 아니다(숨겨진 차원)의 이중적이고 중층적인 원리가 작동하고 있는 것이다. 이들이 광폭하게 "강강술래"를 하고 있지만 이들이 그리고 있는 것은 '둥근 원'이다. 둥근 원은 소외와 배제의 원리가 아니라 융화와 포용의 원리를 기반으로 한다. 각자 각자의 개체성을 존중하면서 그것을 전체 차원에서 아우르는 것이 바로 둥근 원이 내포하고 있는 세계이다. 이것은 "강강술래"의 신명이 천지신명이기 때문에 그것을 행하는 이들의 내면에는 천지 혹은 우주 만물의 시간이 흐르고 있고[76], 이들의 동작 하나하나에 신명이 밖으로 나아가기도 하고 또 들어오기도 하면서 '끊임없이 활동하는 무無'[77]의 공간을 형성한다. "강강술래"의 시간과 공간이 닫힌 구조가 아닌 열린 구조를 드러낸다는 것은 연희자의 몸이 천지와 한몸으로 움직이기 때문이다. 연희자의 몸과 천지의 몸이 분리되거나 단절되어 있는 것이 아니라 하나로 연결되어 있기 때문에 연희자의 몸이 움직일 때마다 천지의 몸 역시 움직이면서 새로운 차원의 변화와 생성을 불러일으키는 것이다.

"강강술래"에 드러나는 신명이 천지의 기운 내에서 일어나는 행위라는 사실은 이 시의 세계를 민족 미학의 범주 내에 두게 한다. 맺힌 한을 풀어 이르게 되는 신명이 천지의 마음의 발현이라는 해석은 "강강술래"가 드러내는 그 둥근 원의 메타포를 해석하는 데도 적용된다. 이 시가 은폐하고 있는 것처럼 우리 정신문화 전통 내에서의 신명은 고립과 소외의 산물이 아니다. 우리의 신명은 "강강술래"처럼 각자 각자가 자신 안에 있는 신령神靈스러운 기운을 밖으로 표출하면서 발생하는 우리의 독특한 어우러짐의 미학이다. 우리의 신명(어우러짐)이 왜 전체주의적인 집단의 식이나 광기, 신비주의의 초월 등과 구별되는지 이해할 수 있을 것이다.

---

76 | 김지하, 『탈춤의 민족미학』, 실천문학사, 2004, p. 62.

77 | 김지하, 위의 책, p. 100.

신명의 이러한 어우러짐은 그래서 공능적인 것이다. 서로 반대되고 일치하지 않는 것도 아우르는 이 '반대일치反對一致의 역설' 같은 것에 기반하기 때문에 폭발적인 생명력을 지닐 수 있는 것이다.

한의 삭임이나 신명의 풀이는 이렇게 서로 다른 것을 아우르는 역설의 논리로 인해 우리의 삶과 밀착되어 있는지도 모른다. 어떻게 '달빛의 달콤함'과 '술의 독함'(「강강술래」)이 어우러질 수 있는지, "고인 눈물"로 어떻게 "무지개가 뜨"(「시론詩論」)[78]는지 또 "꽃은" 왜 "무덤 위에 피워야 하"고, "씨앗을 뿌릴 때는" 왜 "가시관을 써야"하며, "꽃에는" 왜 "아픈 눈물이 얽혀 있"(「꽃 · 2」)[79]는지 한과 신명에서의 역설을 이해하지 못하면 납득하기 어려울 것이다. 어쩌면 그것을 한낱 시적 허용(표현) 차원으로 이해하게 될지도 모른다. 어떤 고통스러운 상황에서도 좌절하지 않고 그 역의 논리를 끌어들여 그것을 삶의 동력으로 삼은 이 한과 신명은 우리 민족의 정서 혹은 우리 시의 진화에 일정한 상상력을 제공해 온 것이 사실이며, 그것은 여전히 현재진행형을 넘어 미래형으로 존재한다고 할 수 있다.

5. 그늘의 멋과 시의 지평

이동주 시의 세계를 정, 한, 신명의 차원에서 살펴보았다. 그의 시에서는 이러한 일련의 흐름이 일관되게 이어지면서 하나의 독특한 미학을 형성하고 있다고 할 수 있다. 그런데 이 미학은 우리의 전통적인 정서나 시가의 흐름을 반영하고 있을 뿐만 아니라 그것을 포괄하는 것이어서

78 | 이동주, 송영순 엮음, 앞의 책, p. 125.

79 | 이동주, 송영순 엮음, 위의 책, p. 101.

'현대시와 전통', '전통과 시인의 개성' 같은 것을 논할 때 하나의 준거가 될 수 있다. 한국 서정시가 어떤 미학적 전통을 지니고 있는지에 대해서 수많은 논의가 있어 왔지만 그것을 정, 한, 신명의 관계 안에서 구체적으로 밝힌 경우는 없다고 해도 과언이 아니다. 그것은 여기에 해당하는 시가 없어서라기보다는 우리의 전통 미학에 대한 깊이 있는 탐구가 없어서라고 할 수 있다.

이런 점에서 이동주의 시는 매력적인 데가 있다. 그의 시에서 정, 한, 신명은 우리가 억지로 이것에 대한 개념이나 이론의 틀型을 만들어 도출해낸 세계가 아니다. 그의 시는 이 흐름들을 온전히 담지하고 있다. 이것들은 그의 시를 들여다보면 쉽게 발견할 수 있는 개념들이다. 어쩌면 이것은 지식이나 이론의 습득을 통해서 시인이 성취한 것이라기보다는 자신의 삶 속에서 자연스럽게 체득한 것이라고 할 수 있다. 시인이 자신의 삶 속에서 그것을 몸으로 느끼고, 인지하고 그리고 이해하고 판단한 것이 정, 한, 신명인 것이다. 이런 점에서 그것은 우리의 집단 무의식 속에 은폐되어 있는 '원형archetype' 같은 것이라고 할 수 있다. 우리의 서정시에서의 '정'이 이런 세계의 흐름들을 포괄하고 있는 개념이라면 그것은 우리 서정의 층위를 보다 두텁게 하고 이를 통해 잠재태로서의 우리 시의 미학을 정립하는 데 중요한 준거를 제공할 것이다.

그러나 이동주의 시 혹은 우리 서정시의 미학을 정립하는데 정, 한, 신명의 개념들로 충분할까? 어떤 관점을 선택하느냐에 따라 다르긴 하지만 이 개념들을 하나의 연속선상에서 파악해온 저간의 서정을 고려해 볼 때 무언가 미흡함이 남는 것이 사실이다. 정도 그렇고, 신명도 그렇지만 한은 이미 독립적으로 적지 않은 논의가 되어 왔기 때문에 이런 의문이 지적 과잉으로 비칠 수도 있다. 하지만 이것들 사이의 관계라든가, 각각의 개념에 대한 깊이 있는 탐색, 종합적인 미학 체계의 정립 등이 이루어지지 않은 상태에서 그것을 간과한 채 논의를 진행하는 것은 문제의 핵심을 제대로 드러내기 어렵다. 이런 점에서 정, 한, 신명을 아우르는 보다 큰 개념이 있을 수 있다면 이야기는 달라질 수 있다. 정, 한, 신명은 정의 발현에서 생성된 것들이고, 그 정이 내적 응축을 지향하면서 한이 맺히고, 그것을 삭이고 풀어 신명에 이르는 흐름이 여기에 있음을 살펴보지 않았던가? 그런데 여기에서 우리가 한 가지 간과한 것이 있다. 정에서 한, 한에서 신명으로의 흐름을 가능하게 한 것이 무엇인가? 하는 점이다. 시인 혹은 "강강술래"를 추는 사람들을 신명에 이르게 하는 힘은 이들 안에 있다. 그런데 이들 안에 있는 힘이 무엇인지 그것을 일찍이 간파한 사람은 다름 아닌 수운 최제우이다.

수운은 자신이 한문으로 작성한 동학 경전인 『동경대전』(1880)[80]에서 '지기至氣'의 문제를 제기하는데 이 개념 속에 그 답이 있다. 이것은 한 마디로 수운의 크고 깊은 우주적 인식을 드러낸 개념이다. 수운은 이 지기를 만물을 움직이는 근원으로 인식한다. 이것은 우주의 생성원리를 '지기일원至氣一元'으로 보았다는 것을 의미한다. 지기일원이란 우주를 물物과 심心으로 이원화하여 보지 않고 오직 일원 곧 지기의 운동으로 보고 있다는 것을 말한다. 이때 그에게서 지기란 '內有神靈 外有氣化 一世之人 各知不移者也'[81]가 잘 말해주듯이 그것은 안으로 신령한 기운을 가진 생명(인간) 각자 각자의 자율적인 진화를 표현한 것이다. 수운은 우주가 신에 의해 창조된 것이 아니라 인간 내면의 자율적인 진화를 통해 생성된 것으로 본 것이다. 이런 맥락에서 보면 이 자율적인 진화로서의 지극한 기운至氣은 새로운 인식 주체, 창조 주체가 지니고 있는 핵심 인자가 된다.

이 지기가 바로 '그늘'이다. 그런데 이 '그늘'은 그 연원을 동북아시아의

80 | 최제우, 윤석산 주해, 『東經大典』 '論學文', 동학사, 1996 참조

81 | 최제우, 윤석산 주해, 위의 책 p. 83.

사상과 철학에 두고 있다. 그늘에 대한 사유 방식은 '주역과 노자와 장자 그리고 위진현학' 등 이른바 '삼현철학三玄哲學'[82]에서의 '음양陰陽'에 대한 해석의 과정을 통해 잘 드러날 뿐만 아니라 『주역』을 새롭게 해석한 김항의 『정역』에서 그 논리와 의미가 구체화되기에 이른다. 『정역』에서의 핵심 원리 중 하나가 바로 '영동천심월影動天心月'[83]이다. 여기에서 알 수 있듯이 천심월을 움직이는 것은 다름 아닌 '그늘影'이다. 『정역』에서의 그늘(그림자)은 '서구의 빛의 형이상학'과는 다른 '동양의 별의 생리학'으로 그것은 '눈의 작은 이성'이라기보다는 '몸의 큰 이성'[84]이며, 결국 전자(이성)는 후자(몸)에 종속될 수밖에 없다. 니체의 사유에 입각해서 보면 그늘은 결국 몸으로 수렴되는 세계에 다름 아니다. 그늘은 '몸이 생성하는 지극한 기운'이라고 할 수 있다. 『정역』과 수운의 논리대로라면 몸은 신령 혹은 신기를 내재하고 있다.

그러나 이 신기(신령)는 많은 요인들에 의해 억압되어 있으며, 이로 인해 이 억압된 것을 밖으로 표출하는 것이 중요한데 이때 요구되는 것이 바로 그늘이다. 그런데 이 그늘은 쉽게 얻어지는 것이 아니다. 수운의 동학사상에 기반하여 자신의 생명론과 율려론(숭고론)[85]을 정립한 김지

82 | 탁양현, 「그늘과 그림자의 사유 방식 — 三玄(易, 老, 莊)을 중심으로」, 『동양철학연구』 제68집, 동양철학연구회, 2011, p. 135.

83 | 『정역』 십오일언 "先后天周回度數", "觀淡莫如水, 好德宜行仁, 影動天心月, 勸君尋此眞."

84 | 원동훈, 「니체와 '그늘'의 사유」, 『니체연구』 제26집, 한국니체학회, 2014, p. 273.

85 | 김지하의 생명론과 율려론의 기반을 이루고 있는 것은 '역(易)'의 사상이다. 이때의 역이란 변화와 생성의 차원에서 우주를 해석하고 있는 『주역』의 철학에 근간을 두고 있으면서 그것을 새롭게 해석한 김일부의 『정역』과 최제우의 『동경대전』 같은 저술에서 그 원리를 찾아 그의 사유 내에서 미학적으로 체계화된 개념을 말한다. 그에게 이 역의 사상은 '민중'과 '생명'을 바라보는 중심 원리로 작동하면서 '한', '신명', '율려' 그리고 '흰 그늘'이라는 우리의

하는 그늘을 '활동하는 무無'로 정의한다. 그에 의하면 "인식 주체와 끊임없이 생성하는 인식 내용 사이"에 "움직이는 "미묘한 중간 의식이 바로 그늘"[86]이라는 것이다. 이 그늘에 이르기 위해서는 반드시 "삭이고 견디는 인욕정진忍辱精進하는 삶의 자세 곧 시김새"[87]가 전제되어야 한다는 것이다. 그의 논리대로라면 어떤 생성물, 그것이 시든 아니면 강강술래든 아니면 판소리든 '시김새' 다시 말하면 지극한 기운이 없는 것은 그늘이 없는 것이 된다. '그 시에 그늘이 없어' 혹은 '그 소리에 그늘이 없어'라고 하면 그것은 하나의 미학으로서의 성립 조건을 상실했다는 것을 의미한다. 우리가 이동주의 시를 정, 한, 신명의 흐름으로 보고 이 과정에서 삭임의 중요성을 이야기한 것을 상기한다면 이 삭임 역시 그늘(지기)을 성취하기 위한 인욕정진의 한 태도로 볼 수 있다.

자생적인 민족 미학을 정립하는 데 결정적인 근거와 계기를 제공해 왔다. 그는 역의 차원에서 한의 신명으로의 전환 혹은 한과 신명의 교호작용을 해석하고 있을 뿐만 아니라 율과 려의 모순적이고 역설적인 통합, 흰과 그늘의 이중결합 등을 해석함으로써 서구의 선택과 배제의 논리를 기반으로 하는 변증법적인 형이상학과는 다른 사유 체계와 독특한 미학적 원리를 제시하고 있다. 특히 그의 미학의 결정체라고 할 수 있는 '흰 그늘'은 이 역의 사상이 낳은 최후의 결과물이다. 흰 그늘에서 그는 한과 신명이 어우러진 그늘의 개념을 넘어 그 그늘을 변화, 생명, 추동하는 바탕이 되는 존재에 대해 말한다. 그가 말하고 있는 이 존재가 바로 '흰'이다. 따라서 그냥 그늘이 아니라 '흰 그늘'인 것이다. 이러한 흰 그늘이라는 개념의 설정은 그늘의 어둠과 상대되는 흰의 밝음을 전제하는 음양 혹은 역의 원리에서 비롯된 것이라고 할 수 있다. 하지만 그늘이 이미 한(어둠)과 신명(밝음)을 담지하고 있다는 점에서 흰 그늘은 그늘의 확장된 개념일 뿐 그것을 새로운 미학의 원리로 간주하는 데는 무리가 있어 보인다. 그늘의 차원 내에서 그가 제기하고 있는 한, 신명, 율려 등에 대한 논의가 좀 더 깊어지는 것이 하나의 온전한 미학의 정립을 위해 필요한 일이 아닐까?

86 | 김지하, 『생명과 자치』, 솔, 1996, pp. 272~273.

87 | 김지하, 『흰 그늘의 미학을 찾아서』, 실천문학사, 2005, pp. 48~50 참조.

우리가 판소리에서 소리꾼이 그늘을 지니기 위해 한을 맺고 그 맺힌 것을 삭이고 풀어서 신명나는 판을 벌이는 것처럼 혹은 이동주의 시가 정에서 한, 한에서 신명으로의 질적 도약을 위해 산조(삭임)와 광폭한 몸짓(강강술래)을 수행한 것처럼 어떤 미학의 성립에는 반드시 그늘의 원리가 작동해야 한다. 우리는 종종 '지금, 여기'에서 서정시의 존재 이유를 묻는다. 서정시가 이 음험하고 부조리한 시대에 존재해야 하는 이유는 그것이 시인의 지극한 기운에 의해 쓰인 것이기 때문이다. 만일 서정시 혹은 시에 그늘이 없다면 그것을 시라고 할 수 있을까? 이런 점에서 이동주의 시를 통해 제기한 정, 한, 신명, 맺힘, 삭임, 풀이, 멋, 공능 등의 개념과 그것을 아우르는 그늘의 개념이 우리 시의 미학을 정립하는 데 하나의 작은 계기가 되었으면 한다.

4. 시와 정체공능整體功能의 미학

– 박목월의 「나그네」와 「윤사월」을 중심으로

1. 서구적 기능 및 구조론의 한계

근대 이후 시와 관련한 논의는 대부분 서구의 이론 체계를 따르고 있다. 우리가 알고 있는 시론의 경우 그 개념과 논리는 서구의 오랜 사유 체계로부터 형성된 것이다. 서구의 사유 체계의 특징은 바탕이나 현상으로부터 벗어나 초월의 형태로 존재하는 어떤 본질적이고 영원한 실체substance[88]를 중시한다는 데에 있다. 이러한 실체의 중시는 세계를 있는 그대로 혹은 살아 꿈틀대는 전체적인 유출의 과정으로 인식하지 않고 그것으로부터 분리된 하나의 실체를 대상으로 한다는 점에서 자유로운 가설과 실험을 통한 이론적이고 형식논리적인 체계 정립이 가능했던 것이다. 경험이 아닌 선험 차원에서 세계를 인식하고 그것을 구체적이고 정교한 형식논리로 정립해 온 서구의 사유 체계는 실체보다는 전체적인 흐름이나 상생을 중시해 온 우리의 사유 체계와는 여러 면에서 일정한

88 | 장파, 유중하 외 옮김, 『동양과 서양, 그리고 미학』, 푸른 숲, 2015, pp. 40~46.

차이를 드러낸다고 할 수 있다.

우리는 이 차이에 대해 심각하게 고민하지 않은 채 근대 이후 우리의 문화 예술 양식을 이 사유의 틀 안에서 이해하고 해석해 온 것이 사실이다. 우리의 근대시를 서구의 자유시 양식으로 규정하고 이 논리에 입각해 그것을 이해하고 해석함으로써 근대 이전의 우리 시의 양식과의 연속성이라든가 정체성과 관련하여 깊이 있는 논의의 길을 원천적으로 차단해 왔다고 할 수 있다. 우리의 근대시가 서구의 영향하에 탄생하였고, 많은 부분 그것을 준거로 하여 성장하고 또 발달해 왔다는 사실을 부정할 사람은 없을 것이다. 하지만 이것이 곧 우리의 근대시를 서구의 시 양식이나 사유 체계 내에서 이해하고 해석해야만 한다는 것을 의미하는 것은 아니다. 우리 시의 온전한 이해와 해석을 위해 필요한 것은 서구와의 관련성 못지않게 우리 시와 사유 체계 내에서의 내발성內發性에 대한 깊이 있는 검토라고 볼 수 있다. 우리의 근대시를 서구의 인식 체계 내에서 이해하고 해석해 온 데에는 '지금, 여기'에서 널리 통용되고 있는 시론의 영향을 간과할 수 없다.

근대 이후 우리 시의 이해와 해석에 영향력을 행사해 온 시론의 경우[89] 대부분 서구의 시 이론에 기반하고 있기 때문에 여기에서 우리 시의 내발성을 찾기란 불가능하다고 할 수 있다. 서구의 시론은 주로 언어의 기능과 형식(구조)에 초점을 두고 있으며, 이런 점에서 그것은 서구 사유

89 | 대표적인 시론으로 이승훈의 『시론』(1979), 김준오의 『시론』(1982), 김용직의 『현대시원론』(1988) 등을 들 수 있다. 이승훈의 『시론』은 서구의 시에 대한 가장 기본적인 개념과 원리를 전통적인 논의와 현대적인 논의로 구분하여 제시하고 있고, 김준오의 『시론』은 시어, 어조, 화자, 구성 원리 이외에 거리와 동일성의 원리를 제시하고 있어 글쓴이의 주관이 투영되어 있지만, 그가 제시한 화자, 미적 거리, 동일성원의 원리 등은 서구의 페르소나 이론이나 현상학에 기반을 두고 있다. 김용직의 『현대시원론』은 서구에서 통용되는 시에 대한 일반적이고 보편적인 내용으로 구성되어 있다.

의 전통인 실체의 이론화와 실천의 연속이면서 확장을 겨냥하고 있다고 볼 수 있다. 언어의 수사적 기능과 이미지의 감각적 기능, 그리고 기법과 스타일에 기반한 형식, 자족적이고 자율적인 구조 등은 서구 시론에서 핵심적인 부분을 차지한다. 시의 기능과 구조에 초점을 둔다는 것은 곧 세계를 하나의 전체적인 흐름의 과정으로 이해하지 않는다는 것을 의미한다. 시어 혹은 이미지의 기능과 구조를 통해 드러나는 세계란 지극히 선험적이고 가설에 의한 형식논리적인 것을 기반으로 하는 그런 세계를 말한다. 시의 기능과 형식 혹은 구조를 강조하는 이러한 서구의 시론은 시에 대한 논의를 객관적이고 과학적인 차원으로 나아가는 계기를 마련하기에 이른다. 이들의 기능과 구조에 대한 깊이 있는 탐색과 그 영역의 확장은 세계를 분리된 실체의 차원으로 인식하고 있는 데서 오는 불안의 반영으로 볼 수 있다. 이 불안을 넘어서기 위한 방법으로 이들이 제시한 것이 '총체성'이지만 이것은 어디까지나 실체 차원의 총체성이고 또 그것은 '인간의 수준에 따라 우주의 총체성을 정의한 것'[90]에 불과한 것이다. 가령 루카치Georg Lukacs가 『소설의 이론』 서두에서 '별이 빛나는 창공을 보고, 갈 수가 있고 또 가야만 하는 길의 지도를 읽을 수 있던 시대는 얼마나 행복했던가? 그리고 별빛이 그 길을 훤히 밝혀 주던 시대는 얼마나 행복했던가'[91]라고 했을 때, 그가 꿈꾸고 겨냥한 총체성은 인간과 우주와의 합일이 아닌 고대 그리스 시대, 다시 말하면 실체의 세계 내에서 이원론이 극복되고 인간과 우주가 합일된 이론적이고 형식적인 차원에서의 총체성을 말하는 것이다.

근대 이후 이 깨져버린 총체성의 복원을 위해 소설이 봉사해야 한다고 역설한 루카치의 외침은 이런 점에서 보면 그것은 서구의 사유 체계가

90 | 장파, 앞의 책, pp. 43~44.

91 | 게오르그 루카치, 반성완 옮김, 『소설의 이론』, 심설당, 1998, p. 29.

지니는 불안과 욕망을 드러낸 것이라고 할 수 있다. 루카치가 말하는 총체성과 그것이 지니는 한계를 넘어 후기 현대성과 후기 구조주의 사상의 길을 연 바흐친Mikhail Bakhtin의 '카니발 이론'이나 '다성성 이론' 역시 실체 내에서 행해진 총체성의 해체에 지나지 않는다고 볼 수 있다. 우리는 흔히 후기 구조주의 담론들을 근대 담론이 지니는 모순과 불안을 넘어서는 하나의 대안으로 인식하면서 그것으로부터 어떤 위안을 받으려는 경향이 있다. 이로 인해 실체의 차원과는 다른 차원에 대한 모색이나 탐색을 적극적으로 시도하려고 하지 않는다. 서구의 실체적인 존재론과는 다른 인식 체계와 실천 방식을 담지하고 있는 서구 너머 혹은 서구 바깥의 역사에 대한 탐색에 대해서는 피상적이고 자기중심적인 관심과 포즈 이상의 그 무엇을 드러낸 적이 없다. 서구 너머 혹은 서구 밖에는 세계를 실체 중심이 아닌 있는 그대로 혹은 살아 꿈틀대는 전체적인 유출의 과정으로 인식하고 있는 서구의 타자가 존재한다.

서구 중심적인 사고로는 드러나지 않는 이 서구의 타자로서 존재하는 세계는 실체로 인식되지 않기 때문에 늘 어두컴컴하고 모호하며, 부분으로 분할되지도 또 분할할 수도 없는 상태로 존재하기 때문에 그 크기를 알 수 없을 뿐만 아니라 그 무엇으로도 온전히 명명할 수 없는 오묘하고 신령스러운 그런 세계이다. 이 세계를 이렇게밖에 말할 수 없는 것은 그것이 우리의 투명하고 논증 가능한 인식 체계로는 온전히 해명할 수 없는 무한한 변화와 생성의 과정으로 존재하기 때문이다. 이러한 세계를 일컬어 '현玄'[92], '태허太虛'[93], '태극太極'[94]이라고 하는 이유가 바로 여기에 있는 것이다. 이 세계에서는 모든 것들이 분리되어 있거나 분할되어

92 | 노자, 『도덕경』.

93 | 미상, 『주역』.

94 | 장자, 『장자』.

있지 않고 하나의 전체적인 유출 과정 내에서 끊임없이 변화하고 생성·소멸하는 공능功能의 상태를 드러낸다. 하나의 세계를 이렇게 공능, 다시 말하면 '정체공능整體功能'의 차원으로 인식한다면 그것은 세계를 관념이 아니라 실질의 차원에서 이해하고 해석한다는 것을 말해준다. 정체공능으로서의 세계란 우리가 숨 쉬고 지각하는 모든 세계를 의미할 뿐만 아니라 미지의 잠재적인 세계까지를 포괄하는 의미를 지닌다.

정체공능이 '기氣의 우주宇宙'[95]라면 그것을 가장 생생하게 보여주고 있는 것은 인간의 '몸'이라고 할 수 있다. 흔히 인간의 몸을 '소우주'라고 부른다. 하지만 그것은 어디까지나 서구의 실체론에 입각해 규정할 때 그렇다. 인간의 몸은 소우주가 아니다. 인간의 몸과 우주는 분리하거나 분할할 수 없다. 인간의 몸과 우주는 하나의 전체적인 기의 흐름 속에 놓여 있고, 이런 점에서 인간의 몸은 우주의 기가 모였다고 흩어지는 그런 존재에 다름 아니다. 인간의 몸에는 기와 혈血이 흐르고, 그 기와 혈의 통로가 바로 '경락經絡'이다. 김봉한에 의하면 인간의 몸에는 '365종의 표층 경락과 360류의 심층 경락'이 있다. 이 심층과 표층 경락은 생명의 살아 있는 알 곧 '산알'[96]을 통해서 현현된다. 인간의 몸이 산알을 품은 경락의 형태로 존재한다는 것은 인간의 몸 안은 물론 몸 밖의 것과 몸이 분리되어 있지 않고 서로 연결되어 있다는 것을 의미한다. 몸 안의 심장, 비장, 폐, 신장, 간 등은 서로 연결되어 있고 이 각각의 장기는 몸 밖의 기후, 지역, 계절, 방위 등과 연결되어 있는 것이다. 이렇게 인간의 몸 안과 밖이 연결되어 있다는 것은 곧 인간의 몸과 우주가 연결되어 있다는 것을 말해준다. 우주는 더 이상 대상으로 존재하지 않는 하나의 전체적인

95 | 장파, 앞의 책, p. 59.

96 | 김훈기, 「과학이 규명하는 생명의 근원적 순환계」, 『모심과 살림』 4호, 2014년 겨울호, pp. 8~15.

유출 과정 내에 있는 공능적인 존재이다. 우주가 그 자체로 하나의 몸이라면 그것을 실체로 대상화하여 하나하나 분석하고 해부하는 것은 우주의 기의 흐름 혹은 경락의 존재를 부정하고 훼손하는 것에 다름 아니다.

이런 점에서 볼 때 인간의 몸이나 우주를 대상화하여 분석하고 그 기능과 구조를 탐색하는 것이 그것에 대한 이해의 정도를 높이거나 확장시켜준다고 믿는 것은 우리의 착각일지도 모른다. 기능과 구조의 방식으로 어떤 대상에 다가가는 행위는 그 명증함과 명료함으로 인해 우리가 그것을 온전히 인지한 것으로 또 이해하거나 판단한 것으로 여긴다면 그것은 인간의 몸의 장기를 분리하여 하나하나 실험하고 분석하여 전체적인 생명의 유출 과정으로서의 몸을 온전히 이해했다고 하는 것과 다를 바가 없다. 몸의 장기의 분리를 통한 이해는 전체적인 생명의 유출 형태로 존재하는 몸을 통한 이해와는 차원이 다른 것이다. 인간 몸의 유전자 지도를 완성한 것을 두고 인간의 몸을 온전히 이해한 것으로 간주하는 데에는 실체를 통한 세계 이해의 논리가 작동한 결과라고 할 수 있다. 어쩌면 실체에 기반한 서구의 기능적이고 구조적인 논리는 몸뿐만 아니라 길거리에 아무렇게나 피어 있는 이름 모를 들꽃의 존재마저도 온전히 해명하지 못하고 있는 것은 아닐까? 실체에 기반을 둔 서구의 기능적이고 형식논리적인 전통이 집적된 최근의 인공지능 같은 과학도 하나의 전체 생명 혹은 생명 전체로서의 공능을 해명하지 못하고 있다. 그것은 정체공능과는 층위 혹은 차원이 전혀 다른 세계 이해의 방식이라는 점에서 그 안에 불안을 강하게 내재하고 있다고 볼 수 있다.

2. 천지의 마음과 시의 발견

시란 무엇인가? 이러한 질문은 어떤 사물이나 대상을 정의하기 위해 던지는 아주 오래된 이해의 한 형식이다. 그런데 이 오래된 질문의 형식이 우리에게 던지는 한 가지 흥미로운 사실은 그것이 보다 투명하고 논증 가능한 답변을 해야 한다는 어떤 강박이나 불안을 불러일으킨다는 점이다. 이 강박과 불안은 우리로 하여금 시를 보다 투명하고 논증 가능한 것으로 규정할 수 있는 '도구' 혹은 '도구적 의식'을 요구하기에 이른다. 시의 규정과 이해에 요구되는 이러한 투명하고 논증 가능한 도구로 널리 인식되어 온 것은 언어이다. 시의 언어가 도구적 차원에서 이해된다는 것은 곧 그것이 기능과 형식 혹은 구조의 차원에서 인식되고 또 해석된다는 것을 의미한다. 시의 언어가 기능과 형식의 차원에서 작동함으로써 시가 은폐하고 있는 불투명하고 애매모호한 세계는 보다 투명하고 논증 가능한 세계로 수월하게 대체된다. 시에 대한 정의가 언어를 토대로 규정되거나 체계화되어 있는 데에는 바로 이러한 이유가 작용하고 있는 것으로 볼 수 있다.

서구 시론의 근간을 이루고 있는 러시아 형식주의와 신비평, 소쉬르적인 구조주의, 야콥슨의 기능론 등은 시를 규정하고 이해하는 것이 무엇을 의미하는지를 잘 말해준다. 물론 서구 시론에서도 시의 애매성과 모호성에 대해 많은 부분을 할애하고 있다. 시어가 과학적 진술과는 다른 사이비 진술이며, 언어의 전달(정보) 기능보다는 정서적 기능을 강조하고 있고, 언어의 평면성보다는 아이러니하고 패러독스한 이중성과 다의성을 중시하는 것 등은 모두 시의 불투명하고 애매모호함을 드러내기 위함이라고 할 수 있다. 하지만 서구의 시론과 시어에 대한 인식은 이렇게 애매모호성을 말할 때조차도 그것을 투명한 형식과 논증 가능한 체계를 통해 드러내고 있다는 점이다. 가령 서구의 단일하고 투명한 의식에 일대 전환점을 마련한 프로이트Sigmund Freud의 무의식의 경우에도 분열된 자아와 왜곡 및 치환과 같은 불확실하고 불투명한 원리 등을 새롭게 제시하고 있지만, 그 역시 꿈 혹은 무의식의 세계를 형식화하여 제시하고 있다. 프로이트의 무의식에 대한 형식화는 그의 이론을 계승한 라캉Jacques Lacan에 의해 더욱 강화되어 드러난다. 라캉은 프로이트의 무의식에 소쉬르의 구조주의 언어학을 결합하여 포스트구조주의 정신분석학의 새 장을 연다. '무의식은 언어처럼 구조화되어 있다'는 그의 논리는 무의식에 대한 새로운 해석의 길을 제시하고 있다는 점에서 중요한 의미를 지닌다고 볼 수 있다.

그러나 라캉의 논리는 그의 독창적인 사유에서 나온 것이라기보다는 기능이나 형식과 같은 투명하고 논증 가능한 세계를 지향하는 서구의 오랜 전통에서 비롯된 것이라고 할 수 있다. '무의식은 언어처럼 구조화되어 있다'는 논리에서 무엇보다도 강조되고 있는 것은 '언어'이다. 무의식이 언어를 통해 만들어지고 그 구조에 의해 작동된다는 그의 논리는 무의식의 존재를 언어와 같은 증명 가능하고 투명한 실체를 통해 제시하려고 하는 서구의 잠재된 욕망이 투영된 것이라고 볼 수 있다. 그의 이론이 널리 소개되면서 그것을 각각의 학문 분야에 적용하려는 움직임이 활발하게 일어났고, 시의 경우에도 예외는 아니었다. 그의 이론이 소개되면서 현대의 복잡하고 난해한 시를 해석하는데 프로이트의 이론으로는 투명성의 확보에 한계가 있다는 것을 인지한 이들에게 라캉의 이론은 가뭄의 단비와도 같은 존재에 다름 아니었던 것이다. 라캉의 이론이 시 해석에 활발하게 적용되면서 그것이 내포하고 있는 현대의 복잡하고 난해한 세계가 언어에 의한 도식과 기호로 명료하게 표상되는 순간을 경험하게 된 것이다.

시의 불투명하고 애매모호한 세계가 이렇게 언어를 통해 투명하고 해석 가능한 세계로 인식되는 경우는 우리의 경험 내에서 새삼스러운 것은 아니다. 우리는 시뿐만 아니라 꽃이나 나무, 심지어는 인간의 몸이나 우주 같은 존재에 대해서도 분석, 실험, 가설의 과정을 거쳐 명료한 해석을 하는 경우를 수없이 보아 왔다. 꽃의 암술과 수술의 개수와 위치,

물관과 체관의 배열, 미토콘드리아의 구조라든가 인간의 몸 유전자의 염기 서열, 우주의 시간과 공간적 실체에 대한 탐색 등은 모두 시에서 언어와 같은 어떤 실체를 통해 그것의 존재를 증명하는 것과 다르지 않다. 우리는 꽃의 구조를 투명하게 밝히고 그것을 증명하기 위해 꽃잎을 따거나 줄기를 잘라서 현미경으로 관찰하고, 몸의 유전자 구조를 밝히기 위해 전자 현미경과 컴퓨터를 이용한다. 우리에게 이 도구들이 없다면 그 각각의 구조를 투명하게 밝혀내기란 불가능하다. 이것은 어떤 사물이나 대상의 존재를 투명하게 밝히고 그것을 증명하기 위해서는 도구가 필요하다는 것을 말해준다.

도구 없이 어떤 존재를 제대로 인식하지 못한다면 과연 인간을 진정한 세계 인식의 주체라고 할 수 있을까? 도구에 의존할 수밖에 없는 존재라는 점에서 우리 인간은 '도구적 이성'에 다름 아니다. 꽃과 몸의 구조를 이해하기 위해 현미경과 컴퓨터라는 도구를 이용하듯이 시 혹은 시의 구조를 이해하기 위해 언어라는 도구를 이용하는 것이다. 도구의 있고 없음에 따라 구조에 대한 이해의 정도에 차이가 있다는 것은 부정할 수 없는 사실이다. 하지만 우리는 여기에서 다음과 같은 문제를 제기해 보아야 할 것이다. '과연 이러한 도구를 통해 어떤 대상이나 세계의 구조를 탐색하는 것이 그것의 존재를 온전히 이해하는 것일까?'라는 점이 바로 그것이다. 꽃의 구조 혹은 몸의 구조를 어떤 도구를 통해 투명하게 밝혀냈다고 해서 그 꽃과 몸의 존재를 온전히 밝혀냈다고 말할 수 있는 것일까? 이와 관련해서 경험한 충격적인 사실이 하나 있다. '인체의 신비전'이라는 이름으로 행해진 전시회가 바로 그것이다. 이 전시회의 콘셉트는 인간의 몸을 해부하여 표본화하여 보여주는 것이다. 이를 위해 인간의 몸 내에 플라스틱을 특수 처리해 주입하는 방식으로 생전의 인체 특징을 유지하는 '인체의 프라스티네이션Plastination화'를 시도한다. 하지만 건조하고 앙상한 형해가 직접적으로 노출된 인체 구조물에서는 어떤 신비함도 또 숭고함도 느껴지지 않았다. 몸의 신비함과 숭고함은 이렇게 그것을 적나라하게 보여주는 데서 발생하기보다는 그것이 담지하고 있는 눈에 보이지 않는 차원이 불쑥 의식의 지평으로 솟구쳐 오를 때 발생한다. 이것은 인간의 몸이 눈에 보이지 않는 기氣의 흐름을 통해 존재하기 때문이다. 인간의 몸은 우주적인 기가 몸 안에 모였다가 밖으로 흩어지는, 끊임없는 흐름을 통해서 이루어지는 유기적인 생명체이다.

이러한 인간의 몸이야말로 정체공능整體功能, 다시 말하면 결코 분리되지도 또 분리할 수도 없는 생명 본연의 힘의 작용으로 이루어진 존재이다. 몸이 정체공능으로 이루어진 것이라면 그것을 해부하여 분리한 다음 그것에 대해 가설을 세우고 실험을 통해 그 형식과 구조를 드러내는 일은 살아 있는 전체로서의 몸을 말하는 것이 아니라 그 몸으로부터 분리된 실체에 대해 말하는 것이라고 할 수 있다. 우리가 지금 숨 혹은 기를 통해 느끼는 몸은 정체공능의 전체로서의 몸을 의미하는 것이지만 인체의 신비전에서 본 프라스티네이션화된 몸은 정신의 이데아가 만들어낸 가상의 관념적인 몸을 의미하는 것이다. 정체공능의 몸은 도구를 필요로 하지 않는다. 하지만 프라스티네이션화된 몸은 도구를 필요로 한다. 정체공능으로서의 몸이 말해주듯이 시 역시 정체공능으로서의 몸을 지닌 존재라고 할 수 있다. 한 편의 시가 공체공능으로서의 몸을 지니기 위해서는 그것이 도구 혹은 도구화된 언어로부터 벗어나야 한다. 이 말은 언어에 대한 배제라기보다는 언어를 매개로 하여 정체공능의 존재성을 드러내는 것을 의미한다.

단순히 언어 자체의 형식적이고 구조적인 공능이 아니라 언어를 매개로 전체 세계 혹은 세계의 전체적 유출의 공능을 드러내는 것을 말한다. 이런 점에서 정체공능의 시에서 무엇보다도 중요한 것은 전체적 유출로서의 세계에 대한 주체의 의식이다. 이 의식은 언어 자체의 이해에서 만들어지는 것이 아니라 전체로서의 세계를 이루고 있는 정체공능의 흐름 내에서 만들어지는 것이다. 주체의 의식이 이런 흐름에 대한 자각 내에 있고 언어가 그것을 매개로 세계를 드러낸다면 그것은 좋은 시가 될 것이다. 시에 대한 규정이나 평가 준거는 다양하지만 만일 정체공능이라는 것이 시 평가의 준거로 작용한다면 그것은 이런 문맥하에서라고 할 수 있다. 어쩌면 우리는 시에 대한 가치 평가나 의미 부여와 관련하여 정체공능으로서의 시의 문제를 망각하고 있거나 아니면 그것을 다른 방식으로 드러내고 있는지도 모른다. 그것은 마치 몸으로 감지된 것을 온전히 드러내기 위한 고민을 하지 않았거나 아니면 다른 개념(실체)화된 틀로 그것을 드러내려고 하는 것과 다르지 않다. 정체공능의 좋은 본보기가 몸이라면 몸의 지각을 통해 드러나는 세계는 인간의 이성으로 인지되고 이해되는 차원과는 다른 기氣로 지각되는 우주 전체의 차원으로까지 확장된 영역을 포괄하게 될 것이다. 가령 '시를 천지의 마음'[97]이라고 정의하는 경우 그것을 단순히 시적 주체의 낭만적이고 비현실적인 상상으로 간주하지 않고 그것을 '우주 속에서 사물의 정체성을 탐구하기 때문에 개체 사물에서 발견할 수 없는 것을 우주적 차원에서 발견할 수 있는 것'[98]으로 간주하게 될 것이다.

3. 목월의 「나그네」, 「윤사월」과 정체공능의 미학

근대 이후 인간은 자연으로부터 멀어지게 된다. 이로 인해 인간은 보다 근원적인 불안에 시달리게 된다. 근대 이후 자연은 급속도로 인간의

97 | 『詩緯』, 『緯書』의 하나. 『緯書』는 중국 전한 말기부터 후한에 걸쳐서 유학의 경서(經書)를 신비주의적으로 해석한 책. 역위(易緯), 서위(書緯), 시위(詩緯), 예위(禮緯), 악위(樂緯), 춘추위(春秋緯), 효경위(孝經緯) 등의 칠위(七緯)가 있다.

98 | 장파, 앞의 책, p. 65.

투명하고 실체적인 사고를 통해 만들어진 도구화된 산물로 대체되기에 이른다. 이 도구화된 산물 내에서 인간은 자연을 이해하고 또 판단해 왔다. 그 결과 이러한 과정을 통해 이해하고 판단한 것을 '자연'이라고 규정해버렸다. 어떤 도구를 통해 투명하고 명확하게 규정해버린 자연은 우리가 몸으로 느끼고 인지하는 자연과는 다른, 이것으로부터 인위적으로 분리된 자연을 말한다. 인간이 몸으로 느끼고 인지하는 자연과 분리되어 있지 않고 연결되어 있으면 그 자연의 흐름에 순순히 따르면 된다. 하지만 이러한 자연과 분리되어 실체화된 자연 내에 있으면 여기에서 오는 불안을 벗어나기 위해 보다 정교하고 완벽한 가설이나 구조를 끊임없이 만들어내야 한다. 자연이 수치화된 공식으로 제시되거나 기하학적인 형식이나 구조로 제시되는 경우 과연 그것을 자연의 은폐된 세계를 온전히 드러낸 것이라고 할 수 있을까? 어쩌면 이런 방식으로 자연을 이해하고 규정하는 것은 애매모호함을 기본 속성으로 하는 자연을 온전히 이해하는 것이라기보다는 그 모순을 극대화하고 있는 것이라고 할 수 있다.

이 모순의 간극만큼 불안도 생겨나고, 그것을 해소하기 위한 다양한 논의들이 있어 온 것이 사실이다. 하지만 이 다양한 논의에도 불구하고 불안은 줄어드는 것이 아니라 오히려 더 커지고 있다. 불안의 증가는 그것을 해소하기 위한 어떤 획기적인 대안을 필요로 한다는 것을 의미한다. 여기에서의 획기적인 대안이란 자연에 대한 패러다임 자체의 전환을 말한다. 근대 이후 가속화된 불안의 원인이 자연과의 분리에 기반을 둔 인간의 인식 체계에서 비롯된 것이라면 무엇보다도 먼저 그것을 회복하는 일이 중요하다고 할 수 있다. 자연과의 분리가 아니라 전체적인 유출 혹은 흐름의 차원으로 인식하는 자연에 대한 패러다임 자체의 전환이 중요한 것이다. 근대 이후 우리는 실체 이면에 눈으로 보이지 않고 텅 비어 있지만 끊임없이 힘의 형태로 작용하는 그런 자연을 망각한 채 살아왔다고 할 수 있다. 이 정체공능으로서의 자연에 대한 망각의 역사는 자연을 도구화된 언어의 틀 내에 기능하게 하면서 그것을 단순한 형식논리의 산물로 인식해 왔다고 볼 수 있다.

자연에 대한 이러한 인식은 근대 이후 우리 시에 대한 해석에서도 그대로 드러난다. 근대 이후 서구 문물이 들어와 급속하게 근대화 내지 서구화된 시기는 물론 경제 개발과 산업화가 진행된 1960·70년대와 그것이 가져온 부작용과 한계를 인식하고 새로운 대안을 찾던 1980년대 이후에도 자연에 대한 인식은 크게 달라지지 않았다고 할 수 있다. 이것은 근대 이후에도 우리가 망각한 자연 곧 정체공능으로서의 자연을 온전히 인식하지 못하고 있다는 것을 의미한다. 가령 우리 시사에서 '청록파' 혹은 '자연파' 시인으로 명명되는 박두진, 박목월, 조지훈의 경우 이들의 시와 관련하여 말해지는 자연은 정체공능으로서의 자연일까? 만일 정체공능으로서의 자연에 대한 자각 없이 그것을 말한다면 이들의 시가 은폐하고 있는 혹은 본래 지니고 있는 정체공능은 드러나지 않을 것이다. 이들의 시에는 정체공능적인 것이 있다. 하지만 지금까지 이들의 시를 둘러싸고 행해진 자연에 대한 인식과 해석에서는 그것이 제대로 드러나지 않는다고 할 수 있다.

이들 중에 한국적 자연을 노래한 시인으로 평가받고 있는 박목월의 경우에도 그 자연을 정체공능의 차원에서 인식하고 해석한 것이 아니다. 그에 대한 평가에서의 자연이란 '향토적'[99], '공간을 초월하여 살아 있는 상징적인 實在'[100], '현실의 어려움에서 벗어나 있는 자족적自足的 세계'[101], '감각적 단순성 혹은 그것을 벗어난 일상생활의 체험 영역'[102] 등으로

99 | 서정주, 『한국의 현대시』, 일지사, 1969, p. 24.

100 | 정한모, 「청록파의 시사적 의의」, 『현대시론』, 보성문화사, 1996, p. 313.

101 | 김윤식·김현, 『한국문학사』, 민음사, 2011, p. 455.

102 | 권영민, 『한국현대문학사 2』, 민음사, 1993, p. 115.

인식되고 또 해석된 것이다. 목월의 자연에 대한 이러한 평가는 기본적으로 한국, 중국, 일본 등 동북아시아의 정체공능을 토대로 한 자연에 대한 깊이 있는 이해에서 비롯된 것은 아니다. 정체공능으로서의 자연은 향토적인 지엽성으로 온전히 이해될 수 있는 것도 아니고 또 그것은 공간을 초월하거나 자족적으로 혹은 일상의 차원으로만 존재하는 세계도 아니다. 그것은 결코 분리, 부분, 대상, 가설, 실험, 소외, 배제, 실체 등과 같은 명료한 존재 인식의 차원으로 해명할 수 없는 '도의 숭고함과 무궁함, 도구의 경시(말이나 언어보다는 사물 그 자체), 정신의 중시(마음과 정신의 깨달음)'[103] 등과 같은 차원을 내포하고 있는 모호함의 세계라고 할 수 있다. 목월의 시 중에 이러한 정체공능으로서의 자연을 가장 잘 드러내고 있는 시가 있다면 그것은 바로 「나그네」와 「윤사월」일 것이다.

> 강나루 건너서
> 밀밭 길을
>
> 구름에 달 가듯이
> 가는 나그네
>
> 길은 외줄기
> 남도 삼백리
>
> 술 익는 마을마다
> 타는 저녁 놀

103 | 장파, 앞의 책, pp. 75~84.

구름에 달 가듯이

가는 나그네

- 박목월, 「나그네」, 전문[104]

이 시에 대한 해석에서 중요한 것은 직관이다. 그것은 직관이 어떤 세계를 분석적·기능적으로 인지하는 것이 아니라 그것을 전체적·공능적으로 인지하기 때문이다. 이런 맥락에서 보면 이 시의 초점은 '간다'에 있다. 이때 여기에서의 '간다'는 언어 구조상의 기능을 넘어선다. 언어 구조상 '간다'는 분절의 중심 단위이다. 이 '간다'를 중심으로 분절하면 이 시는 크게 천상을 시공성으로 하는 경우와 지상을 시공성으로 하는 경우로 구조화된다. '간다'의 시간성이 "구름", "달", "노을" 등 천상의 공간성과 결합하는 하나의 구조와 '간다'의 시간성이 "강나루", "밀밭길", "남도 삼백리", "마을" 등 지상의 공간성과 결합하는 또 다른 하나의 구조가 서로 대응 관계를 이루고 있는 것이다. 천상과 지상이 대립이 아니라 천상이 지상을 감싸는 그런 형태를 드러내고 있는 것이 바로 이 시의 의미 구조라고 할 수 있다.

이처럼 이 시가 천상이 지상을 감싸는 의미 구조로 되어 있다면 '나그네의 걷기'는 그 구조 내에서 분석되고 해석된 것에 다름 아니다. 어떤 구조 내에서 혹은 구조적으로 해석된 것에 대해 우리는 그것이 가지는 한계에 대해 많은 논의를 진행해 온 것을 잘 알고 있다. 하지만 그 대안으로 제시된 현상학적이고 해체주의적인 것 역시 인간의 의식의 틀과 선험의 방식이 드러내는 한계에서 벗어나지 못했을 뿐만 아니라 언어의 도구성으로부터도 온전히 벗어나지 못했다고 할 수 있다. 이것은 구조든 아니면 탈구조든 '물질'이나 '실체'를 통해 그것을 드러내려 한 서구의

104 | 박목월, 이남호 엮음, 『박목월 시전집』, 민음사, 2003, p. 38.

오랜 존재론적인 전통에서 비롯된 것이라고 볼 수 있다. 물질이나 실체를 기반으로 한 서구의 존재론에서 그 존재의 온전성은 이 안에서 규정되고 이해되고 또 평가되어 온 것이다. 사정이 이러하다면 이 시를 천상이 지상을 감싸는 의미 구조로 규정하고 이해하는 것 역시 한계를 가질 수밖에 없다는 것을 말해준다. 나그네의 행위가 구조적인 인식 내에서 행해진 분석이나 해석으로 온전히 드러날 수 없다면 과연 어떤 관점이나 방식으로 그것을 드러내야 하는 것일까?

어떤 사물이나 세계를 구조화한다는 것은 분리와 증명을 전제한다는 것을 의미한다. 어떤 사물이나 세계로부터 분리되면 그것과는 다른 하나의 새로운 실체가 만들어지게 된다. 본래의 사물이나 세계와는 다른 새로운 실체의 탄생은 그 온전한 전체로부터 분리되어 있기 때문에 보다 자유롭게 실체 내에서 개념, 가설, 실험, 형식, 구조 등을 확장하고 심화하는 존재론적 특성을 드러내게 된다. 이런 맥락에서 볼 때 실체 내에서의 형식이나 구조의 확장과 심화는 결국 실체의 존재성을 보다 더 명료하게 드러내기 위한 목적성을 지닌다고 할 수 있다. 이때 여기에서의 목적성은 합리적인 절차와 법칙에 의해 움직이는 '합목적성'을 말한다. 이 합목적성이 서구의 존재론적 사유에 일정한 토대로 작용하면서 인간과 세계 더 나아가 우주 일반의 원리를 규정하고 지배하는 것으로 인식되기에 이른다. 이로 인해 이것 바깥에서의 존재론적 사유에 대해서 귀를 기울이지 않았을 뿐만 아니라 심지어 그것을 억압하고 추방하는 일까지 벌어지게 된다.

실체 중심의 존재론적 차원에서 보면 자연 역시 합목적성을 추구해야 하는 것이다. 자연이 합목적성을 추구해야 한다는 것은 인간의 의지의 산물일 뿐 자연 그 자체가 그러한 운동성을 지니고 있는 것은 아니다. 자연은 총체 기능으로써의 합목적성보다는 정체공능적인 무목적의 목적을 지닌다고 할 수 있다. 정체공능으로서의 자연에 대한 이해가 막연하다거나 가늠하기가 어렵다고 느껴진다면 인간의 '몸'을 예로 들어 이해하는 것도 한 방법이라고 할 수 있다. 인간의 몸이야말로 정체공능적이다. 그것은 이미 '整體功能'에 잘 드러나 있다. 그렇다면 어째서 인간의 몸을 정체공능적이라고 본 것일까? 인간의 몸은 어떤 것으로부터 분리되어 있지 않을 뿐만 아니라 분리할 수도 없는 그런 존재이다. 인간의 몸을 이루는 기氣와 혈血, 그리고 그것의 통로인 경락經絡 등은 몸의 존재성이 무한히 연속적인 흐름을 토대로 하고 있다는 것을 잘 말해준다. 인간의 몸을 이루는 이 연속적인 흐름은 그것이 몸 안에서의 흐름만을 의미하는 것이 아니라 그것을 넘어선 것이다. 우리의 몸은 기의 흐름으로 충만해 있지만 그 기는 몸을 넘어 우주 혹은 자연과의 끊임없는 흐름의 과정 내에 있는 것이다.

우리의 몸은 우주의 기가 모였다가 흩어지는 과정으로 볼 수 있다. 중국의 기철학자인 장횡거와 왕부지가 인간의 몸을 그렇게 규정한 것 역시 이와 무관하지 않다. 인간의 몸과 우주는 하나의 기의 흐름 속에 있고 그 흐름은 일종의 변화이다. 그 변화는 동적인 양陽과 정적인 음陰 그리고 동과 정 이전의 천지인 삼태극三太極을 모두 포괄하는 상태를 말한다.[105] 태극太極에서 음양陰陽이, 음양에서 사상四象이, 사상에서 팔괘八卦가, 팔괘에서 육십사괘六十四卦로 이어지는 발생론적인 흐름은 이 우주 혹은 자연이 하나의 흐름 속에 있다는 것을 말해준다. 우리가 흔히 인간의 몸을 '소우주'라고 하지만 이런 맥락에서 보면 그것은 잘못된 규정이라고 할 수 있다. 인간의 몸은 소우주가 아니라 우주 그 자체이다. 그것은 인간의 몸과 우주가 분리되어 있는 것이 아니라 하나의 기의 흐름 속에 놓여 있기 때문이다. 인간의 몸을 소우주라고 규정하는 것은 실체를 중시하는 서구의 사고방식에서 비롯된 것이다. 이것은 몸을 대하는 서구

105 | 반고, 『漢書』 卷21上, 北京, 中華書房, 1992, p. 964.

의학과 한의학이나 중의학을 비교해보면 알 수 있다.

서구 의학의 토대는 해부학에 있지만 한의학이나 중의학은 경락經絡과 음양에 있다. 해부학이란 기본적으로 몸의 해부를 통해 그것의 실체를 대상으로 하는 학문이다. 이런 점에서 해부학은 분리의 방식과 구조화를 필요로 한다. 어떤 증상이 있으면 몸의 해부를 통해 그것을 가시화하고 체계화하여 좀 더 명료하게 그 실체에 접근하려고 한다. 이 과정에서 메스, 현미경 등과 같은 도구를 적극적으로 활용하여 명료성을 극대화하고 있다. 이에 반해 한의학과 중의학은 몸을 분리하거나 구조적으로 인식하지 않고 그것을 전체 유출의 과정으로 인식한다. 몸의 전체적인 유출의 과정을 이해하기 위해 기혈의 통로인 경락의 흐름을 파악한다. 이 과정에서 기혈의 흐름이 원활하지 않을 경우 침이나 뜸을 써서 맺혀 있던 부분을 풀어준다. 이 흐름의 원활함이란 곧 기의 두터움, 우주의 기가 몸에 모였다가 흩어지는 과정의 생생함을 의미한다. 그래서 우리는 그 사람의 건강 상태를 물을 때 '기체후일향만강氣體候一向萬康'이라는 말로 표현한 것이다. 기의 흐름으로 몸을 파악한다는 것은 그것을 분리하거나 구조화하지 않고 우주의 전체성 내에서 이해하고 판단한다는 것을 말한다.

한의학이나 중의학에서 몸을 이런 식으로 바라본다는 것은 음양에 의한 조화와 균형을 중시한다는 것을 의미한다. 인간의 몸에 대한 한국과 중국에서의 인식은 자연이나 우주를 바라보는 관점과 태도를 잘 드러내는 것으로, 적어도 우리 문화와 예술에서 자연이나 우주를 말할 때는 그것이 하나의 준거가 되어야 할 것이다. 목월의 시에서의 자연 혹은 자연에 기반한 시를 해석할 때 이 정체공능으로서의 자연은 남다른 존재성과 의미를 지닌다고 할 수 있다. 목월의 시 「나그네」에서 느껴지는 전체적인 직관으로서의 세계는 이 정체공능성에서 비롯된 것으로 볼 수 있다. 왜 우리는 이 시에서 직관적으로 초월적 평온함을 느끼는 것일까? 또 왜 우리는 이 시에서 직관적으로 세계와의 평정 상태에서 체험하는 조화와 균형의 감정을 강하게 느끼는 것일까? 이 물음은 시의 초점이 나그네의 가는 행위에 맞추어져 있고, 그 가는 행위 자체가 천상과 지상의 어우러짐 내에서 이루어지고 있다는 사실과 무관하지 않다. 나그네의 가는 것, 구름에 달이 가는 것, 저녁 놀이 타는 것, 강나루를 건너고 밀밭 길과 남도 삼백리 길을 가는 것 등이 하나의 흐름 내에 있다는 사실은 곧 천지인 삼태극의 공능에 의해 우주가 변화하고 바뀐다는 것을 의미한다.

이런 점에서 '구름에 달 가듯이 가는 나그네'는 '구름에 달이 가는 것'과 '나그네가 가는 것'을 단순히 수사적으로만 연결한 것이 아니다. 언어에 의한 수사 이전에 이 둘은 이미 삼태극 혹은 정체공능의 차원에서 긴밀하게 연결되어 있는 것이다. 눈에 보이는 가시적 차원의 수사에 집착하다 보면 그 이면에 은폐되어 있는 세계를 인지할 수 없게 된다. 수사의 차원에서 이 시를 천상이 지상을 감싸는 구조로 분석하는 경우 삼태극 혹은 정체공능으로서의 우주는 드러나지 않는다. 천지인의 삼태극이나 정체공능으로서의 우주에서는 무엇이 무엇을 구조화하는 경우란 존재하지 않는다. 기본적으로 우주는 정체공능적이고 삼태극의 변화를 전제로 한다. 이것은 태초로부터 지금까지 또 이후에도 변하지 않는 사실이다. 이러한 사실의 바탕 위에서 그 변화의 상相과 용用이 가능한 것이다. 우주의 변하지 않는 체體 위에서 음양의 변화가 이루어지는 세계를 직관을 통해서 느끼기 때문에 이 시에서 우리는 조화와 균형을 체험할 수 있게 된다. 음양의 차원에서 보면 천상은 건乾, 진震, 손巽이 되고 지상은 곤坤, 태兌, 간艮이 되며, 강은 감坎이 되고 저녁 놀은 이離가 된다. 음양이 서로 갈마들면서 변화하는 세계 내에서의 조화와 균형은 소외라든가 배제 그리고 극단적 허무 등과 같은 차원과는 궤를 달리한다. 시 속의 나그네를 이런 차원으로 이해하게 되면 그것은 나그네와 이 시의 의미

지평을 확장하는 것이 된다. 나그네의 의미를 언어나 수사 구조의 차원에 가둔다거나 아니면 시대나 현실의 구조 차원에 가둔다면 그것의 정체공능으로서의 우주적인 의미 지평을 읽어낼 수 없을 것이다. 목월의 '나그네'에서, 봄이면 저 멀리 강남에서 높디높은 허공을 날아 이 땅에 왔다가 가을에 다시 또 그 하늘을 날아 돌아가는 제비의 장구한 시간의 역사를 떠올리는 것은 아마도 그것이 모두 정체공능적이기 때문이리라. 장구한 시간의 역사를 이야기하면서 그것을 단순한 연대기 차원이 아닌 하늘 혹은 허공의 차원에서 제시한 데에는 존재를 이루는 시간과 공간의 한국적(동아시아적)인 정체성을 드러낸 것이라고 할 수 있다. 목월의 나그네의 의미 지평이 여기에 있다면 그것은 곧 이 시(「나그네」)에 은폐된 신비하고 신령스러운 정체공능적인 기운을 불러내는 일이 될 것이다.

정체공능으로서의 자연과 우주는 무형無形의 도道인 '태허太虛'가 잘 말해주듯이 그것은 너무 크고 깊으며 늘 변화와 움직임을 동반하기 때문에 명료하게 그 실체를 헤아릴 수 없는, 미묘하고 신비스러운 세계이다. 이로 인해 그것을 어떤 도구를 이용해 규정하고 개념화하는 것은 그 미묘하고 신비스러운 세계를 제거하거나 파괴하는 일이 되기 때문에 도의 차원에서는 그것을 경계하고 있을 뿐만 아니라 그러한 방식으로 우주와 자연을 드러내는 것의 불가능성을 강조하고 있다. 자연과 우주의 미묘함과 신령스러움이 도의 차원에 있다면 그것을 드러내는 방식 역시 도의 차원에 있어야 한다. 도의 모호함이 아닌 그것과 다른 차원의 명료함을 목적으로 하는 로고스(이성)적인 방식으로 그것을 드러내는 것은 불가능하다. 이성의 투명함은 도의 미묘하고 신령스러운 기운을 드러낼 수 없다. 이성의 강화는 도의 미묘함과 신령스러움을 박제화하는 결과를 초래할 뿐이다. 가령 인체 해부도라든가 인체 표본 전시 같은 몸의 내부를 투명하게 보여주고 있는 경우, 몸의 미묘함이나 신비함보다는 강한 혐오감을 느끼는 것은 그것이 기로 충만한 몸의 생생함을 드러내지 못하기 때문이다.

몸의 해부를 통한 총체적이고 기능적인 투명함이 아니라 기와 혈 같은 전체로서의 흐름으로 그것을 대할 때 상생相生과 상극相剋의 생생한 관계를 체험하게 될 것이다. 한의학에서 몸을 해부하지 않고 진맥의 과정을 통해 그것의 상태를 파악하는 경우 이것은 곧 그 몸 전체로서의 기의 흐름과 그 이면에 은폐된 미묘하고 신령스러운 세계를 지각하게 되는 것이다. 눈에 보이지도 또 투명하게 드러나지도 않은 채 어둡고 모호한 허공의 차원으로 존재하는 몸은 그 자체 자연과 우주의 다른 이름이다. 몸과 자연, 몸과 우주는 하나의 기의 흐름으로 이루어진 전체이다. 이 사실은 우리가 몸을 느끼고 인지하기 위해 기와 혈의 흐름을 살피듯이 자연과 우주를 느끼고 인지하기 위해서도 그렇게 해야 한다는 것을 의미한다. 그렇다면 어떻게 자연과 우주를 느끼고 인지할 수 있는 것일까? 이 물음에 대한 답은 '기'에 있다. 인간의 몸이 우주의 기가 모였다가 흩어지는 것이라면 우주와 자연을 느끼고 인지하기 위해서는 몸을 통할 수밖에 없다. 몸이 아닌 이성적 관념의 차원에서 인지되는 자연과 우주는 허공의 부피감이 부재한 박제된 실체에 지나지 않는다. 몸으로 지각하는 자연과 우주의 경우 여기에는 허공의 부피감에서 오는 미묘하고 신령스러운 기운이 내재해 있다. 목월의 시 「윤사월」은 그런 미묘하고 신령스러운 세계의 한 정수를 보여준다.

송화松花 가루 날리는
외딴 봉우리

윤사월 해 길다
꾀꼬리 울면

산지기 외딴 집
눈 먼 처녀사

문설주에 귀 대이고
엿듣고 있다.

– 박목월, 「윤사월」, 전문[106]

자연 혹은 우주가 기의 흐름으로 충만하고, 그 흐름이 음양의 조화를 통해 변화를 일으키는 세계에 우리는 살고 있다. 이 흐름과 변화의 모습이 바로 계절이고 절기節氣이다. 봄, 여름, 가을, 겨울 그리고 입춘, 우수를 시작으로 입하, 하지, 입추, 상강을 거쳐 동지, 대한에 이르는 24절기의 구분은 우리가 얼마나 여기에 기반하여 살아왔는지를 잘 말해준다. 하지만 이 흐름 내에 있게 되면 자신도 모르게 그것을 너무 당연하게 받아들여 자연에 대한 의식 자체가 둔감해지게 된다. 이런 둔감한 의식으로는 자연의 미묘함을 느끼고 그것을 온전히 드러내기가 어렵다. 자연의 미묘함은 그것을 이루는 허공의 미묘함을 잘 감지하는 과정에서 드러난다. 허공은 절대적으로 크고 형태를 가늠하기 어렵기 때문에 늘 텅 비어 있는 것처럼 보이며, 그 텅 비어 있음으로 인해 '적막감'을 자아낸다. 우리가 자연 속에 있을 때 느끼는 적막감은 바로 여기에서 비롯된 것이라고 할 수 있다.

허공 혹은 자연은 기의 흐름으로 충만해 있기 때문에 그것이 드러내는 적막감은 정지된 상태로 존재하는 것이 아니라 '떨림'의 상태로 존재한다고 볼 수 있다. 텅 비어 있는 것 같고 적막하지만 그것이 떨림의 상태로 존재한다는 것을 그 먼 곳으로부터 불어오는 바람이나 그것을 타고 날리

106 | 박목월, 이남호 엮음, 『박목월 시전집』, 민음사, 2003, p. 34.

는 "송화 가루"를 통해 알 수 있다. 이런 점에서 산속 "외딴 봉우리"에 날리는 "송화 가루"란 적막한 우주의 떨림에 대한 현시이다. 그런데 이러한 우주의 떨림에 대한 현시는 시에서 "꾀꼬리"의 울음을 통해서도 드러난다. 산속 "외딴 봉우리"를 감싸고도는 "꾀꼬리"의 울음은 단순한 산속 메아리를 넘어 우주의 허공을 가로지르는 기의 흐름 혹은 떨림에 대한 현시로 볼 수 있다. 아울러 "윤사월 해 길다"라는 말을 통해 알 수 있듯이 그 울음은 장구한 시간성이 깃든 소리임을 알 수 있다. 적막한 우주의 떨림이 '산'과 '새'를 통해 구현되고 있다는 사실은 그 떨림에 특별한 의미를 부여한다. 산과 새는 우주와의 소통을 상징한다. 지상의 인간이 천상의 우주와 소통하기 위해서는 좀 더 그쪽에 가까이 갈 수 있는 매개물이 필요한데 산과 새는 그것의 대표적인 존재들이다. 산에 단壇을 쌓고 그곳에서 하늘에 제를 올리는 의식을 거행한다거나 죽은 이의 영혼을 천상으로 인도하는 역할을 새가 한다고 본 것은 모두 이 존재들의 우주 혹은 천상과의 소통을 전제한 것이다.

시 속의 "외딴 봉우리"와 "꾀꼬리"의 존재는 이런 점에서 숭고하고 신성하다. 우주적인 기로 충만한 자연의 적막감을 "외딴 봉우리"와 "꾀꼬리"의 존재로 드러내면서 그 세계가 지니고 있는 숭고함과 신성함에 다가가려는 시인의 의지는 "눈 먼 처녀"를 통해 완성된다. 시인이 설정한 '산지기 외딴 집'의 눈 먼 처녀는 적막한 우주의 떨림을 가장 민감하게 느끼고 지각할 수 있는 존재이다. 눈이 먼 존재이기 때문에 그녀는 적막한 우주의 떨림을 온몸으로 느끼고 지각하는데 더 예민할 수밖에 없다. 그녀는 이 적막한 우주의 떨림을 "문설주에 귀 대이고 엿듣"는다. 문설주가 문짝을 끼워 달기 위해 문의 양쪽에 세운 기둥이라는 점을 고려한다면 그것 역시 우주와의 소통을 표상하는 '우주목宇宙木'이면서 천상의 신성함을 지닌 상징물이라고 할 수 있다. 이런 점에서 볼 때 "문설주에 귀 대이고 엿듣"는 그녀의 행위는 온몸으로 "문설주"를 통해 전해지는 우주의 기를 느끼고 있다는 것을 의미한다. 온몸으로 적막한 우주의 떨림을 느끼고 지각하는 것이야말로 자연을 박제된 실체로 인식하는 것이 아닌 그것을 무궁한 변화와 생생한 움직임의 차원으로 체험하는 것이다.

온몸으로 적막한 우주의 기를 느끼는 "눈 먼 처녀"의 시간과 공간 자체가 '자연'이다. 자연이란 본래 몸으로 느끼는 전체 유출의 과정에 다름 아니다. 우리가 '自然'이라고 할 때 그 '自'는 '鼻'와 같은 것이고, '然'은 생명을 불사른다火는 의미이다. 자연은 대상화하거나 분리할 수 있는 것이 아니라 우리가 몸으로 느끼는 전체 유출 과정의 형태로 존재하는 것이다. 우주의 기가 모였다가 흩어지는 몸과 그 몸이 미묘하고 신비한 기의 흐름을 느끼고 지각하는 과정에서 자연은 그 존재성을 드러내는 것이다. 목월의 「윤사월」은 바로 이러한 세계를 잘 보여주고 있는 시이다. 짧고 정제된 형식 속에 우주의 적막함과 그것이 지니고 있는 미묘하고 신비한 흐름을 '외딴 봉우리, 꾀꼬리 울음, 문설주, 눈 먼 처녀, 윤사월, 몸' 등의 질료를 통해 절묘하게 형상화함으로써 자연(우주)이 은폐하고 있는 정체공능의 아름다움을 잘 보여주고 있다. 특히 이 시의 "눈 먼 처녀"는 어두컴컴하고 모호한 태허太虛의 무와 허공의 차원을 몸으로 느끼고 지각하기에 부족함이 없을 정도로 자연에 동화되어 있다. "눈 먼 처녀"의 이러한 태도는 이 시를 휩싸고 도는 적막감에 깊이를 더해주고 있을 뿐만 아니라 우리의 인지 가능한 차원을 넘어 미묘하고 아득한, 우리가 도달할 수 없는 미지의 차원을 드러내고 있다는 점에서 새로운 시의 영토를 제시하고 있다고 볼 수 있다.

4. 초월적 상상력과 시의 지평

박목월의 시에 대한 해석에서 자연의 의미는 각별한 데가 있다. 목월에게 자연은 시인으로서의 정체성뿐만 아니라 그의 시의 성격을 규정짓는 중요한 덕목이다. 이것은 우리 시사에서 목월을 '청록파' 혹은 '자연파' 시인으로 규정하고 있는 것에서 잘 드러난다. 이 규정은 하나의 권위로 작용하면서 자연의 의미를 이 범주 안에 묶어두게 된다. 이 범주 내에서 자연은 '시인의 개인적인 이상과 상상이 만들어낸, 자연과의 합일이라는 전통적인 자연과는 다른 새로운 자연'[107]까지 포괄하는 것으로 이해되어 왔다. 하지만 목월의 자연이 개인적인 이상의 산물이라는 해석은 하나의 실체로서의 자연 넘어 허공으로서의 자연, 다시 말하면 정체공능으로서의 자연을 인식하지 못한 차원에서 내려진 해석이라고 할 수 있다. 목월의 「나그네」와 「윤사월」에서 보여주고 있는 '정체공능으로서의 자연 혹은 우주의 기본 구조는 전혀 변한 적이 없다.'[108]

목월의 「나그네」와 「윤사월」이 드러내는 자연은 이 정체공능으로서의 자연을 기반으로 하고 있다. 이 자연은 개인의 이상이 만들어낼 수 있는 것이 아닐 뿐만 아니라 단순한 표층으로 그 전모가 드러나는 것도 아닌 우주 전체와 그것의 작용에 의해 만들어진 크기와 깊이를 헤아릴 수 없는 모호하고 심오한 존재인 것이다. 이 대목에서 우리가 간과하지 말아야 할 것은 이러한 정체공능으로서의 자연은 한 번도 변한 적이 없다는 사실이다. 목월의 「나그네」와 「윤사월」에 잘 드러난 정체공능으로 인해 그의 시의 자연은 '이상적'이고 '초월적'인 성격을 띠게 된다. 하지만 여기에서의 이상과 초월은 우주 전체 혹은 전체로서의 우주로부터 분리된 상태에서 인간의 이성이 만들어낸 실체 차원의 세계와는 다른 것이다. 우리는 전체로서의 우주나 자연을 망각한 채 여기에서 분리된

107 | 김춘식, 「박목월의 이상주의 시학과 알레고리」, 『한국언어문화』 57권, 한국언어문화학회, 2015, pp. 52~54.

108 | 장파, 앞의 책, p. 66.

실체 차원의 세계만을 진실된 것으로 받아들이는 데 익숙해 있다.

정체공능의 차원에서 보면 이러한 실체 차원의 세계는 일종의 도구적인 것에 불과하다. 이것은 정체공능의 세계에 이르기 위한 도구에 불과할 뿐 그것이 궁극의 목적이 될 수 없다. 도구가 목적이 되고 표층이 전체로 인지되는 세계에서는 '우주의 본심'[109]에 도달할 수 없다. 이 도구적이고 표층적인 세계를 초월할 때 비로소 우주의 본심 다시 말하면 정체공능으로서의 우주(자연)에 도달할 수 있는 것이다. 만일 이런 차원에서 목월의 자연을 이상적이고 초월적이라고 한다면 그것은 기존의 논의에서 말하는 이상이나 초월과는 다른 것이다. 기존의 논의에서는 이러한 정체공능으로서의 자연의 존재 자체를 망각한 채 그것을 이야기하고 있다. 가령 목월의 시와 자연에 대해 '허구적인 상상 속의 자연'[110]이나 '영원히 실현되지 않는 꿈이나 체험'[111]의 차원으로 그것을 해석하고 있는 경우가 바로 그것이다. 목월의 자연과 시의 이상주의적인 성격을 이런 차원에서 해석해버리면 이때의 이상과 초월은 도구나 표층을 넘어 정체공능의 자연이나 우주로의 초월과는 그 성격이 다른 것이라고 할 수 있다.

정체공능으로서의 자연에 대한 망각은 그것을 허구적인 상상 속의 자연이나 영원히 실현되지 않는 꿈이나 체념으로서의 자연으로 규정해 버리는 상황을 초래할 수 있다. 이것은 비단 이들만의 문제는 아니다. 서구의 실체론에 입각해 자연이나 우주를 이해하고 해석해 온 사람이면 누구나 이런 식의 규정을 손쉽게 내릴 수 있으리라고 본다. 정체공능으로서의 자연이 한국, 중국, 일본 등 동북아시아의 사상, 철학, 문화, 예술 등에 일정한 토대로 작용해 왔음에도 불구하고 그것과의 단절과 망각

109 | 장파, 위의 책, p. 84.

110 | 김춘식, 앞의 글, p. 47.

111 | 이형기, 「박목월론 — 초기시를 중심으로」, 『박목월』, 문학세계사, 1993, p. 126.

위에서 자연이나 우주를 해석해 왔다는 것은 어쩌면 그 역사가 왜곡과 오류의 역사일 수도 있다는 것을 말해준다. 정체공능으로서의 자연이나 우주에 대한 망각은 우리의 몸에 대한 망각과 다른 것이 아니다. 우리가 늘 몸을 느끼고 지각하듯이 자연이나 우주 역시 그렇게 하고 있는 것이다. 하지만 자연이나 우주가 너무 크고 깊어 인지가 불가능하기 때문에 우리는 곧잘 그것을 망각하게 된다.

이 망각은 자연을 중요한 존재 기반으로 하는 시의 경우와 깊은 연관이 있다. 특히 자연이 신으로 인식되어 온 동아시아에서는 그것이 단순한 대상으로 존재하는 것이 아니라 삶과 세계 전체의 공능으로 존재한다는 점을 주목할 필요가 있다. 근대 이후 우리 시는 자연으로부터 멀어지면서 겪게 되는 인간의 실존적인 불안을 형상화해 왔지만, 그 불안이란 기실 정체공능으로서의 자연에 대한 망각에 다름 아니다. 이 사실은 자연 자체가 소멸한 것이 아니라 우리의 의식에서 그것이 망각된 상태로 존재해 왔다는 것을 의미한다. 우리가 그것을 망각한 것일 뿐 정체공능으로서의 자연은 전혀 변하지 않은 채로 존재해 왔다면 그것과 관련하여 시가 은폐하고 있는 자연을 발견하는 일은 무엇보다도 중요하다고 할 수 있다. 우리가 망각한 정체공능으로서의 자연에 대한 발견은 곧 시에 대한 새로운 발견이 될 것이다. 한국, 중국, 일본 등 동북아시아에서의 시는 자연에 은폐된 도의 현현으로 볼 수 있다. 자연이 도구나 대상이 아니라 인간의 의식과 삶 그리고 제도에 기본적인 공능으로 작용하면서 그것이 은폐하고 있는 미묘하고 신비한 세계를 하나의 양식을 통해 구현한 것이 바로 시인 것이다. 시가 단순한 개인의 감정 표현을 넘어 그것이 자연과 우주의 반영이라는 것은 인간의 마음과 감정 역시 이 안에서 해석되어야 한다는 것을 의미한다. 인간 정성의 지극함이 우주를 바꾼다[112]거나 시가 곧 천지

112 | 김지하, 『생명과 평화의 길』, 문학과지성사, 2005, p. 189.

의 마음[113]이라는 진술 등이 바로 그것이다.

시에 대한 이러한 생각은 천지인이 분리되어 있지 않고 그것이 정체공능의 세계 내에 있다는 것을 잘 말해준다. 인간의 성품, 감정 그리고 사상까지도 모두 천지 혹은 우주(자연)의 법을 본받고 또 승순承順하는 과정에서 생겨나고 만들어진다는 것은 정체공능을 통한 새로운 시적 지평의 가능성을 드러내는 것이라고 할 수 있다. 인간의 본성에서 우러나오는 마음四端이든 아니면 그것이 사물에 접하여 표출되는 감정七情이든 이 모두의 근간을 천지 혹은 우주에 두고 있다는 사실은 동북아시아 시의 이해에 중요한 시사점을 제공하고 있다고 볼 수 있다. 목월의 시에 드러난 정서와 자연의 세계는 이러한 범주 내에서 해석할 충분한 여지를 지니고 있다. 우리가 그것을 망각한 것이든 아니면 의도적으로 배제한 것이든 다시 그것을 우리 시의 장으로 불러내 깊이 있게 들여다볼 필요가 있다. 시의 지평은 세계에 대한 새로운 발견 없이 이루어질 수 없다. 인간, 자연, 우주에 대한 새로운 발견이 그것을 상상과 표현의 근간으로 삼고 있는 시에 열린 지평을 제공하리라는 것은 분명해 보인다. 정지용이 목월을 『문장』에 추천하면서 그의 시를 '조선의 시'[114]라고 평했을 때, 그 조선의 시라는 것이 무엇인지에 대해 그 근본부터 다시 따져보아야 하지 않을까?

113 | 『詩緯』, 앞의 책.

114 | 정지용, 『文章』, 1939. 9.

5. 영동천심월影動天心月, 그늘 그리고 백남준

– 예술은 어떻게 탄생하는가?

예술이란 무엇인가? 이 물음에 답을 한다는 것은 결코 쉽지 않다. 그것은 예술의 정의와 개념이 시대에 따라 끊임없이 변하기 때문이다. 서구의 경우 그리스 시대에는 그것을 '테크네technē'라고 하여 '물품, 가옥, 동상, 배, 침대, 단지, 못 등을 만드는 솜씨뿐만 아니라 군대를 통솔하고 토지를 측량하며 청중을 사로잡는데 필요한 솜씨'[115]까지를 예술의 범주 내에 두었으며, 중세에는 주로 학문적인 것(교양예술)으로만 이해되었고, 르네상스 시대에 들어와 중세의 예술 개념에서 벗어나 시, 회화, 건축, 조각, 음악 등에 특별한 지위를 부여하기에 이르렀고, 1747년 계몽주의 시대에 들어와 샤를 바뙤Charles Batteux에 의해 오늘날 우리가 알고 있는 '순수예술fine arts'이라는 개념이 정립되기에 이른다. 이 순수예술에는 시, 음악, 무용, 회화, 조각, 건축, 수사법(웅변) 등이 포함되는데 이것은 18세기 이후 오늘날까지 예술의 개념을 규정하는 하나의 논리로 통용되고 있다. 하지만 20세기에 들어와 '아방가르드' 그룹들의 등장과 함께

115 | 타타르키비츠, 손효주 옮김, 『미학의 기본 개념사』, 미술문화, 2011, pp. 25~26.

예술은 '새로움과 극단주의적 특성'[116]을 지니게 되면서 예술의 해체와 예술의 죽음에 대한 상황에 직면해 있다.

이러한 예술의 해체나 죽음에 대한 담론은 고대부터 이어져 온 예술에 대한 정의와 개념 정립의 어려움과 불가능성에 대한 한 표현으로 볼 수 있다. 예술의 개념을 정립하는 것이 어려운 데에는 각각의 시대를 지배하고 있는 사회·역사적인 물질 환경과 의식의 차이 때문이라고 할 수 있다. 특히 이 물질 환경은 기술의 발달과 긴밀하게 연결되어 있다. 가령 기존의 시, 회화, 음악, 무용, 조각, 건축 등과 같은 양식을 통해 정립된 예술 개념 내에 영화, 사진, 게임 등과 같은 새로운 양식이 개입될 경우 예술의 정의와 개념 정립은 혼란을 겪을 수밖에 없다. 후자의 양식들은 모두 기술 혹은 과학의 발달 내에서 탄생한 것들이다. 카메라와 영사기 그리고 컴퓨터 같은 테크놀로지의 발달로 인해 이 양식들은 단번에 가장 각광받는 예술의 반열에 오르게 되었을 뿐만 아니라 예술에 대한 고전적인 정의와 개념이 해체된 전혀 새로운 예술의 영역을 확립하게 되었다.

기술의 발달이 가져온 예술의 변화는 형식과 내용은 물론 개념과 성격 차원까지 이어져 그 유명한 '기술복제시대의 예술'을 탄생하게 하였다. 벤야민의 이 명제는 근대 이후 기술이 예술에 미친 영향을 상징적으로 드러낸 것이다. 사진과 영화의 복제 기술이 고전 예술 작품에 존재하는 '아우라Aura'의 상실을 야기하지만 그 복제성은 예술을 대중화하고 정치화하는 하나의 열린 전략과 비전을 제시하고 있다는 점에서 그것은 예술에 대한 새로운 가능성을 내재하고 있는 것으로 볼 수 있다. 예술 작품이 지니는 오리지널리티, 다시 말하면 예술 작품의 자율적이고 개성적인 고유한 본질의 상실은 기술복제시대의 운명 같은 것이라고 할 수 있다.

116 | 타타르키비츠, 위의 책, p. 64.

하지만 아우라의 상실이 고전 예술이 지니고 있는 미의 가치에 대한 회의와 부정을 의미하는 것은 아니라고 본다. 예술 작품에서의 아우라는 단 하나 단 한 번의 존재성에서 비롯되는 역사적 맥락과 작품의 신비하고 마술적인 영감 등에서 비롯되는 숭고함을 지니고 있기 때문에 미의 심오하고 초월적인 영역을 드러낸다.

아우라의 상실은 벤야민의 생각처럼 새로운 예술의 탄생을 잉태하고 있지만 그에 못지않게 그것은 작품을 부정하고 비판하는 의식을 상실케 할 뿐만 아니라 자본에 의한 인간의 기만과 규격화라는 문제를 드러내고 있는 것이 사실이다. 아도르노의 아우라의 상실에 대한 비판적인 시각은 기본적으로 자본주의 문화산업에 대한 비판적 입장을 견지한 프랑크푸르트 학파의 이념을 반영한 것으로 볼 수 있다. 이들은 자본에 의해 산업화된 문화가 드러내는 대중 기만성을 비판하고 있을 뿐만 아니라 대중으로 하여금 부정 정신과 비판성을 상실하게 하여 그들을 수동적인 존재로 전락하게 하는 점을 비판하고 있다. 이들의 비판은 대중을 단순한 수동적 소비 주체로 인식하는 것에서 벗어나 그들의 주체적이고 능동적인 차원을 고려하고 있다는 점에서 주목할 필요가 있다. 주체적이고 능동적인 대중 개념은 벤야민이 제기한 기술복제시대 혹은 문화산업 시대의 예술의 개념을 정립하는데 중요한 논점을 제기한다고 볼 수 있다. 이 문제는 기술복제시대가 도래하면서 우리가 상실한 것이 아우라만이 아니라 그것을 넘어서는 보다 본질적인 어떤 차원에까지 닿아 있다는 것을 의미한다.

기술의 발달 과정을 찬찬히 들여다보면 그것이 인간의 몸의 문제와 긴밀하게 연결되어 있다는 것을 알 수 있다. 기술에 기반한 예술이 대두되기 전 그것은 주로 인간의 몸을 통해 이루어졌다. 기술이 최소한의 도구 차원에서 통용되고 이해되던 시대에 인간의 몸은 그 자체로 하나의 도구이자 기술의 원천이었다. 이러한 인식은 서양에 비해 동양, 특히 동북아시아에서 더욱 강하게 나타난다. 한국, 중국, 일본 등에서 공통적으로 존재한 예술 양식인 시詩, 서書, 화畵의 경우 그것들은 모두 단순한 실체적 형식과 구성 원리에 의해 형성되는 것이 아니라 '기氣'라는 눈에 보이지 않지만無 반드시 존재하면서有 우주를 흘러 다니고 이 과정에서 만물을 태어나게 하는 그런 관계 내에서 형성되는 것이다. 이런 점에서 시, 서, 화는 기의 뭉침과 흩어짐의 과정에서 탄생한 것에 지나지 않는다. 그런데 이 기는 인간의 몸을 통해 작동한다. 시는 기에 의한 몸의 말이고, 서는 몸글肉筆이며, 화는 몸의 채움과 비어 있음, 곧 여백의 미를 드러낸 것이라고 볼 수 있다. 이런 맥락에서 볼 때 기는 동북아시아 문화와 미학의 특징을 내포한 중심 개념이라고 할 수 있다. 한국, 중국, 일본의 문화와 미학에 대한 이해와 판단에서 '허虛와 공空을 중시'한 것이라든가, '건축물에서 문과 창을 중시한 것', '그림에서의 여백', '사람에게서는 신神, 정情, 운韻, 태態를 중시한 것' 그리고 '전체적인 체계에서는 경 너머의 경景外之景, 운 너머의 운치韻外之致에 대한 깨달음을 중시한 것'[117] 등은 기를 토대로 하여 동북아시아의 문화와 미학이 정립되었다는 것을 잘 말해주는 예이다.

문화와 예술에 대한 이해와 판단에서 한국, 중국, 일본이 기의 개념을 공유한다는 것 또 기의 차원을 심화하고 확장하는 데 결정적인 역할을 한 유불선儒佛仙의 사상과 철학을 공유한다는 것은 동북아시아의 독특한 특징이라고 할 수 있다. 기와 유불선이 중국에서 발생하거나 정립되어 한국이나 일본에 전해진 것이 사실이고, 또 기와 유불선 이전에 한국과 일본에 자생적인 사상과 철학이 없었던 것은 아니지만('風流'나 '神道') 기와 유불선은 동북아 3국에서 일정한 변주와 변화를 통해 보다 확장되고 체계화된 것이 사실이다. 동북아시아의 문화와 예술에서 기 혹은 몸이

117 | 장파, 백승도 옮김, 『중국 미학사』, 푸른숲, 2012, p. 207.

토대를 이루고 있다는 사실을 근대 이후 우리(한국과 일본)는 너무나 손쉽게 망각해 왔다고 할 수 있다. 우리의 경우 시, 서, 화는 말할 것도 없고 굿, 탈춤, 판소리, 사물놀이, 민요, 산조 등은 모두 몸으로 구현된 양식들일 뿐만 아니라 그 언어, 소리, 몸짓 등이 기를 통해 한 치 오차도 없이 우주의 관계망 내에서 구현되어 온 '정체공능整體功能'의 산물이다.

정체공능은 우리에게 생소한 개념이다. 하지만 '정체整體'가 말해주듯이 그것은 우리 몸의 존재성을 표현한 것이다. 우리 몸은 어느 한 부분만으로 존재하는 것이 아니다. 그것은 몸이라는 전체 유출 과정으로 존재하는 것이다. 우리의 심장, 폐, 간장, 간, 콩팥이나 눈, 코, 귀, 항문 등은 각각 부분으로 존재하는 것이 아니라 혈과 경락이라는 기의 전체적인 흐름을 통해 존재하는 것이다. 이런 점에서 존재라는 말보다 '생성生成'이라는 말이 더 적합하다고 볼 수 있다. 우리는 종종 몸을 해부하여 그 각각을 관찰하고 체계화한 뒤 그것을 몸이라고 이야기하지만, 이때의 몸은 기의 흐름이 단절된 정체공능적이지 않은 물질화된 실체로서의 몸인 것이다. 이런 식의 부분이 모인 합은 결코 전체가 될 수 없으며, 정체공능에서의 전체는 부분의 기의 흐름이 서로 교차하고 재교차하면서 이루어지는 그런 관계망(그물망)을 말한다. 따라서 시, 서, 화나 굿, 탈춤, 판소리, 사물놀이, 민요, 산조 등의 양식에서 말, 소리, 몸짓은 언제나 기의 흐름 내에 있다. 가령 어떤 사람의 글씨가 '기운생동氣韻生動'한다든가 굿판이나 탈판에서 그것을 행하는 자(무당, 탈꾼)의 몸짓에서 신기神氣 혹은 神明가 묻어난다든가 아니면 판소리에서 소리꾼의 소리에 그늘(신명)이 있다든가 하는 경우 여기에는 반드시 기의 흐름이 전제될 수밖에 없다. 몸의 말, 몸의 소리, 몸짓 등은 인간 개인의 재주나 솜씨 차원에 머무는 것이 아니라 그것이 기의 흐름을 통해 우주 내의 다른 대상과의 관계 내에서 이루어지는 활동이라는 점에서 서구의 문화 예술의 양식과는 일정한 차이를 드러낸다고 할 수 있다.

왜 동북아시아의 문화 예술의 양식에서 공空, 허虛, 무無, 여백, 틈을 강조하고, 하늘, 땅, 사계절, 마당, 창, 문을 강조하는지 이 기를 잘 관찰하면 쉽게 이해할 수 있을 것이다. 문화 예술이 지향하는 궁극이 이러한 우주 전체의 기의 흐름 내에서 이루어진다는 것은 그것이 단순한 무질서가 아닌 '무질서 속의 질서' 혹은 '질서 속의 무질서'의 방식으로 작동한다는 것을 의미한다. 질서와 무질서의 교차는 기의 역동성을 드러내는 이중구조의 형태를 말해주는 것으로 이것은 기의 드러난 차원과 숨겨진 차원의 교차와 더불어 기를 토대로 성립된 문화 예술 양식의 특성을 반영하는 것이기도 하다. 기는 오랜 기간에 이르는 '시공간의 동태적 구조를 토대'로 하여 정립된 '음양陰陽과 오행五行의 구조'[118]라는 체계화된 미학으로 거듭난다. 이 음양오행의 구조는 하나의 사상이자 철학인 동시에 의학과 문예 미학을 이해하고 판단하는 해석의 중요한 원리로 자리하게 되면서 우리의 의식 세계의 심층을 형성해 왔다고 볼 수 있다.

이러한 음양오행의 구조는 '역학' 다시 말하면 『주역周易』에 근간을 두고 있으며, 우리의 경우에는 그것의 원리를 독자적으로 해석한 『정역正易』이 있는데, 이 저술은 후에 동학사상의 형성에 중요한 근간을 제공한다. 특히 김항이 설파한 '영동천심월影動天心月'[119]은 최제우의 '지기론至氣論'으로 이어진다. 영동천심월은 '그늘(그림자)이 천심월에서 움직인다는 것'으로 여기에서의 핵심은 '움직임' 곧 '변화'이다. 선천先天과 후천後天의 뒤바뀜, 다시 말하면 선천의 16일이 후천의 초하루가 되는 것이 바로 영동천심월이다. '그늘이 천심월을 움직인다'를 김지하는 '그늘이 우주를 바꾼다'[120]로 해석하고 있는데, 이때의 핵심 역시 '바꾼다'에 있다고 할

118 | 장파, 앞의 책, pp. 208~215.

119 | 『정역』 십오일언 "先后天周回度數", "觀淡莫如水, 好德宜行仁, 影動天心月, 勸君尋此眞."

120 | 김지하, 『김지하 전집 3』, 실천문학사, 2002, p. 305.

수 있다. 천심월이든 우주든 그것의 본질을 변화에 두고 있다는 것은 이 우주가 기의 흐름으로 이루어졌다는 것을 드러내는 것에 다름 아니다. 이런 맥락에서 천심월을 움직이는 지극한 기운(지기론)을 수운이 제기한 것이다.

그런데 수운은 이 지극한 기운을 내발적인 차원과 외발적인 차원에서 동시에 제기한다. 그것이 바로 '내유신령 외유기화內有神靈 外有氣化'이다. 안으로 신령함이 있고, 밖으로 기화가 있다는 것은 나의 내발적인 신령함 혹은 신기와 밖, 다시 말하면 우주의 기의 흐름 사이의 조화를 강조한 것으로 볼 수 있다. 안과 바깥이 둘이 아니라는 전제로부터 이 둘의 조화를 강조하고 있지만 여기에서의 핵심은 천심월 혹은 우주를 움직일 수 있는 지극한 기운이 무엇을 말하는 것인가 하는 점일 것이다. 이 물음에 대한 답은 『정역』에 있다. 천심월을 움직이는 것은 다름 아닌 '그늘影'이다. 『정역』에서의 그늘(그림자)은 '서구의 빛의 형이상학'과는 다른 '동양의 별의 생리학'으로 그것은 '눈의 작은 이성'이라기보다는 '몸의 큰 이성'[121]이며, 결국 전자(이성)는 후자(몸)에 종속될 수밖에 없다. 니체의 사유에 입각해서 보면 그늘은 결국 몸으로 수렴되는 세계에 다름 아니다. 그늘은 '몸이 생성하는 지극한 기운'이라고 할 수 있다. 『정역』과 수운의 논리대로라면 몸은 신령 혹은 신기를 내재하고 있다. 그러나 이 신기(신령)는 많은 요인들에 의해 억압되어 있으며, 이로 인해 이 억압된 것을 밖으로 표출하는 것이 중요한데 이때 요구되는 것이 바로 그늘이다. 그런데 이 그늘은 쉽게 얻어지는 것이 아니다.

몸이 생성하는 지극한 기운이 그늘이라면 그것은 몸의 육화 같은 것이며, 여기에는 질적 도약을 위한 오랜 과정이 전제될 수밖에 없다. 이

121 | 원동훈, 「니체와 '그늘'의 사유」, 『니체연구』 제26집, 한국니체학회, 2014, p. 273.

지극한 기운으로서의 그늘은 서로 반대되는 것의 일치, 역학의 원리로 말하면 음양의 조화 속에서 생성되는 것이다. 밝음과 어둠, 뜨거움과 차가움, 건조함과 축축함, 높음과 낮음, 많음과 적음 등이 서로 대립相剋하면서 동시에 서로를 낳게相生 하는 그런 구조가 그늘을 만든다. 인간의 지극한 삶 역시 이런 구조를 드러낸다. 온갖 인생의 신산고초辛酸苦楚를 겪은 사람의 과정이 몸에 은폐되어 있다가 그것이 소리나 말, 몸짓을 통해 밖으로 표출될 때 '그늘'이 탄생하는 것이다. 그래서 이 그늘은 단순한 감각이나 감성 차원의 미를 넘어 삶의 윤리성 차원까지 포괄하는 우리의 독특한 미학 원리라고 볼 수 있다. 삶과 미학의 일치를 지향하는 이런 세계는 우리의 시, 서, 화나 굿, 탈춤, 판소리, 사물놀이, 민요, 산조 등의 문화 예술 양식들에서 흔히 발견할 수 있는 것으로 '그늘'은 그 척도를 재는 한 표상이다.

그늘이 미학의 한 척도로 널리 통용된 예는 많지 않다. 익히 잘 알려져 있는 것처럼 그늘은 판소리에서 소리꾼의 소리를 재는 척도로 널리 통용되어 왔다. 판소리에서 그늘이 있는 소리는 '시김새'라는 삭임의 과정을 통해 잘 드러나는데, 이것은 소리와 삶을 얼마나 잘 일치하느냐의 문제와 함께 또한 그것을 얼마나 고도화하여 높은 차원으로 고양시키느냐의 문제와 맞물려 있는 것이다. 가령 삶의 한스러운 상황을 연출할 때 소리꾼은 가창 방식을 어떻게 가져가야 할 것인지를 고민해야 하는데, 판소리에서 소리 — 떠는 소리搖聲, 흘러내리는 소리退聲, 밀어 올리는 소리推聲, 구르는 소리轉聲 — 를 자신만의 시김의 방식을 통해 표출해내는 것이 바로 그것이다. 이때 소리꾼은 맺힌 한을 다양하고 적절한 시김을 통해 풀어 고양된 차원(신명)으로 나아가는 소리를 낸다면 그의 소리를 듣는 관객들은 '시김새가 있어' 혹은 '그늘이 있어'라고 응답하게 될 것이다. 이 소리를 듣기 위해 소리꾼은 스스로 한을 심기도 하고, 그 한의 미묘함을 몸으로 느끼고 그것을 풀어내기 위해 인욕忍辱 정진精進하는 태도를 보이기도 한다.

이렇게 그늘이 깃든 소리꾼의 소리란 곧 여기에 지극한 기운이 깃들어 있다는 것을 의미한다. 이 기운은 우주의 흐름 내에 있기 때문에 그것을 바꿀 수 있다. 소리꾼은 더 이상 수동적인 차원에 머물지 않고 알려지지 않는 세계氣를 향해 나아갈 수 있게 되는 것이다. 이것은 이 기가 어떤 가능성을 향해 열려 있다는 것을 말해준다. 우리 문화 예술의 양식들(중국과 일본의 문화 예술의 양식들을 포함)은 이러한 그늘의 원리를 중요한 토대로 하고 있지만 이 원리에 대해 문제를 제기한 경우는 거의 없다. 이런 상황에서 근대 이후 빠른 속도로 우리 사회와 문화 예술 전반에 걸쳐 강력한 지배력을 행사하고 있는 테크놀로지의 부상은 몸과 몸으로 인해 탄생하는 그늘을 우리의 의식 속에서 멀어지게 하거나 망각하게 한 것이 사실이다. 인간의 몸을 통하지 않은 의식은 점점 자동화되어 가고, 세상은 온통 육화되지 않은 말과 이미지로 넘쳐나면서 감각적인 소비와 진정성 없는 가짜 표상들이 지배하게 되었다. '지금, 여기'에서의 기술은 몸 혹은 그늘의 시김과 같은 일회적인 원본성과 구체적인 미지의 가능성을 담보하지 못한다. 특히 컴퓨터의 출현과 그것의 발달은 점점 몸을 사라지게 할 위험에 처하게 했다. 컴퓨터는 기의 흐름이 아닌 비트의 조합을 통해 이루어지는 세계이기 때문에 '매끄럽고', '시공의 부피감과 입체감'을 갖지 않는다. 이 매끄러움은 '부정과 비판'보다는 '긍정과 향락'을 추구할 뿐만 아니라 '나르시시즘적인 경향'과 '즉각적인 만족'[122]을 추구하게 한다. 한 마디로 '이 매끄러움에는 그늘이 없다'고 할 수 있다.

그러나 우리 문화 혹은 문명 전반을 '그늘 없음'으로 규정하는 것은 위험할 수도 있다. 또한 그늘 없는 문화(대중문화)와 문명(포스트모더니즘)의 존재성을 그늘의 척도로만 잴 수도 없다. '지금, 여기'에서 이루어지는

122 | 한병철, 이재영 옮김, 『아름다움의 구원』, 문학과지성사, 2016, pp. 9~23.

문화 예술 활동들이 이전에 비해 그늘에 대한 인식이 약화되거나 아예 소멸해버린 경우가 많아진 것이 사실이다. 하지만 '지금, 여기'에서 활동하는 예술가들과 문화생산자 중에는 '이미 있는 지식既知을 조합하여 무엇인가를 만들어내는 경우도 있지만 아직 알려지지 않는 지식未知'[123]을 토대로 무엇인가를 만들어내는 경우도 존재한다. 이것은 앞으로의 문화와 문명이 비트bit에 기반한 디지털화된 방향으로 흘러감과 동시에 기氣에 기반한 정체공능적인 방향 역시 함께 갈 수밖에 없는 인간의 생존 조건 때문이다. 인간은 비트화된 세계 내에서만 살 수 없다. 인간은 기로 충만한 세계 내에서 숨 쉬고, 밥 먹고, 똥 싸고, 섹스하고, 애를 낳을 수밖에 없는 생식 기능을 통해 살아갈 수밖에 없는 것이다. 기와 비트, 에코와 디지털이 서로 넘나들면서 인간 존재를 규정할 수밖에 없는 이 상황을 최근 세계적으로 유행하고 있는 '코로나' 사태를 통해서도 명백하게 인식하게 되면서 이러한 확신은 더욱 깊어졌다.

우리가 숨 쉬지 않고 살 수는 없다. 이 숨이 바로 기 아닌가. 우리는 여전히 기의 흐름 내에 있으며, 이러한 사실에 대한 자의식과 자각이 있는 한 그늘은 언제든지 출현할 수 있다. 이것이 바로 기를 토대로 한 문화 예술이 사라질 수 없는 이유이다. 점점 몸이 사라지고, 기와 그늘에 대한 망각이 폭넓게 진행되고 있는 것이 사실이지만 여기에 대한 저항과 부정성을 드러내는 움직임도 함께 존재하는 것 또한 사실이다. 컴퓨터는 인간의 몸과는 커다란 차이를 드러낸다. 컴퓨터의 알고리즘에 의해 구성되고 표현되는 세계는 논리적이고 수학적으로 표현 가능한 일만 수행할 뿐 몸의 정체공능적인 흐름에 의해 생성되는 다양한 감각, 욕구, 감정, 생식적 반응 등의 일은 수행할 수 없다. 컴퓨터 알고리즘의 세계는 부분이 모여 이루어진 전체로서의 세계이지만 정체공능적 세계

123 | 장파, 앞의 책, p. 213.

는 더 이상 분할 할 수 없는 하나의 유기적 전체로서의 세계인 것이다. 이 사실은 디지털화된 가상 세계의 매끄러운 흐름 내에서 몸을 통해 그것에 저항하고 부정하면서 자신의 주체적이고 자율적인 태도와 가능성을 열어 보이는 것이 중요하다는 것을 말해준다. 가령 백남준이 '비디오 아트'를 통해 비디오라는 기술 매체에 적극적으로 개입하여 그 속에 은폐되어 있는 예술의 형식을 발견한 경우는 인간의 몸이 지니고 있는 그늘의 본능을 비디오를 매개로 하여 표출해 낸 것이라고 할 수 있다. 이 그늘이 기에 의한 우주적 생태 환경과는 다른 비트에 의한 디지털 생태 환경을 바꾸는 역할을 수행할 수 있다는 열린 전망을 제시하고 있다는 것은 문화 예술의 차원에서 깊이 있게 들여다보아야 할 문제라고 할 수 있다. 우리의 전통적인 문화 예술의 양식이 보여주고 있는 기를 토대로 한 그늘의 세계와 그 가치를 '지금, 여기'에서 복원하고 구원하는 것도 중요하지만 그것 못지않게 중요한(어쩌면 그것보다 더 중요한) 일은 기술 자체와 그것에 의해 탄생하는 다양한 환경(디지털 생태계)에 대한 '시김(삭임)'의 과정이 필요하다고 볼 수 있다.

그런데 우리의 전통적인 문화 예술 양식의 부활이나 구원도 그것을 단순히 보호의 차원에서 접근하는 것보다는 '지금, 여기'에서 지배력을 행사하고 있는 비트를 기반으로 한 디지털 환경과의 적극적인 소통을 통해 여기에 흐르는 기를 바꾸려는 태도가 무엇보다 중요한 것이다. 이런 점에서 국민 만신 김금화가 우리의 전통문화 양식인 '굿'을 널리 알리기 위해 적극적으로 매체와의 소통을 시도한 일은 지금 이 시대의 예술가와 문화론자들이 가져야 할 태도가 어떠해야 하는지를 보여준 대표적인 예라고 할 수 있다. 여기에서 한 가지 흥미로운 것은 백남준이 요셉 보이스를 추모하기 위해 1990년 7월 갤러리아 현대 뒷마당에서 '늑대걸음으로A Pas de Loup'라는 이름의 진혼굿 퍼포먼스를 벌였는데 그것을 김금화가 보고 '무당은 난데 저 사람이 나보다 한 수 위'라고 말한 적이 있다. 국민 만신인 김금화가 백남준의 퍼포먼스를 보고 왜 이런 말을 한 것일까? 어쩌면 그녀의 말은 소리꾼의 소리를 듣고 '저 사람의 소리에는 그늘이 있어'라는 말과 다르지 않은지도 모른다. 그녀가 백남준의 퍼포먼스에서 본 것은 그의 행위에 깃든 지극함, 다시 말하면 지기至氣였다고 할 수 있다. 한 사람은 예술가이고 또 한 사람은 무당, 한 사람은 현대의 아방가르드이고 또 한 사람은 전통문화 계승자이지만 이들은 이러한 경계를 넘어 서로 소통하고 있었던 것이다. 비디오 속에 굿이 있고, 굿 속에 비디오가 있는, 마치 태극도에서 음 속에 양이 있고, 양 속에 음이 있는 것처럼 이 두 사람의 의식 속에는 역易, 변화의 원리가 작동하고 있었던 것이다.

예술과 문화가 끊임없는 변화의 도정에 있다는 것은 동서양이 다르지 않다. 이러한 변화에 대한 강한 자의식과 지극함이 이미 '지기'와 '그늘'의 원리에 내재해 있다는 사실은 예술과 문화를 바라보는 새로운 대안이 될 수 있다. 우리의 이 전통이 사상과 철학을 넘어 미학의 차원으로 이어지면서 '정체공능의 미학' 혹은 '그늘의 미학'과 같은 체계가 정립될 가능성이 부상하게 된 것이다. 인간에 의해 탄생한 예술과 문화는 결코 사라질 수 없는, 단지 변화만이 있을 뿐이라는 사실에 대한 자각은 '지금, 여기'를 살아가고 있는 모든 예술가와 문화론자들이 가져야 하는 중요한 덕목이라고 할 수 있다. 고대의 굿의 신기(신명)가 현대로 이어져 새롭게 굿 퍼포먼스라는 형식으로 탄생하는 일련의 과정을 통해 우리는 예술과 문화 양식에서 무엇보다 중요한 것이 예술가의 내면에 잠재해 있는 신령스러움을 얼마나 주체적 혹은 능동적으로 밖으로 표출氣化하느냐 하는 것이라는 사실이다. 이것은 우리(동아시아)의 정체공능으로서의 미학이 어떤 보편타당함을 지니고 있다는 것을 의미한다. 오랜 시간 동안 우리에게서 잊혀진 혹은 우리가 망각한 정체공능과 그늘의 존재를 '지금, 여기'로 불러낸 것은 일종의 모험일 수도 있지만 그것은 이미 알려진 지식의 속성보다는 알려지지 않은 지식의 속성을 지니고 있다는 점에서 보다 플렉시블한 가능성의 형식을 지닌다고 할 수 있다. 정체공능이나 그늘은 몸의 사유가 낳은 산물이기 때문에 기본적으로 변화, 혼돈, 질서, 무질서 등을 지닐 수밖에 없으며, 이 사유 내에서 탄생하는 문화와 예술 역시 그러한 속성을 지닌다는 점에서 충분히 매력적인 데가 있다. 그늘이 짓든 예술과 문화 양식들은 천심월(우주)을 움직이고, 그 우주의 마음이 인간의 내면에 깃들어 있기 때문에 결과적으로 인간을 감동시키는 것이 된다. 이런 점에서 정체공능과 그늘의 미학은 단순한 미와는 차별화되는 숭고함을 드러낸다.

6. 굿, 신명神明 그리고 백남준

– 예술은 어떻게 탄생하는가?

내 공부의 화두는 '몸'이다. 이 몸은 하나의 사상이자 철학이다. 이것은 동양과 서양이 마찬가지이다. 비록 몸에 대한 인식에는 차이를 드러내지만 그것을 사유의 주요한 토대와 근거로 삼고 있다는 점에서는 다르지 않다. 서구 기독교에서의 '영체靈體', 니체의 '큰 이성', 현상학에서의 '살chair', 페미니즘에서의 '여성의 몸', 스피노자의 '실체substare', 들뢰즈와 가타리의 '기관 없는 신체' 등은 몸이 사유의 척도이자 세계 이해의 실마리를 제공한다는 것을 말해준다. 하지만 이들의 몸에 대한 사유는 몸을 하나의 '실체substance'로 인식하여 그것을 전체와 분리, 단절이 가능한 것으로 형식화하고 논리화하고 있다는 점에서 동양, 특히 한국, 중국, 일본 등 동북아시아의 몸에 대한 사유와 차이를 드러낸다. 가령 '기氣–음양陰陽–오행五行'을 토대로 하고 있는 '한의학'이나 '중의학', 도가의 '단학丹學', 불교의 '참선', 유교의 '수신修身'과 '입신양명立身揚名', 장횡거 왕부지의 '기철학氣哲學', '최한기의 '기학氣學', 최제우의 '지기론至氣論', 일본의 '젠禪' 등은 각각 일정한 차이를 드러내고 있지만 여기에서의 몸은 '실체substance'가 아닌 '정체整體'라는 차원에서 이해되고 있다는 점에서 공통점을 지닌다고 할 수 있다.

정체란 인간의 몸을 분리와 단절이 아닌 하나로 연결되어 있다는, 다시 말하면 이 우주처럼 전체라는 관계망 속에 놓여 있다는 것을 의미한다. 이러한 연결 혹은 관계를 가능하게 하는 것은 바로 '기氣'인 것이다. 이 우주 삼라만상은 물론 인간의 몸은 이러한 기의 흐름을 통해 끊임없는 생성의 과정에 있는 그 무엇인 것이다. 한의학이나 중의학에서 가장 중요하게 여기는 것이 이러한 기의 흐름의 통로인 '경락經絡'이다. 인간의 몸이 우주처럼 신비로운 것은 이 경락 때문이다. 현대 과학이 이 경락의 신비를 과학적으로 해명하기 위해 노력하고 있다. 대표적인 사례가 물리학자인 소광섭 교수가 심혈계, 림프계 외에 제3의 순환계인 프리모관을 발견했다고 보고한 것이다. 그러나 2002년 이후 지속적으로 여기에 대해 연구하고 있지만 경락의 전모를 온전히 밝혀내지 못하고 있다는 것은 서구의 실체 의학이 지니는 한계를 드러낸 것으로 볼 수 있다. 소 교수의 실험은 마치 우리가 생물(자연) 시간에 채집해 온 식물의 잎과 줄기를 잘라 현미경으로 관찰해 물관, 체관, 핵, 세포질, 세포막, 미토콘드리아의 존재를 밝혀냈다고 해서 그 식물의 신비를 온전히 해명했다고 할 수 없는 것처럼, 어쩌면 그것은 이런 서구의 실체적인 의학이나 과학으로 영원히 해명할 수 없는 것인지도 모른다.

그러나 우리는 이 사실을 결코 인정하려 들지 않는다. 여기에는 인간의 역사를 과학과 기술에 의해 '야만에서 계몽으로 진보해 간다'는 변증법적인 사고방식이 작동하고 있기 때문이다. 이러한 사고에 대해 보다 깊이 있고 전면적인 회의와 부정을 우리들이 제기하고 있지 못하는 것은 과학과 기술이 수명 연장, 가난으로부터의 해방, 시공간의 단축, 다양한 정보와 지식 제공, 감각적이고 생리적인 차원의 볼거리 제공 등과 같은 인간의 기본적인 욕구를 충족시켜 주었기 때문이라고 할 수 있다. 이런 점에서 과학과 기술은 과거 지향적인 것이 아닌 미래 지향적인 것으로 인식된다.

이것은 과학과 기술이 인간에게 이상과 가능성으로 인식되어 왔다는 것을 의미한다. 과학과 기술의 이러한 존재성은 자연이나 영적인 것을 추방하거나 배제하는 결과를 초래하게 된다. 시간이 거듭될수록 우리 인류는 과학과 기술의 기세에 눌려 이것들에 의해 추방되거나 배제된 자연과 그것에 기반한 영적인 것을 다시 불러내지 않고 있을 뿐만 아니라 점차 그 존재를 망각해가고 있는 것이 사실이다. 이러한 망각의 결과는 기후氣候 혹은 대기大氣의 이상으로 나타났다. 이 변화는 단순한 기온 상승 정도라는 수치의 범주로 수렴될 수 없는 의미를 지닌다. 그 심각성은 '기후氣候' 혹은 '대기大氣'라는 글자가 잘 말해주듯이 그 변화란 곧 기氣의 변화를 말한다. 우리가 살고 있는 지구는 기의 흐름으로 이루어진 세계이다. 시간적인 기의 흐름과 공간적인 기의 흐름을 모두 내포하고 있는 세계가 우리가 살고 있는 지구(우주)이며, 그로 인해 지구는 하나의 '살아 있는 생명체'(제임스 러브록)이자 인간의 몸처럼 숨을 들이쉬고 내쉬는 그런 '호흡하는 존재'인 것이다.

지구가 기의 흐름으로 되어 있다는 사실의 망각은 인간의 몸이 숨을 쉬지 않고는 살아갈 수 없다는 사실을 망각한 것과 다르지 않다. 인간의 몸을 소우주(나는 이 표현이 적절하지 않다고 본다. 인간은 소우주가 아니라 우주 그 자체이기 때문이다)라고 하면서 왜 지구나 우주 역시 그러한 기의 흐름이나 숨을 통해 이루어진 존재라는 사실을 망각하고 있는 것일까? 인간은 자신의 호흡에 이상이 생기면 그것을 곧바로 몸이 느낀다. 지구 역시 마찬가지이다. 지구의 호흡에 이상이 생겨 그것이 기후와 대기의 변화로 나타난 것이다. 그런데 여기에서의 문제는 그러한 지구의 변화가 이제 인간의 몸이 느낄 정도가 되었다는 것이다. 인간의 몸과 지구는 하나의 거대한 기의 흐름 위에 놓여 있기 때문에 그것들은 둘이 아니다不二. 인간의 호흡이 우주의 호흡을 머금고 있다는 것을 인간은 오랫동안 망각해 온 것이다. 이러한 망각은 단지 생리적이고 생식적인 차원에만 머무는 것이 아니라 문명과 문화 예술 전반과 같은 형이상학적이고 상징적인 차원에까지 광범위하게 나타난다.

동양, 특히 한국, 중국, 일본 등 동북아시아 문명과 문화 예술은 이기를 토대로 하여 성립된 것들이기 때문에 서구와 차별화되는 독특한 세계를 지니게 되는 것이다. 기는 눈에 보이지 않지만 반드시 존재한 상태에서 움직인다는 점에서 신의 활동을 내포한다. 이때의 신은 자연 혹은 우주를 말한다. 이런 점에서 '신기神氣'는 특별함을 지닌다. 이 신기는 고대에서 현대에 이르는 과정을 통해 보면 약화되기는 했지만 소멸한 것은 아니다. 현대인의 내면 깊숙한 곳에는 이런 신기가 자리하고 있다고 볼 수 있다. 신기와 관련하여 반드시 짚고 넘어가야 할 우리의 대표적인 문화 양식이 있다. 바로 '굿'이다. 굿은 우리 문화 예술의 원천이다. 우리의 문화 예술에서 서양의 '신God'에 해당하는 것이 '천지신명天地神明' 혹은 '일월성신日月星辰'이다. 기독교의 유일신이 아닌 천지 자체가 신이 되는 범신론적 사유는 굿을 포함하여 우리의 전통적인 문화 예술의 양식에 깊이 내재해 있다. 굿은 이러한 천지신명을 무당을 통해 드러내는 의식儀式이다.

그런데 우리가 의식하면 무언가 엄숙하고 틀 지어진 과정이나 방식을 떠올리는 것이 일반적이다. 하지만 굿에서의 의식은 이것과는 사뭇 다른 모습을 드러낸다. 천지 신의 활동(힘)이 중재자인 무당을 통해 드러나는 과정에서 제의적 엄숙함이 없는 것은 아니지만 굿은 기본적으로 연희적 성격이 강한 일종의 놀이라고 할 수 있다. 천지 신의 기운을 온몸으로 받아내는 '신내림'을 보면 엄숙함의 이면에 그것을 뒤흔드는 열광, 다시 말하면 '무병巫病, ectasy'이 존재한다. 신내림을 받은 무당은 강한 열기에 휩싸여 황홀경에 빠지게 되고, 그 기운(신내림)을 다른 이들에게 중개한다. 이렇게 신내림의 전이가 이루어질 때 중요한 것은 무당이 굿을 노는 솜씨이다. 이 솜씨란 신으로부터 내림을 받은 신기 혹은 신명을 관객들과 나누면서 그들의 이면에 내재해 있는 온갖 감정(희노애락애오욕喜怒哀樂愛惡慾)을 놀리는 것이다. 이들의 내면에 응어리져 있는 감정의 덩어리를 놀리면서 그것을 풀어내는 일이 무당이 굿을 하는 중요한 목적이라고 할 수 있다. 관객으로 참여하는 민중들의 이면에 억눌려 있는 '한恨'을 어떻게 끄집어내어 풀어내느냐 하는 것은 관객들과의 감응을 통해 무당이 구현해야 하는 핵심적인 임무인 것이다.

이렇게 민중의 내면에 응어리진 한을 풀어내기 위해 무당은 자신이 할 수 있는 모든 방법을 동원하는데 여기에서 무당의 능력이 드러난다. 만일 유능한 무당이 관객의 응어리진 한을 풀어 신명에 이르게 한다면 관객들은 자신의 신명을 못 이겨 무당의 굿놀이를 수동적으로 지켜만 보지 않고 자리를 박차고 나와 노래하고 춤추면서 그 판을 흥겨운 어우러짐의 장(난장 혹은 난장판)으로 바꿔놓을 것이다. 누가 연희자고 누가 관객인지 모르는 지경까지 굿판이 활성화된다는 것은 이 양식이 일정한 플롯이나 계획된 연출을 통해 이루어지는 것이 아니라는 것을 말해준다. 상당히 즉흥적이고 해체적인 속성을 드러내는 굿판은 혼돈처럼 느껴지지만 그 혼돈은 '탄력성 있는 혼돈'[124]인 것이다. 우리의 굿이나 굿판에서 벌어지는 모든 언술과 행위가 어떤 틀 지어진 질서와 구조를 지향하고 있는 것이 아니라 연희자와 관객의 자유로운 어우러짐을 통해 일체의 억압으로부터의 해방과 열린 질서와 구조를 지향하고 있다는 점에서 그것은 새로운 창조의 에너지와 미적 전망을 드러낸다고 할 수 있다.

굿이 지니는 이러한 속성은 다른 문화 예술의 양식에 일정한 토대를 이루고 있다. 먼저 굿의 토대를 이루는 천지신명의 원리는 이미 고조선에서 그 흔적을 발견할 수 있는데, 단군을 천신天神이나 제사장으로 보는 것이 바로 그것이다. 이러한 전통은 부여의 '영고', 고구려의 '동맹', 예의

124 | 김열규, 「굿과 탈춤」, 『탈춤의 사상』, 현암사, 1984, p. 119.

'무천', 신라의 '풍류도風流道'[125] 그리고 신라와 고려의 '팔관회'로 이어진다. 고대 국가 차원의 제천 의식은 '하늘天, 제사장, 관객'이 참여하는 연희의 구도를 지니고 있다는 점에서 '천지, 무당, 관객'이 참여하는 굿의 원리와 다르지 않다. 이것은 굿 혹은 무속의 원리가 국가와 사회 공동체의 중요한 의식의 하나로 작동하고 있었다는 것을 의미한다. 유교주의 이념을 숭상한 조선에 와서 이런 식의 제천 의식은 국가 주도로 행해지지는 않았지만 민간에서는 여전히 굿 혹은 무속의 원리가 널리 행해지고 있었다. 민간에서는 개인의 길흉화복吉凶禍福, 질병, 죽음 등에 굿이 중요한 원리로 작동하였을 뿐만 아니라 사회 공동체에 생길 수도 있는 재앙과 재난을 막고 그것을 해소하기 위해 마을굿과 고을굿을 정례적으로 행하였다.

굿의 이러한 원리는 우리의 문화 예술의 양식에서도 발견할 수 있다. 그중에서도 탈춤, 판소리, 풍물놀이, 시나위, 산조, 민요 등은 천지신명의 원리를 잘 드러내고 있는 양식들이다. 이 양식들은 하나같이 신명을 겨냥한다. 양식에 따라 말과 춤이 주가 되는 것(탈춤), 말과 소리가 주가 되는 것(판소리), 악기와 춤이 주가 되는 것(풍물놀이), 악기와 소리가 주가 되는 것(시나위, 산조), 소리가 주가 되는 것(민요)으로 구분이 되지만 그 말, 소리, 춤이 내재하고 있는 것은 인간(민중)의 굴곡진 삶의 과정에서 생겨나는 억압된 감정으로서의 '한恨'과 그것을 삭이고 풀어내는 과정에서 드러나는 고양된 감정으로서의 '신명神明'이다. 이 신명에 이르기 위해 탈춤에서 탈꾼은 자신의 억압된 감정을 몸짓으로 표출해내고, 판소리의

125 | 범부 김정설은 "무릇 무속은 샤머니즘계의 신앙류속(信仰流俗)으로서 신라의 풍류도(風流道)의 중심사상이 바로 이것이고 또 이 풍류도(風流道)의 연원인 단군의 신도설교(神道設敎)도 다름 아닌 이것"이라고 하여 풍류도와 단군의 신도설교의 연원을 무속으로 보고 있다. (김정설, 『풍류정신(風流精神)』, 영남대학교출판부, 2000, p. 122)

소리꾼은 다양한 시김(시김새)의 방식을 통해 감정을 풀어내며, 풍물패는 각종 악기(북, 장구, 꽹과리, 징, 나발, 대평소)를 치거나 불고 상모를 돌리면서 흥을 돋우고, 시나위에서는 가야금, 거문고, 해금, 아쟁, 피리, 대금 등을 즉흥적이고 자유롭게 연주하고, 산조에서는 진양조, 중모리, 자진모리, 휘모리로 바꿔가며 거문고, 대금, 해금, 피리, 아쟁 등을 연주한다. 그리고 민요에서는 악곡이나 사설이 소리꾼의 취향에 맞게 즉흥적으로 결정되어 노래 불러 지는 방식을 통해 신명을 드러낸다. 굿에서 무당이 어떻게 노느냐에 따라 신명의 정도가 결정되는 것처럼 탈춤, 판소리, 풍물놀이, 시나위, 산조, 민요 등의 양식에서도 그것을 행하는 자의 연희 능력에 따라 신명의 정도가 결정된다고 할 수 있다.

굿과 그것의 원리를 기반으로 한 의식이나 전통문화 예술 양식에서 발견할 수 있는 '무巫' 혹은 '무속巫俗'의 세계는 그동안 우리 문명이 억압하고 추방해버린 원시적인 생명성, 혼돈 상태의 파토스, 미지의 차원에 대한 강렬한 영감, 단순한 감각과 이성을 넘어선 숭고와 같은 것들로 충만한 그런 세계이다. 굿이 지니는 이러한 정체성은 문화 예술의 차원에서 보면 너무나 매혹적attractive인 데가 있다. 새롭고 낯선 것에 대한 끊임없는 욕망을 은폐하고 있는 문화 예술의 속성상 굿의 이러한 면모는 그 욕망을 충족시켜 줄 더없이 좋은 원천 소스source라고 해도 과언이 아닐 것이다. 이것은 굿이 과거의 유물이 아니라 현대의 시공 속에서 살아 움직이는 생성체라는 것을 의미한다. 하지만 굿의 이러한 면모를 간파한 이는 드물다. 굿에서 무당이 신내림을 받고 신명에 이르듯이 그것의 진가를 발견하는 이 역시 신내림을 받은 자라고 할 수 있다. 우리는 종종 문화 예술계에서 그런 신 내린 자를 만날 때가 있다. 가령 소리꾼 임방울이나 춤꾼 최승희, 만신萬神 김금화가 그렇고, 시인 서정주, 화가 장승업, 서예가 김정희 등이 또한 그렇다. 이들은 모두 우리 문화 예술을 높은 경지로 이끈 그런 문화 예술가들이다.

그러나 굿의 원리가 현대적인 시공 속에서 어떻게 살아 움직이고 또 그것이 어떤 미지의 영역으로 나아갈 수 있는지를 보여주기에는 이들의 활동 시기(조선, 근대)와 활동 영역(국내, 일본) 면에서 한계가 있다. 이런 점에서 또 한 명의 탁월한 무당인 백남준은 특별한 데가 있다. 익히 잘 알려져 있는 것처럼 그는 '비디오 아트'라는 새로운 영역을 개척한 선구자이며, 국내를 넘어 미국, 독일, 프랑스, 스위스, 일본 등에서 활동하면서 세계적인 아티스트로 명성을 떨쳤다. 초기에는 존 케이지와 조지 마치우나스의 영향을 받아 행위 예술가로 활동하면서 극단적이고 실험적인 퍼포먼스를 펼쳐 보이면서 주목을 받았고, 이후 퍼포먼스를 하면서 조금씩 시도했었던 비디오 아트를 본격적으로 선보여 그것을 하나의 예술로 정립시켰다. 이렇게 그가 비디오 아트의 창시자로 세계적인 명성을 얻었다는 것은 그의 예술이 인류 보편의 감각과 의식을 지니고 있다는 것을 의미한다. 그런데 이 대목에서 우리가 세심하게 들여다보아야 할 것은 그의 예술을 관통하는 정신이 우리의 '굿'에 기반을 두고 있다는 점이다. 그의 우리 굿(무속)에 대한 자긍심과 사랑은 각별했다. 그는 우리의 굿에서 소통의 또 다른 면을 보게 된다. 신과 인간이 무당을 매개로 하여 소통하는 굿에서 그는 서구의 합리적이고 이성적인 문명사회에서 발견할 수 없는 강렬한 파토스와 변화(창조)의 원리를 발견한 것이다.

굿의 이 원리가 백남준으로 하여금 피아노와 바이올린 부수기라는 퍼포먼스를 통해 음악에 대해 가지고 있던 고정관념을 해체하게 하였고, 이러한 그의 의식은 음악이 가지는 청각에서 더 나아가 시각, 촉각으로 확장하면서 TV와 비디오 같은 매체를 오브제로 하는 예술, 곧 '비디오 아트'를 탄생시켰던 것이다. 그의 비디오 아트는 단순히 비디오를 매체로 만들어진 새로운 현대 예술이라는 개념을 넘어선다. 이것은 그의 비디오 아트가 단순히 현대의 물질문명과 정신세계만을 반영하고 있는 것이 아니라는 것을 의미한다. 그의 예술은 굿과 같은 우리의 전통문화 예술의 토대인 천지신명의 원리를 드러내고 있다. 그의 대표작 중의 하나인 「다다익선」(1988)은 그것을 잘 말해준다. 이 작품은 1,003대의 TV모니터를 18미터 높이까지 탑처럼 쌓아 올린 형태로 되어 있다. 이 거대한 탑을 보고 있으면 그것이 천상을 향해 있다는 의식과 함께 성스러움과 숭고함을 느끼게 된다. 실제로 이 탑의 나선형 복도를 따라 위로 오를 수 있는데, 이때의 느낌은 어떤 성스러운 곳을 들어설 때의 숨 막히는 긴장과 희열 같은 것이다. 그가 만들어 놓은 시공간에서 느끼는 성스러움은 이 탑의 구도가 천지신명의 원리를 따르고 있는 데서 비롯된 것이라고 할 수 있다.

이런 점에서 천지신명과의 소통을 상징하는 신내림이 탑처럼 쌓아 올린 모니터의 움직임을 통해 작동하고 있는 듯한 착각, 다시 말하면 황홀경(엑스터시)의 기운을 「다다익선」에서 느끼게 되는 것은 결코 우연이 아닌 것이다. 굿판에서 무당의 놀림에 의해 관객이 여기에 끌려 이들이 함께 어우러지는 것처럼 「다다익선」에서 그가 설치해 놓은 모니터의 현란하면서도 혼돈에 가득 찬 역동적인 표출로 인해 관객에 여기에 끌려 그것과 혼연일체가 되는 상황은 그가 "가장 원초적인 무당으로서, 문명 이전과 모더니즘 이후의 시대를 연결하는 통시적通時的 예술가가 되는 것"[126]에 다름 아니다. 이쯤 되면 우리 문명이 억압하고 추방해버린 '굿 혹은 무당의 화려한 복귀'라고 해도 무방하지 않을까? 백남준 스스로도 자신이 '전자 무당'이고 굿의 신봉자라는 것을 만천하에 공개적으로 알리지 않았던가. 그가 자신의 절친한 동료이자 플럭서스 운동의 동지였던 요셉 보이스를 추모하기 위해 1990년 7월 서울 사간동 현대화랑 뒷마당에서 벌인 굿판은 요셉 보이스만 불러낸 것이 아니라 우리의 기억 속에서 점점 잊혀가던 굿과 무당의 존재를 '지금, 여기'로 불러낸 역사적인 현장

126 | 김홍희, 『백남준: 해프닝, 비디오아트』, 1999, 디자인하우스, 서울, p. 19.

으로 볼 수 있다.

진짜 무당보다도 더 무당다운 기운을 뿜어내 그 현장에 함께 한 만신들이 뒤로 물러나 앉을 정도로 백남준의 이날 굿은 제대로 한恨과 원怨을 푼 그런 신명풀이의 장이었다. 그의 몸짓과 말 하나하나에 지극한 기운이 깃들어 있어 그 기운이 관객과 하나가 될 수 있었고 하늘도 여기에 감응하는 신기神氣한 일이 벌어졌던 것이다. 그날 그의 굿이 끝난 뒤 쨍쨍하던 하늘이 갑자기 어두워지면서 거센 바람이 불고 천둥 벼락이 치면서 일대가 정전되었다. 물론 이것이 그의 굿으로 인해 일어난 일이라고 단정할 수는 없다. 하지만 여기에서 중요한 것은 그의 굿이 하늘과 통할 수 있다고 믿는 관객들의 마음이라고 할 수 있다. 이 마음은 곧 그 굿의 주재자인 그의 마음인 것이다. 무당과 관객의 이 지극한 마음(기운)이 하늘을 움직인 것이다. '그늘이 천심월을 움직인다影動天心月'는 이 명제는 눈에 보이는 투명한 이성의 논리로는 드러나지 않는다. 그것은 눈에 보이지 않지만 반드시 존재하는 무無나 허虛, 공空의 논리로 드러나는 세계이다. 그가 천지와 소통하는 방식으로 비디오와 TV를 택한 것은 '지금, 여기'에서의 관객을 염두에 두고 그들과 보다 직접적으로 그 천지 혹은 우주적인 기를 공유하고 싶은 의지 때문으로 볼 수 있다.

백남준이 선보인 굿판은 우리의 굿을 세계에 널리 알렸다는 단순한 의미를 넘어 그것이 지니는 천지신명의 원리가 한국적인 특수 상황에 국한된 것이 아니라 인류 보편의 감각과 원형에 닿아 있다는 것을 증명한 자리였다고 할 수 있다. 그의 신명이 그것을 지켜본 세계의 여러 관객들의 공감을 불러일으킨 데에는 문명에 의해 길들여진 우리의 모습과는 다른 생명의 본능적인 충동과 그것에 대한 지향, 어떤 것에도 억압받거나 구속되고 싶지 않은 혼란과 무질서, 해체를 통한 자유로움의 표출, 고독과 단절이 아닌 연결, 상호 접근, 참여 등을 통한 삶의 고양, 관념에 의한 개념화된 미를 초월해 살아 있는 시공간 속에서 체험하게 되는 숭고함

등을 은폐하고 있었기 때문이다. 그가 보기에 현대 혹은 현대 예술(비디오 아트)이란 굿에 내재한 다양한 제의적 요소들과 그것이 궁극적으로 실현하고자 하는 신명 혹은 그늘의 세계를 '지금, 여기'로 불러내는 일인 것이다. 굿이 탄생시킨 그의 해프닝(퍼포먼스)과 비디오 아트는 하늘과 땅과 사람, 삶과 죽음, 질서와 무질서, 생성과 파괴(해체), 동양과 서양, 전통과 현대, 순간과 영원, 물질과 정신, 감각과 의식 등이 한데 어우러진 한판 굿이다. 백남준과 같은 이러한 무당은 전자시대 혹은 AI 시대에도 출현할 수 있다. 어쩌면 지금 어딘가에서 신명과 그늘로 가득 찬 굿판이 벌어지고 있는지도 모른다.

인명 찾아보기

(ㄴ)

(ㄷ)

(ㄹ)

(ㅁ)

(ㅂ)

(ㅅ)

(ㅇ)

(ㅈ)

(ㅊ)

(ㅋ)

(ㅌ)

용어 찾아보기

(ㄴ)

(ㄷ)

(ㅁ)

(ㅂ)

(ㅅ)

(ㅇ)

(ㅈ)

(ㅊ)

(ㅋ)

(ㅌ)

(ㅍ)

(ㅎ)

(b)

(n)

(s)

정체공능과 해체의 詩論

초판 1쇄 발행 2022년 4월 18일

지은이 이재복
펴낸이 조기조
펴낸곳 도서출판 b
등 록 2003년 2월 24일 제2006-000054호
주 소 151-899 서울특별시 관악구 난곡로 288 남진빌딩 302호
전 화 02-6293-7070(대) | 팩시밀리 02-6293-8080
이메일 bbooks@naver.com | 홈페이지 b-book.co.kr

ISBN 979-11-89898-71-7 93810
값 20,000원

* 이 저서는 2017년 정부(교육부)의 재원으로 한국연구재단의 지원을 받아 수행된 연구임.
(NRF-2017S1A6A4A01019200 / 원과제명『놀이, 신명, 몸』)